Een ordinaire terechtstelling

Marc Dugain

EEN ORDINAIRE TERECHTSTELLING

Uit het Frans vertaald door
Jan Versteeg

DE GEUS

Deze uitgave is mede mogelijk gemaakt dankzij een bijdrage van de
Europese Commissie in het kader van het programma Cultuur 2000

Cultuur 2000

De vertaler ontving voor deze vertaling een werkbeurs van
de Stichting Fonds voor de Letteren

Oorspronkelijke titel *Une exécution ordinaire*, verschenen bij Gallimard
Oorspronkelijke tekst © Éditions Gallimard 2007
Nederlandse vertaling © Jan Versteeg en De Geus BV, Breda 2009
Omslagontwerp Riesenkind
Omslagillustratie © Freshimages/U.S. Navy
Druk Hooiberg Salland, Deventer
ISBN 978 90 445 1196 3
NUR 302

Opgedragen aan Alla Shevelkina, journaliste en vriendin.
Opgedragen aan Fabrice d'Ornano, onderzeebootkapitein
en vriend.
Het belangrijkste heeft dit boek aan hen te danken.

Voor Roman, geboren op het moment dat ook dit boek
volgroeid was.

'We dachten het beter te doen, maar uiteindelijk bleek dat we het op dezelfde manier deden.'

Viktor Tsjernomyrdin
(oud-premier van Rusland)

'Maar als de wereld hem zou verpletteren, zou de mens verheven zijn boven wat hem doodt, omdat hij weet dat hij sterft; en het voordeel dat de wereld ten opzichte van hem heeft, daar weet de wereld niets van.'

Blaise Pascal

Inhoud

Ik ben Stalin maar 9

Zo groen als gras 77

Anterograd 127

Twee vrienden 235

Verkoold 255

De wezel 307

De stilte van de woorden 321

IK BEN STALIN MAAR

Zoals bijna elke dag sinds het eind van de oorlog, was mijn moeder, urologe van beroep, die winterochtend in 1952 haar dienst begonnen in het M-ziekenhuis, in een verre buitenwijk van Moskou. Ze deed net haar ronde langs de zieken, achter de chef-arts en zijn areopagus van assistenten, toen op de gang een man, die door een surveillante naar haar was toegestuurd, haar te spreken vroeg. Niemand in het groepje nam er aanstoot aan. Nadat de man naderbij gekomen was, wendden de anderen zich af. Het gebeurde in die tijd wel vaker dat mensen op hun werk gearresteerd werden, al gaf de geheime politie er de voorkeur aan ze van hun bed te lichten. Ze uit nieuwsgierigheid of uit medelijden een laatste keer aankijken was een gevaarlijke manier om aan te geven dat er een band met de verdachte bestond.

De man die mijn moeder kwam aanhouden beantwoordde in elk opzicht aan het beeld van een militair. Hij stelde zich zachtjes voor om te zorgen dat alleen zij hem hoorde, daarna verzocht hij haar, niet echt beleefd maar ook niet ruw, hem te volgen. Voor het ziekenhuis stond een zwarte limousine. Mijn moeder verwachtte dat ze in de auto tussen een aantal mannen in zou komen te zitten. Dat was niet het geval. De chauffeur draaide zich niet eens om toen ze achter instapte. De militair ging naast haar zitten en ze reden zonder dat er iets gezegd werd weg. Het was koud en grauw, ook de omgeving had de kleuren van het regime. Omdat het licht had gedooid, was de grijs geworden sneeuw op de stoepen en in de wegbermen de dag ervoor gesmolten, maar nu vroor de sneeuw weer op en zag hij er nog grauwer uit.

Mijn moeder kon zich niet voorstellen dat ze om een andere reden dan een arrestatie meegenomen werd. Ook wist ze dat er helemaal geen reden hoefde te zijn voor een arrestatie. Dat was nu juist het principe van de terreur. Ze had het er herhaaldelijk met mijn vader over gehad dat zoiets kon gebeuren. Ze waren geheel overtuigd van de rechtmatigheid van de revolutie, maar onder elkaar hadden ze af en toe wel milde kritiek op de uitwassen ervan. Als haar arrestatie niet gewoon toeval was, moest de reden misschien gezocht worden in zulke gesprekken. Maar hoe hadden ze die kunnen horen? Misschien had de politieke politie al maanden geleden zonder dat ze het wisten afluisterapparatuur in hun flat aangebracht. De huismeester had immers reservesleutels en hij kon de microfooninstallateurs heel goed de woning hebben binnengelaten. Maar waarom werden juist zij bespioneerd? 'Waarom ik?' Deze vaak gestelde vraag maakte geleidelijk plaats voor een andere, die nuchterder klonk: 'Waarom ik niet?' Wat de huismeester betreft schoten mijn moeder trouwens weer dingen te binnen die een merkwaardig licht op deze arrestatie wierpen.

Een aantal maanden daarvoor hadden mijn ouders besloten een kind te nemen. Gewetensvol en trouw klaarden zij elke avond de klus. Het genoegen dat ze eraan beleefden, deed hen het waarom bijna vergeten. Soms brachten ze ook hun hele zondagmiddag in de slaapkamer door, wanneer Moskou in het halfduister gehuld was en nadat mijn vader de schriften had opgeborgen waarin hij honderden natuurkundige vergelijkingen optekende, naast mijn moeder zijn enige hartstocht. Zij hield innig veel van mijn vader, daar bestaat geen enkele twijfel over, maar haar kennende voelde ze zich geheel vrij in haar doen en laten. Mijn moeder was net zo frivool als veel Moskouse vrouwen in die tijd en ik zie haar zo naakt door de flat lopen terwijl ze mijn vader eraan herinnert dat het met vrouwen net zo is als met bezittingen: privé-eigendom is afgeschaft. Op een doodgewone maandagochtend die niet anders was dan andere, kwam de conciërge haastig uit zijn hokje en stelde zich onder aan de trap op terwijl mijn moeder de laatste treden afdaalde. Omdat ze bezig was haar jas van namaakbont dicht te knopen en daarbij moest oppassen niet te vallen, botste ze bijna tegen hem op. Gewoonlijk niet erg vriendelijk, trok hij die dag het schuldbewuste gezicht van iemand die zijn verwijten heel lang heeft opgekropt.

'Neem me niet kwalijk dat ik u ophoud, kameraad, maar ik moet u, al is het maar kort, spreken over een klacht van buren van wie ik de naam niet zal noemen om geen onrust op uw portaal te zaaien.'

Hij keek haar niet langer recht in de ogen maar richtte zijn blik op de glanzende spijlen van de trapleuning.

'Ze vertelden me dat u – en wanneer ik "u" zeg, bedoel ik u persoonlijk en niet uw man, want anders zou ik zo vrij zijn geweest ook hem aan te spreken toen hij hier een kwartier geleden langskwam – de rust verstoort door kreten die volgens hen kreten van genot zijn. Ik kan er niet over oordelen, maar het gaat niet over iets wat maar af en toe gebeurt. Nog steeds volgens hen, ondergaan ze die hinder nu al bijna een jaar, wel een paar keer per avond, en soms ook midden in de nacht of 's ochtends en 's zondags wel tot drie keer toe. Voor ik verderga: geeft u de feiten toe?'

Mijn moeder steunde op de trapleuning, verplaatste haar gewicht van het ene been naar het andere en trok haar neus op.

'Ik denk dat het klopt, kameraad conciërge.'

Dit antwoord deed de spanning van de functionaris afvallen en belerend vervolgde hij: 'In dat geval, we zijn het immers eens, ben ik zo vrij u er opmerkzaam op te maken dat dit alles niet zo goed is voor uw naam. Snapt u, het probleem is niet dat u het echtpaar Olianov stoort, want ik weet dat de overlast nu u op de hoogte bent zal ophouden. Nee, ik vraag me af hoe iemand zo kan genieten dat hij er anderen mee lastigvalt. Als het nog een keer gebeurt, zal ik het verzoek van de Olianovs inwilligen en dit burengerucht melden, welke risico's er ook aan hun verklaring verbonden zijn.'

Met kleine schokkende bewegingen van het hoofd knikte mijn moeder instemmend: 'Ik heb uw boodschap begrepen, kameraad conciërge, en ik zal uw raad ter harte nemen. Toch zou het geen kwaad kunnen, aangezien de Olianovs beweren dat deze overlast al een jaar duurt, u eens af te vragen waarom ze er niet eerder over geklaagd hebben.'

De conciërge trok een somber gezicht en zijn neusgaten verwijdden zich. Hij stootte een merkwaardige klank uit en lichtte zijn hielen. Mijn moeder was nog niet bij de voordeur van het flatgebouw of ze had al spijt van haar aanmatiging. De herinnering aan het voorval was na een paar dagen vervaagd, maar toen ze gearresteerd werd, stond alles haar opeens weer haarscherp voor ogen.

Al een aantal maanden daarvoor had een gegronde angst haar ertoe gebracht, verborgen in haar kleren een capsule cyaankali bij zich te dragen om zich, mocht ze toevallig gearresteerd worden, aan elke vorm van verhoor of foltering te kunnen onttrekken. Ze wilde niet lijden. Dat lag niet in haar aard, net zomin als ze lange jaren wilde doorbrengen in de barre kou in het Oosten, zonder te weten hoe lang het zou duren voor de mens zou plaatsmaken voor het dier, en vervolgens het dier voor de dood. Mijn ouders hadden in die tijd nog geen kinderen en ze hadden gewoon afgesproken dat de een niet koste wat het kost zijn leven in dienst van de ander zou stellen. In feite huldigden ze allebei de gedachte dat voor hen niets op aarde dierbaar genoeg was om het ondergaan van kwellingen te rechtvaardigen. Mijn vader was echter niet zo ver gegaan zich als voorzorgsmaatregel van een dodelijk vergif te voorzien. Hij voelde zich slechts bedreigd wanneer hij voor een belangrijk iemand werd aangezien. Een belangrijk iemand was hij voor de mannen en vrouwen van de wetenschappelijke afdeling waarover hij de leiding had, maar hij boette aanzienlijk aan gezag in wanneer je keek naar het aantal mensen dat boven hem stond. Bovendien was hij geen partijlid. Hij had zich goed op de hoogte gesteld, leden met hogere functies werden meestal eerder gepakt dan gewone arbeiders zoals hij. Men vroeg hem zijn werk behoorlijk te doen en aangezien hij geen enkele eerzucht had, stond hij niemand in de weg. Ook wat mijn moeder betreft maakte hij zich geen zorgen, want ondanks de omstandigheden gaf zijn optimisme hem in, de dingen luchtig op te nemen.

In de auto had mijn moeder de capsule met cyaankali die in de voering van haar jas verborgen zat voorzichtig verplaatst om hem zo dicht mogelijk in de buurt van haar schaamstreek te brengen, in de hoop dat hij zo aan de aandacht van haar folteraars zou ontsnappen. De auto stopte voor een zij-ingang van het Kremlin, vrij ver bij de Loebjanka* vandaan waarvan heel Moskou de toegangspoort kende, wat haar geruststelde. De man liet haar zonder beleefdheden of plichtplegingen uitstappen en voerde haar door een doolhof van gangen met vele controleposten waar hij een pasje liet zien. Terwijl ze met de barse oppasser meeliep, moest ze opeens verschrikkelijk nodig plassen, maar ze durfde hem niet te vragen waar de wc was, als die al op de route lag. Aan het doolhof leek maar geen eind te komen. Ze werd steeds benauwder bij de gedachte dat ze straks, ver van andere politieke verdachten, in een kelder van het Kremlin verhoord zou worden. Maar een nieuwe aanwijzing gaf haar weer het sprankje hoop waar ze om smeekte. In de Loebjanka hadden de folteraars naar verluidde onlangs een geluiddichte kamer ingericht om te voorkomen dat het geschreeuw het moreel van het administratief personeel van de politieke politie zou ondermijnen. Zo'n vertrek was er in het Kremlin vast niet, een bewijs dat ze niet van plan waren haar te martelen. Natuurlijk, het was altijd mogelijk dat ze haar uit haar slaap zouden houden of, erger nog, dat ze een prop in haar mond zouden doen als ze haar gingen slaan. Maar, dacht ze, als een prop in de mond voldoende was om geschreeuw te dempen, waarom hadden ze in de Loebjanka dan een speciale kamer ingericht? Gerustgesteld door haar eigen analyse keerden haar gedachten terug naar de redenen van haar arrestatie, zonder dat het haar lukte een logische verklaring te vinden. Natuurlijk had ze gezondigd, dat kon ze niet ontkennen. Er schoot haar echter iets anders te binnen dat haar angst aanjoeg. De belangrijkste kwestie van dat moment was de 'witte jassen'-zaak, die artsen in het ziekenhuis van het Kremlin betrof, voor het merendeel Joden, die ervan beschuldigd werden Zjdanov vermoord te hebben. Mijn moeder had geen Joodse moeder, alleen haar vader was Joods. In de grote euforie van de revolutie, toen ieder zich van zijn bijzondere kenmerken ontdeed zoals een armoedzaaier zich van zijn lompen zou ontdoen, had deze laatste zijn naam

---

* Hoofdkwartier van de geheime dienst.

veranderd. Van Altman was hij Atlin geworden. Maar misschien verrichtte de politieke politie naspeuringen naar de afkomst van alle ziekenhuisartsen in de regio Moskou? Het bezorgde haar een enorme opluchting toen ze opeens het volgende bedacht: als ze besloten mochten hebben alle Joodse artsen in de stad of zelfs in het land te arresteren, zou het logisch zijn dat ze begonnen met degenen die door hun naam werden verraden. Maar in haar ziekenhuis was voorzover ze wist geen enkel diensthoofd met een Joods klinkende naam lastiggevallen. Het zou logisch geweest zijn dat ze pas na langdurig onderzoek naar haar echte naam iets te vrezen gehad zou hebben. Maar ze wist ook dat logica niet de sterkste kant van het systeem was. De kracht van terreur is dat zij onvoorspelbaar is, er komt een deel toeval bij kijken. Deze veronderstelling had echter niets geruststellends, want eenmaal in handen van folteraars was het probleem niet om je onschuld te bewijzen, maar veeleer om voor de aanklagers de aanwezigheid van een verdachte overeen te laten stemmen met om het even wat voor beschuldiging. Dus, zoals vaak wanneer je de strijd opgeeft, maakte ze zich los van haar gedachten en liet ze de dingen over zich heenkomen. Toen haar begeleider de laatste deur opende, zag ze aan de uitdrukking op zijn gezicht dat de tocht ten einde was.

De zware gotische deur van massief hout gaf toegang tot een klein, zeer donker vertrek dat rook naar de adem van mensen die niet genoeg spreken. Nadat de gids vertrokken was, bestond haar enige gezelschap nu uit een gedrongen vrouw met donker, vet haar, dat net zo dun was als de lichte snor die haar bovenlip bedekte. Ze droeg een uniform van bruine stof. Ze beduidde mijn moeder plaats te nemen en ging weer achter haar bureautje zitten, dat tegenover een kloosterbank stond waarop ze zich met de knieën tegen elkaar neerzette. Ze zorgde ervoor dat hun blikken elkaar niet één keer kruisten. Het bureau voor haar was leeg. Ze zat met haar armen over elkaar en met de rug recht als een eunuch voor de ingang van een harem. Mijn moeder hield het niet meer en na een lange aarzeling vroeg ze haar waar de wc was. Verbaasd over deze ongepaste vraag, kreeg haar gezicht een afkeurende uitdrukking voor ze antwoordde: 'Er is hier wel een wc, maar die mag alleen gebruikt worden door bewakers en etagepersoneel. Bij mijn weten staat nergens dat bezoekers er gebruik van mogen maken.'

'Wat moet ik dan doen?' vroeg mijn moeder schuchter en zich ervan bewust dat ze zich niet in een situatie bevond waarin ze eisen kon stellen.

'Geen idee, kameraad, je zult het moeten ophouden. Je bent het Kremlin volgens mij niet via de hoofdingang binnengekomen. Bij de ingang voor belangrijke bezoekers bevindt zich een wc die even groot is als de grootste gemeenschappelijke woning in Moskou. Aangezien je niet via de hoofdingang bent binnengekomen, zul je wel weten waarom! En dan zul je ook wel weten waarom er in dit gedeelte van het gebouw geen wc is voor mensen zoals jij.'

Ze keek al een poos niet meer in de richting van mijn moeder, maar richtte haar matte blik op de muur tegenover haar. Vervolgens verzuchtte ze: 'De dialectiek doet echt heel veel om de wereld begrijpelijk te maken.'

Daarna deed ze er bijna een vol uur het zwijgen toe, tot ze het tijd vond om tot handelen over te gaan.

'Ik ga je fouilleren', zei ze terwijl ze langzaam opstond alsof ze het gewicht van al haar ledematen voelde. 'Kom mee!'

Ze opende een deur van een kamertje dat rond een kapstok gebouwd was. Plotseling drong tot mijn moeder door dat als de vrouw bij haar onderzoek ook in de buurt van haar schaamstreek kwam, zij zou moeten uitleggen waarom ze daar een capsule met cyaankali verborgen had. Ze kon zelfs niet naar de wc om het vergif daar weg te gooien. Er maakte zich een verschrikkelijke verwarring van haar meester. Als de vrouw het vergif vond, zou ze het ongetwijfeld afpakken. Even overwoog ze er een eind aan te maken. Maar het leek haar te vroeg zolang ze niet wist hoe de zaak zou aflopen. Niet dat sterven nou zo belangrijk is, dacht ze. Maar het minste dat je mag vragen is toch wel waarom, ook al waren er veel veroordeelden die zich suf piekerden om achter dat waarom te komen, want een reden was er gewoon niet. Anderzijds, zonder die capsule zou ze haar lot niet meer in eigen hand hebben.

'Kleed u uit in dit kamertje! Alleen uw ondergoed mag u aanhouden.'

Mijn moeder deed wat haar gezegd werd. In de hoop dat het onderzoek zou ophouden bij het laatste bolwerk ter bescherming van de schaamte. Vervolgens moest ze haar kledingstukken een voor een aan de wachtdoende vrouw geven, die ze zorgvuldig onderzocht. Toen ze klaar was, ging ze naar mijn moeder toe en bevoelde haar ondergoed. Ze stopte bij de capsule, die een lichte bolling veroorzaakte, en vroeg haar het voorwerpje aan haar te overhandigen.

'Wat is dat?' zei ze en wierp haar een vuile, typisch Kaukasische blik toe.

'Een capsule.'

'Dat snap ik ook, maar waar is die voor?'

Mijn moeder moet wel van haar stuk gebracht zijn. Er bestaat dikke kans dat ze begon te blozen, maar toch had ze niet veel tijd nodig om een nadere verklaring te geven.

'Het zit zo, kameraad: deze capsule is bedoeld om van beestjes af te komen die zich af en toe in het schaamhaar van vrouwen nestelen, zoals je bepaalde insectenwerende middelen in kasten legt om van kledingmotten af te komen.'

De grote ogen van de bewaakster rolden in hun kassen, waardoor haar gezicht uiteindelijk de uitdrukking kreeg van een vrouw die twijfelde. Ze moest heel even nadenken en antwoordde toen snel: 'In andere omstandigheden had u hem van mij mogen houden. Maar nu, stel je voor dat het vergif is. Dat er mogelijk vergif in dit gedeelte van het Kremlin zou binnenkomen …'

'Ik mag hem niet van u houden? Ik verzeker u …'

'Nee!' kapte de bewaakster af.

'Wilt u dan dat ik hem in deze prullenbak gooi?'

'Dat is uitgesloten.'

'Maar waarom dan?'

'Dat zou betekenen dat ik me zou ontdoen van een middel

waarvan ik de samenstelling niet ken. Dat is tegen onze voorschriften. Ik zal het naar de afdeling beveiliging laten brengen voor onderzoek. En wie weet, misschien krijg je het toch terug. Wie heeft dit middel geproduceerd?'

'Ikzelf, ik ben arts, urologe, het is een proefproduct dat ik heb ontwikkeld en dat ik op mezelf uitprobeer.'

'Dat kan een grote weldaad voor de mensheid, een sprong vooruit voor ons volk zijn, als zich niet één insect meer in het schaamhaar van arbeidsters zou nestelen.'

'U hebt gelijk, kameraad. Maar het is een prototype en meer heb ik niet. Als het bij de afdeling beveiliging verloren gaat, betekent dat maanden werk voor niets.'

'Als jouw middel zo revolutionair zou zijn, hadden ze je wel via de hoofdingang binnengelaten. Wat je me vertelt, berust alleen nog maar op vermoedens, en de academie van wetenschappen heeft nog niet gecontroleerd of het echt een wetenschappelijke sprong vooruit is.'

Vervolgens gaf ze mijn moeder met een handbeweging te kennen dat het gesprek afgelopen was.

Mijn moeder zweette als een otter, hoewel het vertrek zo koud en vochtig was als een buitenhuis na een winter zonder stoken.

'Kunt u me dan misschien vertellen, kameraad, waarom ik hierheen gebracht ben?'

'Dat is uitgesloten, kameraad, ik weet het zelf niet. Ik kan je echter wel vertellen dat de gang achter deze deur alleen maar naar hooggeplaatste personen voert. Zeer hooggeplaatste personen, die mensen zoals jij willen ontmoeten zonder dat ze gezien worden. Omdat er waarschijnlijk geen enkele eer te behalen valt voor een groot vriend van het volk om gezien te worden met zo iemand als jij. En dat weet jij minstens even goed als degene die je hier wil ontmoeten.'

De vrouw keek op de klok aan de muur. Op hetzelfde moment trad er een andere vrouw in uniform binnen, die net zo verveeld keek als een suppoost in een museum, voor wie de tijd eindeloos lijkt. De eerste bracht aan de tweede rapport uit, vertrouwde haar de capsule toe en raadde haar aan die ter bevoegder plaatse te brengen. De nieuw aangekomen vrouw stopte hem in haar zak en wierp mijn moeder een boze blik toe. Daarna zette de tijd zijn schadelijke werk voort. De vijf uren die volgden gebeurde er niets. Mijn moeder voelde dat ze zonder haar capsule verloren was. Ze besefte dat ze, na dit paleis onschuldig binnen te zijn getreden, nu wel schuldig was. Een gifmengster die niet eens meer de middelen had om zichzelf te vergiftigen, dat was wat er van haar geworden was. Haar euveldaad was van een belang dat in gelijke verhouding stond tot de persoon die ze ging ontmoeten. Ze schiep genoegen in de gedachte dat de bewaakster zich zo had opgewonden. Voor een meisje van het platteland zoals zij was elk keuterboertje in zondagse kleren waarschijnlijk een belangrijk persoon. Het was drie uur 's middags toen deze gedachten door haar hoofd gingen. Het zou nog eens twaalf uur duren voor ze dat voorvertrek verliet.

Ze werd meegevoerd door een militair die haar nogmaals snel fouilleerde voor hij haar een kantoor op een hoek van het gebouw binnenliet. De militair klopte op de deur. Het duurde even voor er gereageerd werd. Toen een van beide vleugels van de reusachtige dubbele deur openzwaaide, verstijfde mijn moeder: voor haar stond Josef Stalin.

De deur ging weer achter haar dicht met een geluid dat massief hout verried. Boven op de schok zo opeens tegenover de hoogste leider te staan kwam ook nog eens de stomme verbazing over het feit dat de man er totaal anders uitzag dan op de afbeeldingen die er van hem in het land verspreid werden. Het was bijna een dwerg, een oude dwerg met allemaal putjes in zijn gezicht van de pokken. Maar de schittering in de ogen van deze man uit de omgeving van de Kaukasus, dreigend als een blank wapen, was veel opvallender dan op menig plaatje op papier.

'Olga Ivanovna Atlina', zei hij terwijl hij zijn handen uitstak met de uitdrukking van een grootvader die een van zijn kleinkinderen in zijn armen wil drukken.

Daarna wees hij op een stoel naast een divan waarop hij ging zitten alvorens mijn moeder te beduiden dat ze hetzelfde mocht doen.

Hij gunde zich de tijd voor hij het woord nam, keek haar een hele poos onderzoekend aan. Ze voelde dat de vage achting die de Vozjd misschien voor haar aan de dag zou leggen, zou afhangen van de manier waarop ze hem zou aankijken, zonder in het begin meteen de ogen neer te slaan, maar pas wanneer hij zou aangeven dat dat gewenst was. Terwijl hij mijn moeder aanstaarde, plukte hij in een tabakszak van oud leer een sigaret uit elkaar, maakte met zijn vingertoppen de tabak los voor hij die in een mooie Engelse pijp stopte en er met grote zorg de brand in stak door met een lucifer boven het stevig aangedrukte oppervlak rond te gaan. Hij vergewiste zich ervan dat de tabak goed brandde door twee flinke trekken te nemen, en blies naar het hoge plafond kijkend de rook uit, daarna sprak hij zonder mijn moeder deze keer aan te kijken: 'Weet je waarom je hier bent?'

Aan zijn gezicht kon je zien dat hij genoot van de vraag.

Mijn moeder moet er ongetwijfeld hebben uitgezien als een schoolmeisje dat bij de directeur van haar school was geroepen.

Zich concentrerend op zichzelf probeerde ze de aandrang tot plassen te weerstaan.

'Nee, meester', antwoordde ze schuchter.

'Noem me geen meester,' antwoordde hij vriendelijk, 'ik ben niemands meester. Er bestaat maar één meester aan wie wij allen onderworpen zijn: het Russische volk. Noem me: kameraad Stalin.'

'Goed, kameraad Stalin.'

Terwijl hij zich zichtbaar verkneukelde bij de gedachte aan wat hij ging zeggen, vervolgde hij: 'Ze vertelden me dat jij een macht hebt die ik niet heb.'

Mijn moeder leek van haar stuk gebracht, waar de Vozjd het allergrootste plezier om had.

'Vast niet, kameraad Stalin.'

'Jawel, jawel.'

Daarna trok hij opnieuw aan zijn pijp en keek de blauwe kringels rook na. Geheel ten prooi aan verwarring, stuntelig, kon mijn moeder zich er niet van weerhouden hem tersluiks gade te slaan, geboeid door de persoon en hevig in beroering door dit onverwachte onderonsje met de machtigste man van de wereld. In zijn blik wisselden een zweem van kalmte, om niet te zeggen van wijsheid, en een vernietigende woede die naar een uitweg leek te zoeken, elkaar zonder overgang af.

'Je weet dat ik de best geïnformeerde persoon van het land ben. Ik ken niet elke man en elke vrouw van het volk, maar als ik dat wil, zijn ze voor mij allemaal gemakkelijk te benaderen. Ze vertelden me dat je arts, urologe was, is het niet? Ik heb geen enkel plasprobleem. Ze vertelden me echter ook dat je heuse macht in je handen hebt, dat wil zeggen de kracht van een magnetiseur.'

'Dat overdrijven de mensen, kameraad Stalin', antwoordde mijn moeder, die wel aanvoelde welk risico ze liep als ze ervoor uitkwam dat ze deze begaafdheid bezat. 'Alleen heksen bezitten dat soort gaven, en dankzij de macht van de sovjets hebben we al dat belachelijke bijgeloof dat het volk verblindt en het doet geloven dat het niet zelf de macht in handen heeft, al heel lang geleden uitgebannen.'

'Heel goed geantwoord', zei hij zacht en met een glimlach die aangaf dat hij zich niet liet beetnemen. 'Toch is magnetisme iets wat bestaat. Bij sommigen zit het in hun ogen en bij jou zit het in je handen. Maar je snapt niet waar ik naartoe wil. Ik heb je niet laten halen om je mee te delen dat je een vijand van het volk bent. Denk je soms dat ik, met alle verantwoordelijkheden die ik heb, de tijd heb om vijanden van het volk een voor een bij me te laten komen om hun de les te lezen voor ik ze naar werkkampen stuur om hun fouten goed te maken? Denk je dat echt?'

'Nee, zeker niet, kameraad Stalin.'

'Laten we dan ter zake komen. Ik heb net mijn lijfarts weggestuurd, die wordt verdacht van betrokkenheid bij een samenzwering van artsen die hooggeplaatste personen schade zouden hebben berokkend. Men heeft het zelfs over moord, maar meer kan ik je er op het ogenblik niet over vertellen, want die mensen worden verhoord. Het schijnt, want het onderzoek is gaande, dat ze een complot hebben gesmeed waarvan de aanleiding met hun nationaliteit te maken zou hebben. Behalve dat ik in geen enkele arts vertrouwen heb, reden waarom ik geen eigen arts meer heb, levert het bekend maken dat niet één van die mannen me meer regelmatig begeleidt me een aantal politieke voordelen op. Mijn vijanden denken: de oude man is ziek, wat feitelijk juist is. Hij zorgt niet meer voor zijn gezondheid, want hij heeft een hekel aan artsen. Hij zal dus spoedig creperen. Verrast door deze onverwachte nieuwe situatie, komen de ratten uit hun schuilplaats tevoorschijn. Hoewel ik 'mijn vijanden' zeg, weet ik nog niet wie ze zijn, maar ik schep de voorwaarden die ervoor zullen zorgen dat ze zich blootgeven. Dat is mijn grote kracht, dat ik ze zal kunnen ontmaskeren. Zonder mij gaat het land te gronde, want de andere leiders zijn onnozele halzen, blinden, baby's, ze zien geen vijanden. Neem bijvoorbeeld de nationaliteitenkwestie, die ons zo veel zorgen baart. Iedereen weet dat ik geen antisemiet ben. Dat ligt niet in mijn aard, je laat niet een van je kinderen in de steek, dat is een principe. Ik heb er telkens weer blijk van moeten geven dat ik Joodsgezind ben, ik heb beschermende maatregelen moeten treffen, en wat ze uiteindelijk doen is het sovjetvolk verraden door zich te gedragen als spionnen in dienst van de Amerikanen, die dat vijandige Staatje waar ze inmiddels van dromen in bescherming hebben genomen. Maar kun je me zeggen wat Israël ze meer te bieden heeft dan de Sovjetunie? Het is kwetsend, en kwetsen doe je niet ongestraft. Dus hoewel ik daarvoor nooit op het idee gekomen zou zijn, vraag ik om een rapport over de Joden in Moskou. Ik verneem dat het om wel anderhalf miljoen mensen gaat, als het er al niet meer zijn, die de medische beroepen naar zich toe trekken, de vakbonden van musici en schrijvers binnendringen. En dat hun invloed in het commerciële circuit aanzienlijk is. Het rapport concludeert ten slotte dat van hen slechts een handjevol echt nuttig is voor de Staat. Trouwens, even een vraag tussendoor, heb jij die nationaliteit?'

'N... nee', stamelde mijn moeder.

'Je bent grappig, je aarzelde. Je hoeft je er niet voor te schamen, hoor. Trouwens, wie zal de geschiedenis van de mensheid ingaan als hun grote beschermer?'

'Ik weet het niet', antwoordde ze bedremmeld.

'Laten we het anders stellen. Wie heeft als eerste een reglement uitgevaardigd dat antisemitische uitspraken of daden met gevangenschap bestraft?'

'U, kameraad Stalin.'

'Ja, ik', zei hij met een zucht.

Al voor hij verderging, was het mijn moeder opgevallen dat hij net zo sprak als een oosterse verteller, door elke lettergreep te benadrukken, zacht en bedaard, rijk aan geruststellende stembuigingen.

'Ik was het laatste schild dat het Joodse volk in de Sovjetunie beschermde tegen uitroeiing door de nazi's. Ten koste van aanzienlijke menselijke offers heeft het Rode Leger de concentratiekampen bevrijd. Al meteen na de revolutie, toen ik volkscommissaris van het Nationaliteitenwezen was, zorgde ik ervoor dat Joden als een nationaliteit erkend werden, ten volle en helemaal, net als elk ander volk. Ik heb hun zelfs grond aangeboden, Birobidzjan, die versmaadden ze, maar ik heb het hun niet kwalijk genomen. Toen de overlevenden van de vernietigingskampen naar

Oekraïne terugkeerden, bijvoorbeeld, hadden de Oekraïners al hun bezittingen gestolen en wilden hun die niet teruggeven. Chroesjtsjov, eerste secretaris van Oekraïne, vond dat volkomen normaal en ik moest ingrijpen om teruggave te bewerkstelligen. Ik heb de meest antisemitische republiek van de Sovjetunie net als de andere onze wet opgelegd. Ze kunnen mij er dus niet van beschuldigen zelf een antisemiet te zijn, dat moet je toch toegeven.'

'Ja, kameraad Stalin.'

'Toch lees ik in belangrijke kranten als de *Pravda* dat na de revolutie miljoenen van hen hun naam hebben veranderd. Waar was dat goed voor, ik had toch hun veiligheid gewaarborgd? Ze wilden opgaan in de massa, niet om instemming met onze idealen te betuigen, maar om zich voor te bereiden op verraad voor als het juiste moment gekomen was. Sommigen voelen zich kosmopoliet, in het bijzonder sinds het ontstaan van Israël, waaraan ik hard heb meegewerkt, ze zien zich zelfs eerst als Jood en dan pas als sovjetburger en gedragen zich schandelijk ondankbaar. Wist je dat?'

'Helemaal niet, kameraad Stalin, ik hou me trouwens niet bezig met politiek.'

'Dat is verstandig', vervolgde hij op dezelfde vermoeide toon. 'Als je een wetenschappelijk beroep hebt, is het beter je daaraan te wijden dan aan politiek. Ik keur je keus goed. Daarom heb je met die nationaliteit geen enkele reden tot angst. Kijk naar de oude Kaganovitsj, die zoon van een schoenlapper, hij staat naast me sinds het begin van de revolutie, denk je dat hij zich bedreigd voelt? Ik zeg het je uit de grond van mijn hart, ik heb niets tegen welk volk dan ook in het bijzonder. Ik heb geen moment gedacht aan het feit dat Trotski Joods was toen ik hem in Mexico liet vermoorden. Het is een volk dat veel geleden heeft.'

Vervolgens zweeg hij, verzonk hij in zulke diepe gedachten dat het leek alsof niemand hem eruit kon losrukken. Hij stak zijn pijp weer aan, die was uitgegaan, daarna vervolgde hij op cynische toon, als in zichzelf: 'Maar het lijdt waarschijnlijk nog steeds. Want de overgrote meerderheid van ons volk heeft er een hekel aan en wellicht levert me dat tegen wil en dank politiek voordeel op.'

Hij leek opeens uitgeput, zoog met snel opeenvolgende trekjes aan zijn pijp en blies de rook uit als een stoomlocomotief. Mijn moeder had opgemerkt dat bepaalde woorden zijn woede wekten en dat zijn gezicht dan rood aanliep. Maar hij bedaarde ook snel weer en de woede leek geen merkbare sporen achter te laten. Hij gebruikte stiltes als wapen en verbrak ze pas wanneer zich een gevoel van onbehagen van zijn gesprekspartner meester had gemaakt.

'Je hebt dus een gave?'

'Een heel beperkte gave, kameraad Stalin.'

'Mijn diensten verzekerden me dat je er een had. Men verbaasde zich er in het ziekenhuis waar je werkt over dat de rij wachtenden op de afdeling urologie veel langer is dan in enig ander ziekenhuis in Moskou en omgeving. Trouwens, sommige van je collega's heeft dat enigszins jaloers gemaakt. Dat weet je niet, maar bij de politieke politie liggen stapels klachtendossiers. Het was je bijna op een proces komen te staan. Je geluk is dat één rapport op mijn bureau is terechtgekomen. Er stond in dat je die gave met mate gebruikte, alleen maar om er anderen goed mee te doen. Je hebt niet geprobeerd een aura om je heen te scheppen. Dat zou ertoe geleid hebben dat je in Siberië je handen had mogen leggen op treinrails die ongevoelig zouden zijn geweest voor je wonderen. Ik spreek uit ervaring, de tsaar stuurde mij er ook naartoe.'

Hij draaide de kop van zijn pijp om en klopte de as eruit in een reusachtige gietijzeren asbak, daarna onderwierp hij hem aan een zorgvuldig onderzoek. Toen draaide hij zich opnieuw om naar mijn moeder. Daarbij viel het licht van een staande schemerlamp op zijn gezicht, waardoor je opeens weer zijn verwoeste huid zag. Vervolgens glimlachte hij tegen mijn moeder.

'Een merkwaardige ervaring, zo'n verblijf in een kamp. Ik moet toegeven dat ik er niet echt onder geleden heb. We waren met een groepje dat nogal vrij was in zijn bewegingen. Ik las veel.

Ik kan niet zeggen dat ik veel vrienden maakte. Dat ligt niet in mijn aard, nauwe vriendschappen, het is een manier om je er niet schuldig over te voelen een hekel aan de rest van de mensheid te hebben en ik heb het niet nodig. Nee, in Siberië is het leven nooit anders dan zwaar geweest. Ze vertelden me dat de aanpak van gevangenen de laatste tijd veel strenger is geworden. Het klopt dat wij een manier van denken over herstel van aan het volk toegebrachte schade hebben doorgevoerd die nog niet eerder bestond.'

Mijn moeder zag dat een beginnend lachje Stalin deed schokken, maar hij onderdrukte het en zei glimlachend: 'En terecht, in de tijd van de tsaar wist de tsaar zelf niet eens wat het woord werk betekende, wat het volk betreft …'

Hij onderbrak zichzelf opnieuw, nam in een leunstoel plaats en bleef twee hele minuten krachteloos zitten voor hij vervolgde: 'Ik zei dat we in Georgië vaak gebruikmaken van magnetiseurs. Ook al kunnen we het verschijnsel bij de huidige stand van de wetenschap niet zo goed verklaren. Ik was genoodzaakt de artsen van het Kremlin de laan uit te sturen, zogenaamd vooraanstaande specialisten die niets beters wisten te bedenken dan me volstrekte rust voor te schrijven. Onder ons, ik wil niets liever. Er was een moment dat ik overwoog met pensioen te gaan, want ik heb het volk al een honderdvoud gegeven van wat ik van de natuur meegekregen had. Maar ze wilden niet. Niemand van de partij of van het politbureau wilde het. Ze drongen aan. Ik minacht ze, want niemand van hen is in staat me op te volgen. Om die reden ben ik veroordeeld, let wel, veroordeeld tot de macht. Niemand kan zich iemand anders op mijn plaats voorstellen. Iedereen heeft kwaliteiten, maar niemand heeft kijk op het geheel. Een goede leider van een rijk moet als een grote kat zijn, met eindeloos geduld, kijkend hoe iedereen druk in de weer is. En dan, wanneer niemand er meer op let dat die grote pluisbol ook kan springen, gaat hij tot actie over. Macht vraagt erom de mensen het gevoel te geven dat iets duidelijk middelmatigs tot kunst wordt verheven. Maar mijn overwicht, want je moet toch toegeven dat ik dat heb, vloeit voort uit het feit dat ik een nieuwe relatie tot stand heb gebracht tussen waarheid en leugen. Giet een druppel waarheid in een oceaan van leugens en die waarheid is voldoende om het geheel de kleur van echtheid te geven. Ik heb geen grotere vijand dan de elementaire behoefte van elk individu om achter de waarheid te willen komen. Datzelfde geldt met betrekking tot degenen die streven naar zelfstandigheid of onafhankelijkheid. Ik straf ze streng als ze zich in mijn omgeving bevinden, want ze zijn een duidelijk teken van gebrek aan vertrouwen in mij, dus in het volk.'

Bij dat laatste woord stopte hij om op adem te komen. Ondanks het halfdonker zag mijn moeder dat hij bleek was geworden.

'Voor het welzijn van het volk moet ik onvermoeibaar doorgaan. Toch, al zijn de artsen vertrokken, de pijnen hebben ze niet meegenomen. Ik reken op jouw gaven om het volk te helpen hun leider in het zadel te houden. Dat is een reusachtige historische tegenstrijdigheid. Ik, die voor de opleiding van de vooraanstaande artsen in dit land heb gezorgd, moet nu mijn toevlucht nemen tot de onofficiële geneeskunde om mijn oude karkas te helpen dit volk te leiden dat niet zonder mij kan. Je moet me helpen door te gaan, lieve Olga, mijn leeftijd en mijn pijnen, daar kan ik bij mijn volk niet mee aankomen. Het is mijn eigen schuld, ik had veel verder vooruit moeten kijken en met veel meer aandacht mijn opvolging moeten voorbereiden, in plaats van iedereen te laten denken dat hij net zo veel kans had om me op te volgen als om dood te gaan en te verdwijnen. Het resultaat is dat ik ben omringd door lakeien die zich onder de grond zouden willen verstoppen om mij een plezier te doen. Maar als ze er niet van overtuigd waren geweest dat ze er elk moment het leven bij in konden schieten, zouden ze zich gedragen hebben als erfgenamen, zonder ook maar een tel te aarzelen de zaken te bespoedigen om mijn plaats in te nemen. Zo zal ik op deze aarde nooit rust vinden, ik zal onvermoeibaar moeten werken.'

Hij pauzeerde opnieuw, met een woeste blik in de ogen.

'Ik beul me af in de strijd tegen feiten. Om uit te leggen dat feiten niets zijn, dat we ze aan ons moeten onderwerpen, zodat alleen nog maar het doel overblijft dat we ons gesteld hebben. Dat is een zware, vermoeiende taak. Als ik het goed begrepen heb, lijd ik aan ernstige stoornissen in de bloedsomloop die de pijn in mijn armen en benen veroorzaken en me vreselijke hoofdpijn bezorgen. Geen enkel medicijn helpt, dus als we onze toevlucht nemen tot een alternatieve geneeswijze, wie zal ons dat dan kwalijk nemen? Snap je, op dit moment heb ik erg veel pijn in mijn rechterdij, ik wil weleens weten of je er iets aan kunt doen!'

Hij ging op de divan liggen.

'Kom hier en wees niet bang, het is Christus niet die je gaat aanraken!'

Mijn moeder hurkte bij hem neer en legde haar beide handen tegen elkaar op de pijnlijke plek. Hij sloot zijn ogen. Het leek net of hij in zijn mooiste donkere wollen pak op zijn doodsbed lag. Wel een half uur lang zeiden ze niets tegen elkaar en mijn moeder dacht dat hij sliep. Daarna begon hij met zijn ogen dicht langzaam te praten.

'Je houdt me voor een icoon, is het niet? En toch besta ik net als andere mensen uit vlees en bloed. Die sacralisering, die persoonsverheerlijking, die heb ik nooit voor mezelf gewild. Ik ben erin meegegaan voor het welzijn van het volk. Na de grote Lenin had het volk behoefte aan een leider die het geheel toegewijd wilde zijn. Mensen hebben heilige dingen nodig om vooruit te komen, om bereid te zijn strijd te voeren, om zich met hart en ziel aan iets te wijden. Wat ze tot de overwinning op de nazi's heeft gevoerd, is het idee dat ze van me hadden, het beeld dat ze zich van mijn persoon vormden. Want zoals ze mij zien, willen ze zichzelf zien.'

Opeens opgevrolijkt door zijn eigen verhaal, sperde hij zijn ogen wijd open.

'Weet je, het kapitalisme is de meest natuurlijke ontwikkelingsvorm van de mens, de vorm die tegemoetkomt aan zijn meest instinctieve neigingen, die worden aangestuurd door eigenbelang en hebzucht. Dat geldt in het bijzonder voor Rusland, dat in de wereld het land is waar de gewoonte dat geld of macht nooit gedeeld worden het diepst geworteld is. Wat het geld betreft is de zaak inmiddels beklonken, wat de macht betreft is het nog te vroeg.'

Hij pauzeerde een laatste keer voor hij fluisterde: 'Vertel het niemand door, maar wij hebben voor Christus meer gedaan dan wie ook. Door hem uit het door tweeduizend jaar verziekte kerken verdorven bewustzijn te verdrijven, hebben we de mensheid teruggevoerd naar de voorschriften die hij als grondlegger uitvaardigde. Hij moest gedood worden om tot wederopstanding te kunnen komen. Door hem een tweede keer te doden om het communisme te grondvesten, verzekeren we hem deze keer voorgoed van het eeuwige leven. Ik zeg je dit als oud-seminarist.'

Na deze woorden kreeg ze het gevoel dat hij écht in slaap was gevallen. Met snelle blikken, als van een vogel die weet dat hij haast moet maken, uit angst betrapt te zullen worden, bekeek ze aandachtig elke vierkante centimeter van zijn gezicht. Voor het eerst sinds ze het toevluchtsoord van de meester had betreden werd ze de muffe geur van oude mensen vermengd met die van koude rook gewaar, die door de vochtigheid nog werd versterkt. De Vozjd ademde diep, als een oude man die een van de eerste warme lentedagen in een leunstoel in de schaduw van een kersenboom siësta hield.

Mijn moeder werd ongerust, want er was inmiddels een half uur verstreken en de meester sliep nog steeds. Ze kon haar handoplegging niet langer voortzetten zonder het gevaar te lopen dat ze zijn huid verbrandde. Omdat Stalin nog steeds geen tekenen vertoonde dat hij wakker was, stond ze geluidloos op en ging in de leunstoel zitten die haaks op de divan stond en daar bleef ze stilletjes zitten, als een lezende vrouw uit vroeger tijd. Er gingen zo'n zeven uur voorbij. Al die tijd bleef de Vozjd in dezelfde houding liggen en alleen zijn onregelmatige gesnurk en enkele bevrijdende winden wezen erop dat hij leefde. Als hij dood was gegaan zou zij de schuld krijgen en dat zou beslist het einde betekend hebben van de gifmengster annex magnetiseuse, want ze zou net als in de tijd van Iwan de Verschrikkelijke in de kelders van het Kremlin gestenigd of met een roestig mes gekeeld zijn. Mijn moeder vocht de hele nacht tegen haar aandrang tot plassen die haar, samen met de verbijstering over deze onwerkelijke situatie, uit haar slaap hield. Toen de dag aanbrak, hield ze het niet langer en toen er wat vloeistof langs haar benen liep en haar wollen broek nat maakte, sprong ze geluidloos op en ging op zoek naar de wc. Eenmaal terug nam ze weer naast Stalin plaats. Het was al bijna tien uur in de ochtend toen de Vozjd zijn ogen opende. Hij staarde mijn moeder aan tot hij zich de gebeurtenissen van de vorige dag weer herinnerde en zei ten slotte: 'Dus ik ben in slaap gevallen. Ik weet nog dat de pijn plaatsmaakte voor een aangename warmte, daarna voelde ik alle spanningen van me afvallen en bleef ik als een blok op de divan liggen.'

Hij ging langzaam zitten en fatsoeneerde zijn kleren.

'Je hebt beslist een wonderbaarlijke gave. Ik word net zo laat wakker als gewoonlijk, maar de nacht heeft me naar mijn gevoel zo'n rust gebracht dat ik eruit concludeer dat je een heilzame werking op me hebt. Het volk mag je er dankbaar voor zijn.'

Hij stond op, haalde een hand door zijn dunne zwarte haar, trok zijn jasje recht en schraapte zijn keel voor hij eraan toevoegde: 'Ik zie je wel weer. Maar voor ik je laat gaan, moet ik je aandacht vestigen op het feit dat niemand hier iets van mag weten. Alles blijft strikt onder ons, denk daar goed aan. Als zou blijken dat je ruchtbaarheid aan ons contact geeft, zou voor mij, dat snap je wel, de enige oplossing zijn je te laten verdwijnen. Omdat het om het belang van het volk gaat kun je je indenken dat ik maar weinig scrupules zal hebben. In de tijd van de zuiveringen gaf ik als de situatie daartoe noopte soms wel opdracht tot enkele tienduizenden arrestaties per dag, die in de meeste gevallen op terechtstellingen uitdraaiden, in het belang van onze plannen. Sommigen denken dat het nut van de grote zuiveringen zoals die in '37, erin bestond vijanden uit te schakelen, ze radicaal te laten verdwijnen. Integendeel, het ging er alleen maar om, nieuwe te scheppen. Een systeem als het onze kan niet zonder vijanden. Ze zijn onze brandstof. Je zult merken dat de vijandigheid van onze vrienden oneindig subtieler en vele malen moeilijker op te sporen is dan die van onze vijanden. Mijn relatie met mensen op wie ik gesteld ben is voor mij altijd moeilijker geweest dan omgekeerd. Dat heeft me ertoe gebracht me van veel van hen te ontdoen, uit angst dat ze in de verleiding zouden komen misbruik van mijn welgezindheid jegens hen te maken.'

Daarop hield Stalin bezorgd op met praten.

'Maar waarom, verduiveld, vertel ik je dat allemaal? Ach ja! Ik weet het weer. De omstandigheden zijn nu anders, ook al merk ik dat er van binnenuit nieuwe vijanden opdoemen, maar je zult gemakkelijk inzien dat ik niet kan toelaten dat er van alles en nog wat gezegd wordt. Stalin kritiseren, zijn vertrouwen beschamen, ik heb het vaak door de vingers gezien, als ik maar te horen krijg dat de mensen in mij degene zien die, schuilgaand achter de eenvoudige man die ik ondanks alle vleiers en strooplikkers gebleven ben, de vertegenwoordiger van het volk is. Dus knoop goed in je oren dat je tegen niemand iets over onze ontmoeting zegt.'

Hij ging naar zijn bureau, opende een map die daar lag en haalde er een vel papier uit waarop iets gedrukt stond.

'Ik zie dat je getrouwd bent, met een wetenschapper in staatsdienst. Hm! Als ik jou was, zou ik hem er niets over vertellen. Vertrouw je hem?'

'O ja, kameraad Stalin.'

'Daar was ik al bang voor. Je kunt en je mag geen vertrouwen in hem stellen. Geloof me, ik spreek uit eigen ervaring. Het huwelijk is een burgerlijk denkbeeld, want het vooronderstelt zonder dat daar een grondslag voor bestaat vertrouwen tussen twee mensen. Welk vertrouwen kan ik stellen in degene van de twee die enthousiast voor me werkt als ik weet dat hij verbonden is met een persoon die niets van ons streven moet hebben? De trouw van een man of een vrouw in het huwelijk wijst op een sterke geneigdheid om mij ontrouw te zijn. Daarom heb ik veel uitspattingen van kameraden toegelaten. Toch ben ik, iedereen weet dat, een preuts man. Ik zie ze liever stoeien, van lichaam naar lichaam, van vriendin naar vriendin gaan dan dat ze zich aan één vrouw hechten. Sinds de revolutie heb ik veel echtgenotes van mijn belangrijkste medewerkers laten arresteren, deporteren, soms ook laten terechtstellen en zij begrepen dat heel goed, want ze wisten dat ik het niet deed om hen te schaden. Ik wilde hen juist bevrijden van het gevaar dat ze van mening zouden kunnen veranderen onder invloed van echtgenoten die niet hetzelfde voor de staat voelden als zij. De dood van mijn vrouw, twintig jaar geleden, heeft me veel verdriet gedaan, ze zag kans een eind aan haar leven te maken, een afschuwelijke daad. Je kunt niet over jezelf rechtspreken, en nog minder kun je jezelf bestraffen. Ze liet me alleen met de kinderen. Ik heb dat als een verraad ervaren. Met een pistoolschot door het hoofd liet ze het volk en degene die het vertegenwoordigde in de steek. Misschien dacht ze dat een huwelijk met een man als ik een gewone verbintenis was. Nu wens ik er mezelf geluk mee met niemand verbonden te zijn. Geloof me, ik spreek uit eigen ervaring, zeg niets tegen je echtgenoot. Waarschijnlijk denk je bij hem een geheim te begraven en dat er uit het graf zelfs geen dwaallicht zal kunnen ontsnappen. Op papier heb je waarschijnlijk gelijk. Als die man van je houdt, zal hij je leven beslist niet in gevaar willen brengen. Wat je echter niet kunt voorzien, is een factor waar jullie beiden geen vat op hebben. Luister! Stel je voor dat hij morgen door de geheime politie gearresteerd wordt omdat hij wordt verdacht van samenzwering. In de Loebjanka zijn de mannen die de dossiers bestuderen en de verhoren uitvoeren ijverige medewerkers, maar gevoeligheid is niet hun sterkste kant, dat brengt het werk met zich mee. De leider van de verhoren is een pygmee, hij is zo klein dat het lijkt of hij ergens in de verte staat. Hij heeft erg geleden onder zijn geringe lengte en de maatschappelijke omstandigheden waaronder hij moest leven. Nu geniet hij van de functie die hij bekleedt: dankzij het systeem is de achterlijke boer veranderd in een uitstekend folteraar. Bovendien kan hij goed formuleren: "Uw arrestatie is voldoende om uw schuld vast te stellen en ik wens geen enkele discussie over dat onderwerp." Of een andere keer: "Vertel ons alles, dan zoeken we zelf wel uit wat waar of gelogen is." Laten we ons een ogenblik voorstellen dat je echtgenoot in zijn handen valt en dat zich de gelegenheid voordoet, want hij is bang en dat zal men kunnen begrijpen, dat hij, om zich tegen die man te beschermen, voordeel kan trekken uit de relatie die er tussen ons bestaat. Dat zou een fout zijn, want in de Loebjanka weten ze dat ik niet aan politieke klantenbinding doe, dat ik nog minder voor een vriend in beweging kom dan voor een vreemde, want de liefde en de vriendschap van de mens Stalin kunnen alleen maar tegen het belang van het volk ingaan. Zodra de naam Stalin wordt uitgesproken, ontstaat er belangstelling. Dus ze laten hem praten en praten, tot heel de Loebjanka weet dat ik gebruikmaak van de diensten van een vrouwelijke arts die gaven heeft die niet op wetenschappelijke kennis berusten. Wat zou er wel niet gezegd worden? En hoe kun je je echtgenoot verwijten dat hij door foltering gesproken heeft? Hij kan niet spreken over feiten die men hem verwijt en die tot zijn arrestatie geleid hebben, want hij heeft zichzelf waarschijnlijk niets te verwijten.'

Terwijl ze Stalin opgewonden zag raken van zijn eigen betoog, kon mijn moeder haar bewondering voor deze politieke gedrevenheid die hem al aan het begin van zijn werkdag in vervoering bracht, niet onderdrukken.

'Dat is iets wat ik al heel gauw begreep toen ik de teugels van het land in handen nam. Om de eenheid tussen de zo zelfbewuste en zo trotse nationaliteiten te bewaren en ze mee te krijgen voor de grootste sprong vooruit in de geschiedenis van de mensheid, moet je een aanvaardbare mate van terreur in stand houden. En wat is terreur? Dat is de zekerheid voor iedereen in de Sovjetunie, van de laagste tot de hoogste, van de onbekende tot de boezemvriend van Stalin, dat niets hem beschermt tegen een besluit om hem terecht te stellen, dat elk moment zonder echte grond genomen kan worden. Mensen moeten aanvaarden dat men hen elk moment, zonder precieze reden, tot die absolute vorm van nederigheid kan terugbrengen die de dood heet. Dus om op mijn voorbeeld terug te komen: aangezien je echtgenoot niet gearresteerd zou worden op grond van ernstige en werkelijk begane vergrijpen, maar veeleer op grond van een gerucht, is hij wel gedwongen het over jou te hebben in de hoop dat onze relatie een beschermende parasol zal zijn tegen de brandend hete straling van zijn folteraars. Die zullen niet nalaten het nieuws rond te bazuinen dat kameraad Stalin is teruggekeerd naar pre-revolutionaire praktijken, zoals de tsarina haar toevlucht nam tot Raspoetin om haar innig geliefde aan hemofilie lijdende zoon, de troonopvolger, verlichting te bieden. En via mij zal het volk gekwetst worden. Zo zit het, beste mevrouw, er is geen haast bij, maar ik vind dat je moet nadenken.'

'Ik zal niets tegen hem zeggen, kameraad Stalin.'

Stalin keek mijn moeder aan zoals een vader zijn kind aankijkt. Vervolgens kreeg zijn aanvankelijk vriendelijke glimlach iets boosaardigs.

'Ik weet dat je niets tegen hem zult zeggen. Maar dat bedoel ik niet. Je moet de situatie systematischer analyseren en de best mogelijke dialectiek gebruiken om je af te vragen of uit onze relatie niet redelijkerwijs voortvloeit dat je van je echtgenoot scheidt. In dit stadium raad ik het je alleen maar aan, want ik acht je slim genoeg om zelf tot deze slotsom te komen en ik zou het mezelf kwalijk nemen als ik je beïnvloedde. Uit praktisch oogpunt zouden we het als volgt moeten regelen. Ik laat je halen als ik je nodig heb. Gewoonlijk vind ik het prettig dat de avonden doorgaan tot diep in de nacht, tot het weer dag wordt zelfs. Ik neem mijn mannen na een goede Georgische maaltijd graag mee om een paar films te bekijken. Om een uur of drie, vier 's ochtends laat ik ze gaan. Meestal trek ik me rond die tijd terug om alleen te zijn. Ik laat de folkloristische muziek voor wat ze is en luister naar Mozart, vaak zijn pianoconcert nr. 23. Geen enkel ander muziekstuk brengt me zozeer tot rust, en als jij er dan bent om mijn lichaam verlichting te schenken, zal het volk daar grote baat bij hebben. Op zulke momenten 's nachts zal ik je laten halen. Maar als mijn pijnen me hinderen bij mijn werk, kan het ook elk tijdstip overdag zijn. De boodschap is duidelijk, zeg nooit tegen iemand waarom je hier bent en mocht ik me ooit moeten rechtvaardigen, dan zal ik zeggen dat je mijn urologe geworden bent omdat we de samenzwerende Joodse artsen weggejaagd hebben en mijn kleine blaasontstekingen toch behandeld moesten worden, is het niet? Ik laat je nu gaan. Blijf in het voorvertrek, ik telefoneer om je naar huis te laten brengen.'

*

36

Mijn moeder was uitgeput toen ze het Kremlin verliet, ze stond te trillen op haar benen tussen de twee sombere bewakers die haar in een auto duwden. Het was ijzig koud geworden in de hoofdstad, een kou die haar door deze slapeloze nacht vermoeide gezicht pijn deed. Haar bewakers brachten haar naar de plek waar ze haar opgehaald hadden, het ziekenhuis, zonder zich erom te bekommeren of ze zich misschien wilde wassen en verkleden. Het was de eerste keer sinds ze mijn vader kende dat ze een nacht ver bij hem vandaan doorbracht zonder dat ze hem dat kon laten weten. Ze stelde zich zijn angst, zijn bange vermoedens, zijn verdriet voor en troostte zich met de gedachte dat ze hem daarvan nu voor de avond kon verlossen. Mijn vader zag altijd meteen het ergste voor zich. Voor hem was ze waarschijnlijk al dood, met het gezicht van iemand die zich met cyaankali vergiftigd heeft achter in een limousine tussen twee ontredderde folteraars. Ze had hem willen geruststellen. In die tijd was telefoneren niet eenvoudig. Als het haar gelukt was, zou ze hem niets hebben kunnen zeggen zonder hem in gevaar te brengen, want haar telefoon op het werk werd afgeluisterd.

Ze ging naar haar afdeling, waar haar patiënten al een lange wachtrij vormden. Ze trok net haar doktersjas aan in de 'regeringsgeel' geverfde spreekkamer, toen het hoofd van de afdeling urologie binnentrad. Hij hield zijn kaak vast alsof hij alleen woorden die hij eerst zorgvuldig afgewogen had uit zijn mond wilde laten komen.

'Denkt u dat de zaak met de Joodse artsen ook tot buiten de muren van het ziekenhuis in het Kremlin reikt?' zei hij, terwijl hij bijna stikte van ongerustheid.

Mijn moeder speelde de onnozele toen ze antwoordde: 'Ik ben niet genoeg ingevoerd in de hogere sferen om u daarop antwoord te kunnen geven, Alexander Vladimirovitsj.'

Hij keek haar bedachtzaam aan.

'Dus die man die u gisteren kwam halen, dat heeft er niets mee te maken?'

'Niets.'

'U zult begrijpen dat ik het me afvraag. Ik zag u weggaan aan de arm van een medewerker van de Tsjeka en de volgende dag op z'n zachtst gezegd bleek en moe terugkeren, maar dat gaat me vast niets aan, is het niet?'

'Ik wil niet zeggen dat het u niets aangaat, maar ik zie geen verband met waar u zich bezorgd over maakt.'

'Dat stelt me gerust. Snapt u, dat complot tegen Joodse artsen baart me enige zorg. Want ik heb een Joods klinkende naam, hoewel ik geen enkele voorouder heb met deze nationaliteit en ik zou niet willen dat er een vervelend verband werd gelegd …'

'Ik begrijp het.'

De ongerustheid, die hem had doen ineenkrimpen, ebde weg en hij ging weer rechtop staan.

'Kunt u me een verklaring geven voor uw vroegtijdige vertrek gisteren en uw late komst vandaag?'

'Daar zie ik het nut niet van in.'

'Ik zal dat aan het bestuur moeten rapporteren, het spijt me, maar u kent de regels. Daar kan ik niet van afwijken, vooral als ik niet weet hoe het zit. Vertel me wat er gebeurd is.'

'Ik begrijp het volkomen, maar ik heb u niets te zeggen.'

Toen het spreekuur 's middags afgelopen was, viel mijn moeder in een berghok op een stapel vuil wasgoed in slaap. Een verpleegster, een Kaukasische, betrapte haar in die erbarmelijke toestand en bekeek haar met minachting. Daarna maakte mijn moeder haar avondronde langs de zieken voor ze met de metro naar huis terugkeerde. Toen ze binnenkwam, zat mijn vader aan de keukentafel. Hij had zijn jasje niet uitgetrokken. Zijn gezicht was gehuld in een grote rookwolk en de hand die geen sigaret vasthield, omklemde een glas wodka dat zich net halverwege de fles en zijn mond bevond. Toen hij mijn moeder zag, sprong hij op en wierp zich van geluk aan haar voeten. Zonder zich door zijn geestdrift van de wijs te laten brengen, hing ze kalm haar jas aan de haak in het gangetje naar de keuken waarheen ze hem terugduwde. Vervolgens glimlachte ze tegen hem. Mijn vader deinsde terug met de uitdrukking van een man die zich afvroeg of hij de toestand niet somberder had voorgesteld dan nodig was.

'Je kunt je niet voorstellen hoe blij ik ben. Ik probeerde me al twee uur ervan te overtuigen dat ik, nu je weg was, mijn leven moest laten doorgaan. Ik kwam tot de slotsom dat daarvan geen sprake kon zijn. Ik vroeg me af hoe ik het zou aanpakken om er een eind aan te maken. Ik nam het mezelf kwalijk dat ik jou nooit om een capsule gevraagd heb. Een wapen heb ik niet. Bleef over me op te hangen, maar de armzalige haak van de lamp aan het plafond zou het begeven hebben, ik weet het zeker. Ik kwam er niet toe te besluiten mijn polsen door te snijden, het duurt te lang om het bloed op die manier te zien wegstromen.'

Mijn moeder gaf geen antwoord, ze ging naar de wastafel en draaide de kraan open om haar gezicht nat te maken. Ze liet het water een paar tellen stromen voor ze antwoordde: 'Het spijt me dat je misschien dacht dat mijn leven in gevaar was. Dat was niet het geval.'

'Maar wat is er dan gebeurd?'

Mijn moeder wrong haar handen en deed of ze het in de keuken druk had met het op hun plaats terugzetten van een paar prulletjes die er stonden, alsof de boel overhoop was gehaald.

'Ik denk dat je genoeg vertrouwen in me hebt, Vassili, om wat geduld te hebben. Op dit ogenblik wil ik je geen leugens en kan ik je nog minder de waarheid vertellen. Onze vrijheid is ons al zo lang ontnomen, dan kunnen we ook nu nog wel een poosje zonder. Denk je niet?'

Mijn vader keek haar verbaasd aan. Als enig antwoord wees mijn moeder met haar wijsvinger naar haar oor en vervolgens naar de muren. Daarna liep ze kalm op hem toe. Ze drukte zich tegen zijn borst, legde een hand op zijn hoofd en woelde door zijn haar.

'Je zult me wel een glaasje willen inschenken, ik geloof dat ik er ook behoefte aan heb. Ik ben bang dat we niet veel te eten in huis hebben.'

'We doen het met wat er nog is, maak je niet bezorgd.'

Ze gingen in het vale licht allebei aan tafel zitten en mijn moeder verzuchtte: 'We hebben geluk gehad, vind je niet?'

'Hoezo geluk?'

'Dat we geen gemeenschappelijke flat hebben, dat we deze met niemand hoeven te delen.'

'Dat ontbrak er nog maar net aan, dat we hem zouden moeten delen. Hij is zo klein dat we aan een hangertje zouden moeten slapen.'

'Ja, maar toch, we hebben onze privacy, het is niet nodig dat je een hand op mijn mond legt wanneer we de liefde bedrijven. Dat is een voorrecht.'

'Dat is waar.'

'Die kreten, niet meer dan die kreten, het lijkt zo belachelijk en toch voelen we daardoor dat we leven. Ik vergat het je nog te zeggen, maar een paar weken geleden deelde de conciërge me mee dat onze buren geklaagd hadden. Ik snoerde hem de mond door te vragen waarom ze zich niet eerder gemeld hadden. Toch ben ik heel bang dat ik hem daarmee gekwetst heb.'

'Maar, volgens mij grenst onze slaapkamer aan hun keuken. Als zij daar hun nachten doorbrengen, zouden wij de liefde moeten bedrijven in onze keuken, die aan hun slaapkamer grenst. Het is een raadsel. Hoe dan ook, één ding staat vast: als het ons ooit lukt een kind te krijgen, zouden we een verzoek moeten indienen voor een andere flat.'

'Zover zijn we jammer genoeg nog niet.'

'Ik denk er inderdaad vaak aan. Op dit moment zelfs nog meer. Ik heb echt het gevoel dat ze ons elk moment ons leven kunnen afpakken, en ik denk dat als we een kind hadden we in ieder geval iets, een genetisch spoor van ons korte verblijf op aarde zouden achterlaten. Weet je, ik begrijp niets van die plotselinge Jodenvervolging. Dat is niets voor Stalin. Ik denk eerder aan een aanval van achtervolgingswaan bij de kliek om hem heen. Nou ja, dat is allemaal onze zaak niet. Wij zijn geen van beiden Joods, ook al was je vader het wel.'

'Behalve dat het op dit ogenblik evenzeer gaat om artsen als om Joden.'

'Omdat naar het schijnt Joodse artsen in het ziekenhuis van het Kremlin Zjdanov vermoord hebben. En Zjdanov was Stalins lievelingsarts. Dus heeft de omgeving van Stalin gauw Joodse artsen de schuld gegeven om aan te tonen dat zij niets met de dood van Zjdanov te maken heeft.'

'Niemand is verantwoordelijk voor de dood van Zjdanov. Hij leed aan hartvervetting, hij was gedoemd vroeg of laat te stikken. En Stalin zou hem hoe dan ook wel een keer aangepakt hebben.'

'Maar waarom dat?'

'Omdat Zjdanov wist dat Stalin op hem gesteld was en Stalin het niet kan hebben dat degenen op wie hij gesteld is zich als gunstelingen gedragen.'

Mijn vader vond dat het gesprek te ver ging en wees op zijn beurt met zijn wijsvinger naar de muren. Daarop werd het stil in het vertrek. Mijn moeder leunde met de ellebogen op de tafel en wrong opnieuw haar handen. Mijn vader wilde haar geruststellen.

'Maak je geen zorgen, lieve Olga, daar hebben we allemaal niets mee te maken. We weten allebei dat het niet nodig is ergens bij betrokken te zijn om vermoord of gedeporteerd te worden, dat geef ik toe. Het systeem is af en toe wat moeilijk te begrijpen, maar ik zie geen enkel verband tussen een kwestie betreffende artsen van de nomenklatoera in het Kremlin en een onopvallende uroloog in een ziekenhuis in een voorstad.'

Hij vervolgde zachter: 'Ook al hebben ze je ondervraagd, want ik ben ervan overtuigd dat ze je hebben ondervraagd. Het is hun gewoonte zaken breed aan te pakken. Voor een armzalige snee in een vinger hebben ze nooit geaarzeld een hele arm te amputeren. Maar dat je hier terug bent, bewijst dat ze helemaal klaar met je zijn. Als je het verstandelijk bekijkt, hebben we niets te vrezen. We kunnen altijd slachtoffer van irrationele aandriften worden. Niet meer en niet minder dan voorheen. Denk je niet?'

De hele duur van het gesprek was mijn moeder met haar hoofd elders, in beslag genomen door kwellende gedachten die ze voor mijn vader verborgen hield. Het vrat aan haar dat ze voor een dilemma stond en toch gedwongen was snel een beslissing te nemen.

Uiteindelijk stond ze op en begon rondjes door het vertrek te lopen, met haar handen op de rug en haar ogen op de grond gericht. Ten slotte bleef ze tegenover mijn vader staan en zei: 'Ik moet je de waarheid vertellen.'

Verbaasd stond mijn vader op zijn beurt op en strekte zijn vlakke handen ten hemel alvorens met zijn wijsvinger naar de muren te wijzen.

Mijn moeder knikte traag, als iemand die op het punt stond een plechtige eed uit te spreken.

'Maak je geen zorgen, we worden niet afgeluisterd. Dat zei ik alleen maar om tijd te winnen.'

Ze hield weer even op met praten om haar gedachten te ordenen. Ze was niet langer de vrouw die zich, zelfs die ochtend nog, bezorgd maakte over haar echtgenoot bij het idee dat hij kon denken dat ze dood was.

'Ik ben niet gearresteerd, en al helemaal niet verhoord.'

'Maar wat dan?'

'Daar kom ik dadelijk op. Ik ga je veel verdriet doen en ik weet dat je dat niet verdient. Het zit zo: ik heb buitenshuis geslapen.'

'Buitenshuis geslapen? Je bedoelt dat je 's nachts, midden in Moskou, met je ziel onder je arm hebt rondgelopen?'

'Nee, Vassili, ik heb bij een andere man geslapen.'

Mijn vader verstarde en staarde met een lege blik voor zich uit. Het was een tijd waarin je het meest verbijsterende nieuws te horen kon krijgen, maar dit sloeg hem met stomheid.

'Ik weet dat het niet goed is, en ik heb geen enkele reden om je ontrouw te zijn', ging mijn moeder verder. 'Het feit dat het ons niet lukte kinderen te krijgen speelt ook geen rol. Je moet geen verstandelijke rechtvaardiging voor mijn manier van doen zoeken. Het is zoals het is, Vassili, gemeen, oneerlijk. Vrouwelijke waanzin.'

Mijn vader stond op en leunde wankelend tegen de verkleurde muur. Vervolgens staarde hij naar de grond als iemand die erin berust dat hij, door een kogel getroffen, aan het doodbloeden is. Toen kwam hij weer bij zinnen, pakte de stoel en ging zitten. Hij nam haar hoofd in zijn beide handen, liet het weer los en zei zacht, zonder boosheid: 'Het zal je vreemd in de oren klinken, maar ik ben bijna gerustgesteld. Ik kon ook niet geloven dat je ons huis vrijwillig had verlaten. Ik wist zeker dat ze je gearresteerd, gemarteld hadden en dat je me niets wilde vertellen om me te ontzien. Vreemd genoeg voel ik me bijna opgelucht. Je afwezigheid had niets met politiek te maken. Dat was het goede nieuws. Daarna kwam het vreselijke andere.'

Hij hield opnieuw op met praten om zich weer een houding te geven, waarvan hij dacht dat hij die kwijt was.

'Het komt tegenwoordig vrij vaak voor dat stellen uit elkaar gaan. Wij behoren in de eerste plaats het volk toe en dan pas een ander. Ik zal je wel verveeld hebben met mijn houding van trouwe hond. Dat is in deze maatschappij het probleem. Zij biedt zo weinig onmiddellijke vreugden dat je je verplicht voelt te geloven in de liefde om de sleur te verdragen in afwachting van de betere tijden die onze opoffering rechtvaardigen. Of je onder de dekmantel van preutsheid over te geven aan dierlijk genot, zoals sommigen van onze ontaarde leiders. Je zult wel vinden dat ik het goed opneem, maar in feite ben ik er kapot van. Weet je welk gevoel er nu over me komt? Heimwee. Heimwee naar de gelukkige tijden die al het andere bijkomstig maakten. Weg zijn ze. Bij jou vond ik diep in mezelf een soort rust, een beschermlaagje tegen de verdwazingen van een revolutie waaraan we trouw zijn gebleven. Gelukkig heb ik nog de dialectiek om de dingen begrijpelijk te maken. Ik ben best bereid aan te nemen dat ik je nooit verdiend heb. Wat me het minst verdriet zou doen, is dat je mij gewoon de schuld gaf van ons onvermogen een kind te krijgen en dat je lichaam besloten heeft een man te verlaten aan wie je geest en je hart niets te verwijten hebben. Althans, dat hoop ik. Je zult misschien vinden dat ik wat te toegeeflijk ben. Maar ik zou niet willen dat deze omstandigheden aanleiding werden om bij ons dezelfde grofheid binnen te laten die buiten heerst. Ik wed dat je die man tegemoet bent gegaan zonder het echt te willen, geleid door levensdrift. Na tien jaar vergeefs proberen kan ik je moeilijk verwijten dat je niet in me gelooft. En die man die me mijn enige bestaansgrond ontneemt, wie is het?'

43

Mijn moeder boog het hoofd.

'Een hooggeplaatst iemand in de partij.'

'Is het dan in ieder geval geen Jood? Ze maken nu Joodse artsen verwijten, maar wie weet of morgen Jood-zijn niet een reden is om alle Joden uit de partij te stoten.'

'Nee, hij is niet Joods.'

'Ik maak me zorgen om je, Olga. Ik weet dat ik niet de ideale man ben, maar ik heb een heleboel voordelen. Ik ben even kleurloos als de muren, en mensen zoals ik zijn de laatsten die ze zullen vervolgen. Wanneer ze gearresteerd worden, is dat pure pech, tegen de grillen van het lot kun je niets uitrichten. Een hooggeplaatst man in de partij, dan weet je zeker dat hij op een dag van zijn voetstuk zal vallen, en zijn hele familie met hem om te zorgen dat geen enkele getuige hem overleeft. De dood bestaat slechts als er iemand is die kan rouwen om de overledene. Een moord wordt geacht nooit gepleegd te zijn als niemand zich hem herinnert, vandaar die zucht om hele families uit te moorden.'

Mijn vader had de eigenaardigheid zich op momenten van grote ontreddering weer meester te worden door veel te praten en tegelijkertijd alles te rationaliseren.

'Het is niet nodig het over hem te hebben', antwoordde mijn moeder. 'Het heeft geen zin te proberen te begrijpen wat er vandaag de dag gebeurt. Ik wil me gewoon verontschuldigen en op iets anders overgaan. Ik heb een man ontmoet, zo is het nu eenmaal, je doet in het leven niet altijd wat je zelf wilt ...'

'Daar kunnen we, gezien de historische omstandigheden, vrij goed over meepraten, toch dacht ik juist dat de privésfeer de laatste plek was waar we nog onszelf konden zijn, waar we de loop der dingen konden beïnvloeden ...'

'Nou goed, dan vergis je je, Vassili, niets is meer besloten.'

'Je voelt je verplicht je bijdrage te leveren aan de herbevolking van de Sovjetunie gezien het enorme verlies aan mensenlevens door de meest bloedige oorlog in haar geschiedenis, is dat het?'

'Misschien, onbewust.'

'Dat is vreemd, je bent gewoon niet meer dezelfde vrouw. Die man oefent een deksels grote aantrekkingskracht op je uit om je in zo korte tijd zo'n verandering te laten ondergaan. Tenzij de zaak al langer speelt en de geweldige toneelspeelster die je bent nu opeens uit haar rol valt. Je bent geen vrouw die haar leven in een paar dagen ondersteboven gooit, toch?'

'Je hoeft me niet meer over mezelf te vertellen, Vassili, het enige wat ons te doen staat is ons op onze scheiding voor te bereiden.'

'Je gaat ergens anders wonen.'

'Zeer binnenkort.'

'Best. Kort geleden fluisterde een van mijn collega's me met gevaar voor eigen leven in het oor: "We beleven sombere jaren." Op dat moment sprak ik hem tegen, maar nu heb ik daar spijt van.'

Mijn vader staarde met een lege blik voor zich uit, tot besluit zei hij nog: 'Ik heb het gevoel dat ik nergens meer bang voor hoef te zijn. De terreur lijkt haar handen van me afgetrokken te hebben zoals behang door vochtigheid van de muur valt. Ik heb geen reden meer om bang te zijn. Wat een licht gevoel, om met niets of niemand nog een binding te hebben! Ze kunnen niets meer van je afpakken. Ze kunnen je geen verdriet meer doen. Je wordt een Heer der wereld in het klein.'

Twee dagen later, terwijl mijn vader lag te slapen in de keuken en mijn moeder in het vertrek dat als zitkamer dienstdeed, werd er bij de flat aangebeld. Het was twee uur in de ochtend. De verveling droop van het gezicht van de man die in de deuropening stond. Mijn vader deed open.

'Ik kom Olga Ivanovna Atlina halen', bromde hij met een basbariton.

Mijn vader keek hem schuin aan.

'U komt haar arresteren, nietwaar?'

De militair nam mijn vader opzettelijk traag van top tot teen op.

'Als ik gekomen was om haar te arresteren, kameraad, zou ik al in het vertrek zijn waar ze ligt te slapen. Ik zou bezig zijn haar aan haar haren mee te trekken, ik zou haar in haar nachthemd de trappen af en vervolgens door de sneeuw sleuren voor ik haar met schoppen in haar buik in een auto liet stappen, snap je?'

'Ik snap het, kameraad', antwoordde mijn vader bevend.

'Ach nee, kameraad, ik maakte maar een grapje. Als ik haar kwam arresteren, zou ik hetzelfde doen als nu, ik zou voor de deur blijven staan en wachten tot ze klaar was voor ik haar naar de Loebjanka zou brengen.'

'Dus?'

'Dus helemaal niets. Ik zei je dat ik niet hier ben om haar te arresteren, ik ben hier om haar ergens naartoe te brengen, maar ik ben niet van plan voor deze deur te blijven staan tot ik wortel geschoten heb.'

'Ik zal haar roepen, kameraad', zei mijn vader en toonde zo zijn bereidwilligheid om mee te werken.

Mijn moeder had alles gehoord en zich haastig aangekleed toen mijn vader het vertrek binnentrad waar hij haar alleen liet slapen sinds de mededeling dat hun scheiding aanstaande was.

'Ik geloof dat die hoge piet van je iemand gestuurd heeft om je op te halen. Het is grappig, even dacht ik dat ze je kwamen arresteren, en ik was bijna gerustgesteld omdat alles weer net als vroeger leek te worden. Maar zo, het geeft een heel raar gevoel je ervandoor te zien gaan met een militair die een zwak voor je heeft. Neem je niet al je spullen mee?'

'Nee, vandaag niet. Ik kom vast terug om hier nog een paar keer te slapen voor ik voorgoed wegga.'

'Zou je me in afwachting daarvan niet je capsule met cyaankali willen afstaan?'

'Wat ben je daarmee van plan, je wilt er toch niet …'

'O nee, maar ik dacht … Je weet immers nooit. Al ben ik straks niet meer dan een in de steek gelaten, bedrogen echtgenoot, toch zou het in het hoofd van je minnaar kunnen opkomen me te laten arresteren.'

'Dat zou ik hem nooit van mijn leven toestaan, Vassili.'

'Dus je houdt de capsule voor jezelf. Het is inderdaad heel goed mogelijk dat je hem harder nodig zult hebben dan ik in de wereld waarin jij je gaat bewegen. Die man zou je weleens sneller in zijn val kunnen meesleuren dan je denkt, je kunt er nog over nadenken, Olga, het is nog niet te laat.'

'Jawel, Vassili, het is al te laat.'

'Ik weet zeker dat het geen liefde is maar veeleer het verstand dat spreekt. Je houdt niet van die man, maar aangezien hij zijn keus op jou heeft laten vallen, ben je bang om tegen hem in te gaan en hem boos te maken. Ook voor hem is het leven vergankelijk en jij denkt dat hij tot alles in staat is om een dwangmatig verlangen te bevredigen, dat om ons naar Siberië te sturen inbegrepen, dus je stelt je tot taak ons te redden. Wat ik je zeg, is heel aannemelijk.'

'Maar het is onjuist, Vassili, ik kom niet bij je terug.'

De militair was de keuken binnengekomen.

'Schieten we een beetje op?'

Mijn moeder verscheen helemaal aangekleed voor hem.

'Het spijt me dat ik je heb laten wachten, kameraad, ik ben klaar.'

Toen maakte ze een klein handgebaar naar mijn vader, die met een bleek gezicht door zijn dikke ronde brillenglazen keek.

*

Bij het Kremlin aangekomen, volgden ze hetzelfde doolhof van gangen, trappen en deuren. Ze herkende de wachtkamer aan de geur. Er had een andere vrouw dienst dan de vorige keer. Ze liet haar plaatsnemen en toen ze dacht dat het tijd was, liet ze haar het hokje binnen en vroeg ze haar haar kleren uit te trekken, die ze een voor een controleerde door de zakken binnenstebuiten te keren en de naden te voelen. Daarna betastte ze met een uitdrukking van afkeer haar borsten en de binnenkant van haar dijen. Ten slotte beduidde ze haar dat ze zich weer kon aankleden. Vervolgens begon het wachten, tot vijf uur in de ochtend. Een soldaat bracht haar naar het op een hoek gelegen kantoor. Hij opende de deur en zij trof Stalin aan, gezeten achter zijn werktafel.

Zijn pijp zat tussen zijn tanden geklemd maar brandde niet. Hij stond op om naar haar toe te komen, drukte haar de hand en liet haar plaatsnemen in een leunstoel, terwijl hij zelf alsof hij een oosterse vorst was op de divan ging zitten en een prettige houding zocht. Mijn moeder werd getroffen door zijn ogen, bloeddoorlopen pretogen, die door alcoholgebruik uitpuilden, wat echter verdoezeld werd door zijn vosachtige oogleden. Hij maakte er trouwens geen geheim van.

'Ik heb het vanavond een beetje bont gemaakt. Ik drink alleen maar met water aangelengde Georgische wijn, maar ik heb er waarschijnlijk liters van achterovergeslagen. Ik drink nooit zo veel dat ik dronken word. Dat zou me het genoegen ontnemen om mensen in mijn omgeving bij het derde of vierde grote glas wodka de kluts te zien kwijtraken. Dan zie ik wat ze zijn: kinderen. We hebben een prettige avond doorgebracht, we hebben veel gelachen, ik heb nieuwe moppen gehoord. Geen schuine, die vind ik niet leuk meer, er was een tijd dat ik zulke verhalen vermakelijk vond, maar die is voorbij. We hebben vijf uur aan tafel gezeten, er kwamen wel een stuk of tien gangen door, ik heb niet van alles genomen, maar toch had ik flinke trek. Daarna nam ik iedereen mee naar de bioscoop en hebben we twee films gekeken, een voortreffelijke Amerikaanse western en een Charlie Chaplin. We hebben weer flink gelachen. Mijn minister van Filmkunst, Bolsjakov, is een bangerik. Ik heb nog nooit zo'n angsthaas meegemaakt als hij. Het is te bar, snap je, er is een punt waarop angst contraproductief voor het land werkt en je geneigd bent je van dat soort individuen te ontdoen, want verlamd van angst zijn ze natuurlijk tot geen enkel initiatief meer in staat, ze doen alles verkeerd en spuwen hun overlopende gal uit tegen hun ondergeschikten. Een paard dat nergens bang voor is, moet je afmaken, want dat gaat tegen de natuur van zijn soort in. Een bang paard moet je eveneens afmaken, anders zal het je op een dag doen verongelukken door een ondoordachte beweging om zich te bevrijden. Voor mensen geldt hetzelfde. Terreur vereist een subtiele dosering, anders zijn we gedwongen veel te veel mensen te doden en ik zei het vanochtend opnieuw tegen het politbureau, waarschijnlijk wordt terreur uit het oogpunt van haar slachtoffers gezien als een irrationeel verschijnsel, maar uit het oogpunt van degenen die haar uitoefenen is het een bijna wetenschappelijk verschijnsel, anders zou het niets voorstellen. Wanneer we buitenlandse films draaien die ik zelf heb uitgekozen, weet ik dat Bolsjakov, mijn voortreffelijke minister van Filmkunst, al weken van tevoren met een beroepsvertaler aan het werk is geweest. Vervolgens leert hij de vertaling uit zijn hoofd en lepelt hij die telkens als er gesproken wordt tijdens de film voor ons op. Maar de sukkel heeft geen enkel gevoel voor dramaturgie, dus draagt hij de tekst met een eentonige stem aan ons voor, als een diaken die een evangelie opdreunt zonder dat hij de betekenis ervan begrijpt, en vaak kan de idioot het niet bijhouden, raakt hij zo ver achter dat hij pas klaar is met het voordragen van de vertaling als de film al minstens tien minuten afgelopen is. Maar ik moet zijn geheugen prijzen, die man heeft waarschijnlijk wel van zo'n honderd films de dialogen in zijn hoofd zitten. Ik doe er mijn voordeel mee door hem te vertellen waar wat censuur nodig is. De Amerikanen weten hoe ze een film moeten maken, dat kun je niet ontkennen.

Niet alles van ze is negatief, we zouden er verkeerd aan doen dat te geloven. Als je het goed vindt, trek ik mijn schoenen uit en ga ik op de divan liggen.'

'Zal ik u helpen, Jossif Vissarionovitsj?'

Stalin keek haar met een vlammende blik aan.

'Denk je dat ik te oud ben om mijn veters los te maken of bied je aan je te verlagen om ze voor me los te maken?'

'Het een noch het ander, meester', antwoordde mijn moeder vuurrood van verwarring.

'Hoorde ik je daar "meester" zeggen? Al die inspanningen om tot volstrekte gelijkheid van mensen te komen en jij noemt me "meester"?' ging hij met een stem zonder woede en bijna geamuseerd verder.

'Dat is me ontvallen, kameraad Stalin.'

'Laten we het er niet meer over hebben', zei hij.

Nadat hij zijn schoenen had uitgetrokken, ging hij languit op de divan liggen en duwde twee kussens onder zijn nek.

'Waar was ik gebleven? O ja, ik vertelde je over de Amerikanen. Ik was erg gesteld op Roosevelt, een zeer ontwikkeld man, die overeind gebleven zou zijn, om het zo maar eens te zeggen, als zijn benen niet verlamd waren geweest. Ik heb hem ontmoet in Teheran en in Jalta, hij was zeer scherpzinnig. Niet te vergelijken met de hemdenverkoper die voor hem in de plaats kwam, dat winkeliertje Truman. Ik zie dat onbeduidende burgerlijke misbaksel zo weer voor me in Potsdam, vol trots dat hij me kon vertellen dat hij een atoombom had. Hij was net als een van die armzalige politieagenten die denken dat ze wat zijn omdat ze een grote waakhond aan de lijn hebben. Om me bang te maken, en alleen daarom, heeft hij die bom op Japan gegooid. De Japanners waren al een hele poos bereid zich over te geven toen hij nog even met zijn machtsvertoon kwam aanzetten. Die bom is een slechte zaak. Ik heb nooit problemen gehad met doden, maar ik deed het steeds om de mensheid vooruit te helpen. Ik heb gezuiverd, maar nooit uitgeroeid. De atoombom zal de mensheid nooit vooruit helpen, hij zal haar alleen maar laten verdwijnen. Alles wat ik doe, is om een plaats in de geschiedenis te krijgen en ik zou nooit iets doen wat de geschiedenis zelf zou uitwissen, snap je?'

'U hebt gelijk, kameraad Stalin.'

'We hadden de beste betrekkingen met de Verenigde Staten toen we bondgenoten waren. Maar sinds Truman zijn de dingen veranderd.'

Hij viel even stil en begon toen weer over zichzelf.

'Onze zitting van de vorige keer heeft me veel goed gedaan. Ik heb een aantal dagen geen pijn meer gehad, of om eerlijk te zijn, de pijn is minder geworden. Maar nu begint het weer. Mijn aderen zitten verstopt en het bloed stroomt er zo moeilijk doorheen dat het zenuwen moet wegdrukken om plaats te krijgen. Je hebt echt het vermogen de pijn weg te nemen, maar ik besef dat je weinig aan de oorzaak ervan kunt doen. Je handoplegging is niet voldoende om mijn bloed vlot te laten doorstromen. Ik zou meer aan lichaamsbeweging moeten doen, denk ik, maar dat is niets voor mij. Ik ben gestopt met roken, ik denk dat dat me goed zal doen, vijfenvijftig jaar roken zal me niet in de kouwe kleren zijn gaan zitten. Ik zou mezelf moeten ontzien, als ik niet net zo wil eindigen als Lenin. Lenin had tenminste mij als opvolger, maar wie heb ik als opvolger? Beria? Als die man mijn lijk ziet, zal hij zijn broek op zijn enkels laten zakken om me onder te schijten. Ik heb overwogen me van hem te ontdoen. Dat zou verbijsterend gemakkelijk geweest zijn. Hij heeft zichzelf niet in de hand, dus heb ik hem in de hand. Het is een seksmaniak die jonge vrouwen verkracht in zijn datsja op nog geen twintig meter afstand van het huis waar hij met zijn eigen vrouw woont. Toch is hij een harde werker. Ook al is hij erg individualistisch, hij heeft me laten merken dat hij het belang van het volk toegedaan was. Malenkov is eveneens trouw, zijn gezicht als van een zachtgekookt ei werkt niet in zijn voordeel, maar hij is zoals hij eruitziet: een slapjanus. Molotov? Ik vertrouw hem niet helemaal, al is hij waarschijnlijk betrouwbaarder nu we hem van zijn Joodse vrouw hebben verlost, die zich gedroeg als een Amerikaanse rijkeluisdochter die haar lot in eigen hand had. Chroesjtsjov is trouw, hij is een echte proletariër, maar lomp, en af en toe heb ik het gevoel dat hij vooral zaagsel in zijn hoofd heeft in plaats van hersens. Maar waarom vertrouw ik je dat allemaal toe? Je zult wel denken: hij is zo eenzaam in de uitoefening van zijn geweldige macht dat hij er behoefte aan heeft zijn hart uit te storten en dat doet hij bij de eerste de beste, want dat is minder gevaarlijk dan een man of vrouw die wél belangrijk is in het systeem iets toe te vertrouwen. Maar daar komt nog bij: waarom doet hij het, waarom brengt hij me zo in gevaar, want als hij morgen spijt krijgt van ons gesprek, zal hij voor het welzijn van het volk geen andere oplossing kunnen kiezen dan me te laten verdwijnen. Vergis ik me?'

'Ik denk dat u zich vergist, kameraad Stalin.'

'Die woorden komen er bij jou aardig spontaan uit. Anderen beschouwen het als zelfmoord te suggereren dat ik me vergis. Maar als ik me vergis, zoals jij beweert, heb je dan wel mijn raadgeving in je oren geknoopt dat onze ontmoetingen strikt onder ons moeten blijven?'

'Ja, kameraad Stalin, ik heb er met niemand over gesproken.'

'Ook niet met je man?'

'Ook niet met mijn man.'

'Hoe heb je hem uitgelegd dat het kan voorkomen dat je midden in de nacht naar een geheime plek moet?'

'Ik heb hem verteld dat ik een minnaar had en dat ik hem spoedig voorgoed zou verlaten.'

'Indrukwekkend, dat dubbelspel, warempel, het klopt dat jullie vrouwen heel veel aanleg voor zulke dingen hebben. Heb je het met hem al over echtscheiding gehad?'

'Ik heb het er met hem over gehad, Jossif Vissarionovitsj, en ik heb hem overtuigd.'

'Je hebt niet alleen een gave wat je handen betreft, je hebt ook heel veel acteertalent. Toch zit je met een heus probleem. Scheiden heeft alleen maar zin als jullie ook feitelijk uit elkaar gaan. Hoe denk je dat aan te pakken?'

'Dat weet ik nog niet, kameraad Stalin. Ik zie er geen oplossing voor, ik heb de geldmiddelen niet en ...'

'Zelfs ik kan je niet helpen. Ik heb de macht niet om je een woning toe te wijzen, ik ben Stalin maar, ik denk trouwens dat we met een tekort zitten en ik vermoed dat de kliek om me heen zich flink beijverd heeft om de woningen die vrij waren aan ge-trouwen toe te wijzen. Je zult een oplossing moeten zien te vinden als je wilt dat die scheiding zijn beslag krijgt, ik hoor het nog wel van je ... Zorg nu voor mijn benen, ze doen me pijn.'

Dus legde mijn moeder haar handen op de benen van Stalin op de plek waar het bloed moeite had door de aderen te stromen en de vaten verkalkt waren door jarenlange copieuze feestmalen. Net als de vorige keer viel de Vozjd bijna meteen nadat de eerste effecten van de behandeling merkbaar werden in een diepe slaap. Mijn moeder, die wist dat hij pas acht uur later wakker zou wor-den, viel eveneens in slaap, al was het een hazenslaapje.

De Vozjd werd pas aan het eind van de ochtend wakker. Toen hij mijn moeder naast zich zag zitten, zei hij: 'Wat, ben jij hier nog, hoe laat is het?'

Hij wierp een blik op de klok: elf uur!

Hij glimlachte, vervolgde toen: 'Het gaat vanochtend be-ter met me, ik voel niet het gewicht op mijn schouders van de kwaadaardige krachten die me in de grond doen wegzakken. Ik heb goed geslapen. Heb je gemerkt dat niemand me ooit komt wekken? Soms moet ik door omstandigheden vroeger gewekt worden. Maar niemand durft dat ooit op zich te nemen. Wat er ook gebeurt, de gebeurtenissen wordt verzocht even te wachten. Toen de Duitsers de Sovjetunie binnenvielen, hoorde ik dat pas toen ik wakker werd. En wat heeft dat veranderd? Kun jij het me zeggen? Niets, helemaal niets. Ze hebben ons land ook niet met drie of vier uur vertraging verlaten. Goed, je kunt gaan. Ik zal nog eens nadenken over je woonprobleem.'

Terwijl hij deze woorden sprak, maakte hij een beweging ten teken dat ze kon vertrekken, zonder verder acht te slaan op de vrouw die met een verdraaide nek naast hem had zitten waken en elke vijf minuten wakker was geworden, omdat de sfeer in dit vertrek zo weinig uitnodigde tot rust.

*

Het was bijna twaalf uur toen mijn moeder haar werk in het ziekenhuis kon hervatten, waar juist die dag een groot aantal mannen en vrouwen op haar wonderen wachtte. Sommigen waren in de gang gaan zitten, anderen stonden.

Toen de surveillante van de verdieping haar zag aankomen, verscheen er een afkeurende trek om haar mond. Al voor de tweede keer was ze een hele ochtend afwezig geweest zonder zich te verontschuldigen of een reden op te geven. Mijn moeder had haar komst nog verder vertraagd door langs huis te gaan, om zich te wassen voor ze haar werk hervatte en om de zure geur van de oude man kwijt te raken die om haar heen was blijven hangen.

Het duurde niet lang of haar chef stormde haar spreekkamer binnen, zonder zich iets aan te trekken van de oude patiënte met wie mijn moeder bezig was. Met ogen die uitpuilden achter een bijziendenbril, waarvan de dikke glazen de wratten die rond zijn ogen zaten vergrootten, vloog hij op haar af.

'Je bent onverantwoordelijk, Atlineva. Wat bezielt je toch, om vanochtend alweer zomaar veel te laat te komen opdagen zonder verklaring? Dat is al de tweede keer. De eerste keer heb ik niets gezegd. Ik zag dat een militair je meenam en dacht dat ik je nooit meer zou terugzien. Dat kon ik je niet kwalijk nemen. Toen je de volgende dag terugkeerde, trok ik daaruit de conclusie dat ze je vrijgelaten hadden en ik was blij voor jou en voor de afdeling. Daar bleef het bij. Maar nu ben je voor de tweede keer een hele ochtend weggeweest en kom je terug alsof er niets aan de hand is. Je beseft toch wel dat ik gedwongen ben dat bij de ziekenhuisdirectie te rapporteren en je weet wat je daarmee riskeert, daar kan ik kort over zijn. Ze zullen je ontslaan en vervolgens, maar daar heb ik natuurlijk geen invloed op, stel ik me voor dat het feit dat je het ziekenhuis verlaat voldoende is je tot de vijanden van het volk te rekenen. Kun je me ten minste een begin van een verklaring voor je herhaalde afwezigheid geven?'

'Ik heb niets te zeggen, kameraad', antwoordde mijn moeder terwijl ze de blaas van de oude vrouw bevoelde.

De afdelingschef duwde zijn afgezakte bril weer omhoog en nam een trotse houding aan voor hij besloot: 'Best, dan weet ik wat me te doen staat: een rapport schrijven. Maar ik zou niet weten wat ik erin moest zetten om de lezers ervan tot vergevingsgezindheid te manen.'

En terwijl hij de verpleegster die aan het werk was omverliep, verliet hij het vertrek.

De week daarna werd mijn moeder bij de directeur van het ziekenhuis geroepen, een man wiens rusteloze ogen een tegenstelling vormden met zijn rustige gezicht. Hij was niet knap maar ook niet lelijk en als ze niet geweten had wie hij was, zou mijn moeder hem niet herkend hebben. Hij deed heel beleefd.

'Zou u zeggen dat het principe van een tweede kans een burgerlijk principe is?'

Mijn moeder keek om zich heen alsof ze daar het antwoord zou vinden.

'Ik heb werkelijk geen mening over dat onderwerp, kameraad directeur.'

'Iets in mij zegt me dat de tijd er niet naar is om iemand een tweede kans te geven. Maar ik moet u wel een tweede kans geven, of u in het ongeluk storten. En alleen ik kan die keus maken. We kennen elkaar nauwelijks en toch zijn onze levens nauw verbonden.'

'O ja? Hoe dat zo?'

'Ik weet niet hoe ik het u anders moet zeggen, maar ik heb mijn leven met het uwe verbonden.'

'Werkelijk?'

'Een poosje geleden vroeg één van uw collega's, wiens naam ik niet zal noemen, me te spreken. Hij klaagde erover dat u zich beriep op een gave. Deze gave is volgens hem in strijd met de wet, maar zorgt bij uw patiënten, om zuiver psychologische redenen, voor een hoger genezingspercentage dan bij andere artsen het geval is. Hij maakte zich zorgen over de mogelijkheid dat u er met het oog op een volgende promotie gebruik van zou maken, terwijl het oneerlijk is om zo te werk te gaan. Het zou er volgens hem op neerkomen dat u zich laat voorstaan op een begaafdheid die slechts op bedrog berust. Maar aangezien mensen van het volk bereid zijn elk kletspraatje te geloven en zich er ook door laten overtuigen, bevestigt dat dat uw praktijken invloed op de geest hebben, wat hun genezing bevordert. In die zin moedigt u, nog steeds volgens hem, bij het volk tendensen aan die in strijd zijn met het gezonde verstand.'

'En wat in strijd is met het gezonde verstand, is misdadig?'

'Het is een ontoelaatbare teruggang, in ieder geval vanuit de autoriteiten bekeken. U kent het reusachtige werk dat ze hebben verricht om het volk af te houden van taboes, bijgeloof en andere vormen van geloof in het bovennatuurlijke. Onze revolutie richt zich op wat vaststaat. Zij bestrijdt alle irrationele uitingen. Ik heb de klacht van uw collega onder tafel gehouden.'

'Bedankt, maar waarom?'

'Ik zou er nooit met u over gesproken hebben als er niet een kans bestond dat onze wegen voorgoed gescheiden zullen worden. Ik heb u lief.'

Hij zweeg enkele ogenblikken om te peilen welk gezicht mijn moeder zou zetten als reactie op zijn mededeling. Verrukt over haar verbazing, vervolgde hij: 'Daar had u natuurlijk geen enkel vermoeden van!'

'Hoe had ik daar een vermoeden van kunnen hebben?' antwoordde mijn moeder in alle oprechtheid.

'Ik heb uw dossier niet doorgestuurd. Maar degene die u kwaad wil doen, vond het nodig het hogerop te zoeken. En nu vallen ze mij lastig. Ze willen per se van me weten waarom ik de klacht van uw collega niet doorgestuurd heb. Dus heb ik geantwoord dat ik hem ongegrond vond. Ik kreeg als reactie: "Het is niet aan jou daarover te oordelen, kameraad ziekenhuisdirecteur, stel je voor wat er van de Sovjetunie zou worden als het aan een ziekenhuisdirecteur werd overgelaten te beoordelen of een van zijn ondergeschikten aan de criteria van volksvriend voldoet? Natuurlijk, als je ervan overtuigd was, zou je het initiatief kunnen nemen haar aan te geven, maar hoe kun je er bezwaar tegen hebben dat een van je ondergeschikten het doet? Dat is pure waanzin!" Ik maakte hem er opmerkzaam op dat de term volksvijand te pas en te onpas gebruikt werd, dat het een soort vuilnisbak was om alle huidige haatgevoelens in te dumpen, het blanke wapen van een minderheid die aan vervolgingswaan leed. Ik verwacht dat ik voor mijn handelwijze gestraft zal worden. Ik stel me voor dat uw vijand zich zal haasten uw herhaalde ongeoorloofde afwezigheid te melden. Hij zal u de doodsteek willen geven.'

'Maar wat gaat u doen?'

'Niets.'

'Niets?'

'Nee, niets. Ik hou van u, Olga. Als ik u meteen had aangegeven, zouden ze op enig moment toch wel een manier hebben gevonden om me te vermoorden of te deporteren. Maar zo zou het voor mij geen klasse hebben gehad. Op dat punt hecht ik aan een bepaalde esthetiek, snapt u, er bestaat een esthetiek van het leven en daar geef ik meer om dan om het volk. Alleen al deze woorden zouden reden genoeg zijn om me dood te schieten. Dat zal uiteindelijk ook vast met me gaan gebeuren. Een hoge functionaris bij de politieke politie vertelde me eens over de terechtstelling van een man. "Wat had hij gedaan?" vroeg ik naïef. "Niets", antwoordde hij. "Maar hij bereidde zich op zijn sterven voor als iemand die een misstap had begaan. Dat is geweldig, dat is nou precies het resultaat van het systeem." Daarom, lieve Olga, blijf ik, nu het nog kan, hopen dat ik kan sterven als iemand die nergens schuldig aan is. Ik vraag je niet om een tegenprestatie, want dit alles gaat alleen mij aan. Je zult vast problemen krijgen, maar die zullen niet van hier komen.'

Vervolgens stond hij op, liep met haar naar de deur en drukte haar zonder iets van gevoelens te tonen de hand.

Terwijl ze afscheid van hem nam, voorvoelde mijn moeder dat ze hem voor het laatst had gezien. Ze betrapte zich erop dat ze zich verzette tegen de gedachte dat hij dwaas was. Maar ze zou niet hebben kunnen zeggen waarom.

Er was nog geen week voorbijgegaan of er werd op een nacht om een uur of één op de deur van de flat geklopt. Het was dezelfde man als de vorige keer, met dezelfde blik als van een aan bloedarmoede lijdend kalf dat zich eindeloos verveelt in een wereld waarvan het bestaan slechts in beperkte mate tot zijn bewustzijn doordringt. Maar vreemd genoeg reed de auto niet in de richting van het Kremlin. De weg was veel langer. Het kwam geen moment in mijn moeder op om te vragen waar ze naartoe werd gebracht. Pas op het laatste moment ontwaarde ze in het licht van de koplampen van de limousine een indrukwekkende datsja, stijlvol gebouwd en van een onbestemde kleur. Later hoorde ze dat ze in Koentsjevo was geweest, het verblijf van de Vozjd in Moskou. De weg naar de wachtkamer was, evenredig aan de grootte van het huis, veel korter dan in het Kremlin. De datsja maakte een sombere indruk op haar, alsof het leven er al lang geleden uit verdwenen was. Het enige wat eraan ontbrak om er een verlaten huis van te maken, waren de doeken over de leunstoelen. Het wachten duurde niet erg lang, nog geen uur, het fouilleren gebeurde minder uitvoerig en werd gedaan door een man die naar het plafond keek om haar blik niet te ontmoeten wanneer zijn handen verdwaalden. Toen ze binnentrad, lag de Vozjd al op een divan in een koud maar tamelijk ruim vertrek. Zonder iets te zeggen beduidde hij haar naderbij te komen en te gaan zitten. Met een stem die door alles wat hem kwelde woedend klonk, zei hij: 'Laten we geen tijd verliezen, ik heb heel veel pijn vandaag.'

Mijn moeder ging aan het werk. Ze zag hem zijn ogen sluiten. Gerustgesteld dacht ze dat hij opnieuw in slaap gevallen was en dat ze zich kon voorbereiden op haar nacht als waakhond in de leunstoel. Maar toen het half uur handoplegging voorbij was, opende de Vozjd zijn ogen en kwam moeizaam overeind.

'Je doet me heel veel goed', zei hij terwijl hij haar met zijn sombere blik doordringend aankeek.

'Daar ben ik heel blij om, kameraad Stalin.'

'Je bent onmisbaar voor me geworden, vind je ook niet?'

'O nee, kameraad Stalin, niemand is onmisbaar.'

'O jawel, ik', zei hij proestend van het lachen terwijl hij zich met zijn armen opduwde om een betere zithouding te vinden. 'Je hebt gelijk, niemand is onmisbaar, ook ik ben dat niet en als ik straks dood ben, vertrouw ik er wat betreft mijn opvolgers op dat ze hun best zullen doen om dat te bewijzen. Jij bent net zo bescheiden als ik. Het volk denkt dat ik aan eerbetoon hecht, dat is volstrekt onjuist, dat eerbetoon is een bedenksel van mijn omgeving.'

Hij stopte even, alsof hij een droombeeld zag, daarna begon hij te hijgen alsof hij werd overvallen door een plotselinge angst.

'Ze vertelden me dat de mensen bang zijn. Maar wat weten ze van mijn angsten, dat afschuwelijke gevoel voortdurend het doelwit van een samenzwering te zijn? Soms heb ik pijn in mijn borst omdat mijn hart bonkt als een bezetene, wat komt door een onuitsprekelijke, onverklaarbare angst die me waarschuwt voor een of ander zeer nabij gevaar. Als ik anderen niet geterroriseerd had, zou ik al heel lang niet meer dan een lijk zijn waaraan de wormen zouden knagen.'

Er verscheen een uiterst bedroefde glimlach op zijn gezicht, toch dwong hij zichzelf tot opgewektheid.

'Nou ja, ik ben er nog en ik voel me beter. Ik heb een nieuwtje voor je. Ik denk dat ik je woningprobleem opgelost heb zonder de verdenking op me te laden dat ik jou heb begunstigd. Het zit zo: ik heb behoefte aan warmte en wil graag naar mijn land, Georgië, terug. Vanaf volgende week woon ik daar in mijn lievelingshuis, Koele Beek. Jij gaat met me mee. Ik kan er beter werken en de sfeer is daarginds veel minder gespannen dan in Moskou. Ik kan er leven te midden van echte proletariërs, brave mensen die niets van me verwachten, oude vrienden die niets van politiek weten, maar die me vermaken, die drinken en die zingen. Ik moet het probleem nog oplossen dat jouw verblijf in dat huis geheim blijft, want ik vind het belangrijker dan ooit dat aan je aanwezigheid geen ruchtbaarheid gegeven wordt. Je moet ervan uitgaan dat je ruim twee maanden weg bent, ik neem je mee voor mijn welzijn, zoals ik ook met spuitwater doe. Er wachten me belangrijke taken. Ik moet de overplaatsing van de Joden voorbereiden. Zij willen hun staat. Die zullen ze krijgen, ik ben al bezig ze uit Moskou te verjagen. De politieke politie is druk in de weer om ze te tellen, daarbij doen we een beroep op de huismeesters, dezelfde aanpak als de nazi's, alleen met edeler bedoelingen. We zullen in het oosten, in Siberië, te midden van de muggen en de bloedzuigers, een tweede Israël voor ze stichten. Dan zullen ze begrijpen wat het betekent mijn vertrouwen te beschamen en merken hoe ik met nationalistische bourgeoisieën omga. Ik ben gewend aan dat grootschalige zuiveringswerk en ik denk dat ik de enige ben die weet hoe je zoiets moet opzetten. Ik heb ruim twintig miljoen devianten weer op het rechte pad gebracht, het pad dat naar het kerkhof voert, en ik heb bijna vijftig miljoen ervan gratie verleend door ze aan het werk te zetten op onze uitgestrekte, ongerepte vlakten. De Joden zijn helaas, ik heb geen enkele illusie, mijn laatste grote onderneming tegen de reactionaire krachten. Ik, die altijd een keurige Rus geweest ben, ik heb voor mijn Georgië altijd een speciale liefde behouden. En ik ben blij je naar daarginds mee te kunnen nemen om je er geuren te laten ontdekken die in de Moskouse kou geen enkele kans krijgen zich te ontwikkelen, hoe ik ook mijn best doe in de tuin bij dit huis mooie bloemen te laten groeien. We zullen het daarginds prettig hebben, want ik zal er alles hebben om tot rust te komen, een echt politiek project, het aangename klimaat in het zuiden en de doeltreffendheid van je behandelingen. Maar voor we uiteengaan om elkaar spoedig weer te zien, moet ik je een kleine teleurstelling meedelen. Mijn diensten hebben onderzoek gedaan naar je familie en het schijnt dat je vader, ver voor hij trouwde, in zijn enthousiasme over de nieuwe tijden die in het verschiet lagen, zijn naam veranderde in een strijdlustig Russisch klinkende naam. Vóór verandering luidde die naam Altman, maar ik durf erom te wedden dat je daar wellicht nooit weet van hebt gehad. Dat is heel goed mogelijk, hele families hebben zich vastgebeten in een ontkenning van hun nationaliteit om de zaak beter te kunnen dienen en elke bijgedachte aan een stamverband te vermijden. Toen ik de gedachte eenmaal aanvaard had dat je niets wist van de vroegere naam van je ouders, bereikte me andere informatie die mijn ongerustheid weer deed toenemen. Zo vertelden ze me dat de eerste dag dat je me van mijn pijnen kwam afhelpen, een bewaakster je fouilleerde en op een intieme plek een capsule aantrof die ze naar haar chef bracht, die hem liet onderzoeken. En wat hoor ik? Dat het cyaankali was, hetzelfde dodelijke vergif waarmee de omgeving van Hitler zich het leven benam. En als je de feiten vervolgens domweg op een rij zet, wat zie je dan? Een vrouw, arts, ongetwijfeld Joods, die het Kremlin binnendringt met een capsule cyaankali in haar onderbroek. Is dat niet vreemd, net nu die wittejassenkwestie speelt, wat zeg jij daarvan?'

'Kam...'

'Zeg maar niets. Met zo'n dossier hoeven ze je in de Loebjanka niet eens een voor een je schaamharen uit te trekken om je te laten bekennen dat je het toonbeeld van een terroriste bent die van plan was de leider van de Sovjetunie te vermoorden. Ben je het daar mee eens?'

'Ik ...'

'Zeg maar niets. En toch zul je, als je me overleeft, wat ik gezien je leeftijd verwacht, ooit kunnen getuigen dat kameraad Stalin is wat hij is omdat, rekening houdend met zijn leeftijd, zijn enorme helderheid van geest en zijn onovertroffen scherpzinnigheid hem in staat stellen de meest kinderachtige valstrikken te vermijden. Jij bent arts, dat staat vast. Je wist niet dat je Joods was, ik heb van je aangenomen dat dat zo was, laten we het er niet meer over hebben. Overigens, laten we elkaar goed begrijpen: dat je Joods bent stoort me niet in het minst – als je het wel geweten had en geprobeerd had je echte nationaliteit voor me verborgen te houden, zou ik dat daarentegen als een grove belediging beschouwd hebben. Nu, wat de kwestie van de cyaankali betreft, in tegenstelling tot de stommelingen die bij mijn politieke politie zitten, denk ik niet dat je me hebt willen vermoorden. Immers, toen een van mijn mannen je kwam halen, kon je niet weten dat je naar kameraad Stalin gebracht zou worden. Dat is uitgesloten. Daarom is mijn theorie de volgende. Toen je merkte dat ze je op je werkplek kwamen halen, dacht je dat ze je naar de Loebjanka zouden brengen. Fout, beste meid, politieke arrestaties vinden altijd 's nachts plaats. Want die arrestaties veranderen op die manier in geruchten die anderen uit de slaap houden, en slapeloosheid brengt degenen die het vergeten waren weer in herinnering dat ik dag en nacht over ons volk waak. Nee, mijn verklaring voor het gif is eerder dat je je een vreemde gedachte in het hoofd hebt gezet, maar hoe je daarop gekomen bent, ik weet er geen antwoord op. Want aangezien je niet wist wat je echte nationaliteit was, hoe kon je dan denken dat je gearresteerd en gemarteld zou worden zoals met de artsen in het Kremlin gebeurd is? Dat punt is me nog niet duidelijk geworden, want aangezien je geen misdadige arts bent, waar kun je dan zo bang voor zijn dat je met een capsule cyaankali in je zak rondloopt? Daar wil ik per se duidelijkheid over. Ik heb zo mijn eigen idee. Je dacht misschien dat je jezelf niets te verwijten had maar dat je, als goed communiste, wel rekening hield met de mogelijkheid dat ze je zouden komen arresteren wegens misdaden waarvan je nog niet het flauwste idee had. Ik moet de zaak nog nader bestuderen. Maar er is geen enkele haast bij. Je hebt een week om de scheiding voor elkaar te krijgen, ik zal je reis naar Georgië regelen en gedurende twee maanden zul je van alle dagelijkse zorgen verlost zijn. Daarna zien we wel verder.'

Een auto reed mijn moeder in het donker weer naar huis.

WANNEER ANGST EEN organisme binnendringt, neemt het het bloed waarvan het wordt voorzien niet langer als een neutraal iets waar. Vanaf dat moment overheerst het gevoel dat het om een zure en gloeiend hete vloeistof gaat. Die nacht, in haar provisorische bed op de grond om te zorgen dat mijn vader zijn roes kon uitslapen, begreep mijn moeder iets wat nooit eerder zo helder tot haar doorgedrongen was: de reden waarom mannen en vrouwen die weten dat ze ongeneeslijk ziek zijn nooit het initiatief nemen om zelf een eind aan hun leven te maken maar de aftakeling die zich voordoet veeleer aanvaarden als een fase tussen leven en dood. Ze kon de rest van de nacht niet slapen en de volgende dag begaf ze zich doodmoe naar het ziekenhuis. Haar werk ging gewoon door tot het eind van de week. Om mijn vader te ontlopen bleef ze tot 's avonds laat in het ziekenhuis hangen, aanvaardde diensten die ze eigenlijk niet hoefde te draaien, tot het zelfs de aandacht van haar collega's trok. Ze begrepen niet dat zij, na twee keer ongeoorloofd afwezig te zijn geweest, nu blijkbaar wilde opvallen door op een overdreven, dus verdachte manier aanwezig te zijn. Wanneer ze 's avonds laat thuiskwam, trof ze mijn vader slapend onder de keukentafel aan. In het vertrek rook het sterk naar drank. Op een gegeven moment werd er om twee uur in de ochtend op de deur geklopt. Voor mijn moeder bestond er geen enkele twijfel dat ze haar kwamen halen, maar deze keer om haar naar de Loebjanka te brengen. Zonder enig teken van paniek, gelaten en bijna opgelucht, deed ze op dezelfde ongedwongen manier de deur open als voor gasten. Daar stond een groepje militairen in lange jassen en mijn moeder dacht: als de bijgeleverde kleding iets over hun werk zegt, is het menens. Uit hun aantal leidde ze af dat de eindbestemming niet Koele Beek was, maar de weerzinwekkende lokalen van de politieke politie.

De hoogste in rang toonde haar een of ander papier en zei:

'Wij hebben bevel Sergei Sergejevitsj Sloetsjin te arresteren, is die er?'

'U vergist u waarschijnlijk,' zei mijn moeder tegen hem, 'u komt mij arresteren.'

Terwijl hij naar haar borsten keek die in de diepe uitsnijding van haar peignoir naar voren staken, antwoordde de officier met een zware stem, als een steen die met een doffe klap in een put valt: 'U ziet er niet uit alsof u Sergei heet en voor u heb ik geen orders gekregen.'

Mijn moeder maakte met moeite mijn vader wakker, die langer tegen zijn misselijkheid streed dan dat hij nodig had om van het bericht te bekomen. Ze was helemaal van streek. Ze wist niet wat ze tegen hem moest zeggen, terwijl hij zich aankleedde, zich haastend om zijn toekomstige folteraars niet boos te maken, alsof die omzichtigheid ook maar iets aan zijn behandeling zou veranderen. Toen hij vertrok maakte hij een kleine handbeweging en wierp hij haar een vertwijfelde blik toe; toen, zich even verzettend tegen een bewaker die hem naar buiten duwde, zei hij: 'Ik zou niet graag horen dat je minnaar zich van dit strijdmiddel heeft bediend om mij opzij te schuiven en de weg voor zichzelf vrij te maken.'

Mijn moeder wilde een kreet slaken, maar het lukte haar niet.

De volgende dag kwam ze de conciërge tegen, die deed of hij niets wist van de arrestatie van haar echtgenoot. Hij volstond ermee haar namens haar buren en namens hemzelf te complimenteren met de terugkeer van een normale geluidsproductie.

'Er klinken helemaal geen kreten van genot meer uit uw flat, een teken dat bij u de rust is weergekeerd. Wel is me bericht dat uw buren een soort gereutel, afkomstig van een mannenstem gehoord hebben. Dat vertelden ze me, maar aangezien ze er geen aanstoot aan genomen schijnen te hebben, heb ik dat voorval niet als overlast beschouwd.'

*

Voor het eerst keek ze ernaar uit dat ze haar zouden komen halen om haar naar de Vozjd te brengen. De reis begon de zondag daarop in een trein waarin ze werd vergezeld door een vrouw. Ze was van een kaliber waarvan er niet meer dan tien in een ton gingen en de hele reis kon mijn moeder haar ogen maar niet afhouden van haar handen, waarvoor een maat handschoenen nodig zou zijn geweest die in de Sovjetunie niet geproduceerd werd. Ze sprak geen woord, zoals alle mensen die zich met een belangrijke taak belast voelen en twijfelen of ze die wel aankunnen. Mijn moeder bedacht dat ze die vast aankon, vooral omdat het een taak was die niets voorstelde.

Koele Beek was een groot gebouw halverwege het koloniehuis en de eetzaal van een weeshuis voor kinderen van vijanden van het volk. Al tijdens haar eerste bezoek aan de Vozjd kon mijn moeder niet nalaten mijn vader ter sprake te brengen.

'Je bent echt een vrouw. Ik neem je mee ver weg van Moskou waar het ijskoud is naar een betoverend oord waar de natuur al haar rechten behoudt, waar ik verwachtte dat je me zou prijzen omdat ik er zo goed uitzie, en jij, jij hebt het met me over huiselijke problemen. Je zegt dat hij gearresteerd is door de politieke politie. Dat is heel goed mogelijk, dat is niets bijzonders in het tegenwoordige Moskou. Maar ik ben Stalin maar. Wat kan ik doen? Als ze hem gearresteerd hebben, hebben ze daar hun redenen voor. Hij wordt waarschijnlijk ergens van verdacht. Als hij onschuldig is, zullen ze hem weer vrijlaten. Je was toch al van plan te scheiden, dus wat verandert dat eraan? Als je nou nog kinderen bij hem had zou ik begrijpen dat je medelijden had, maar dat is niet zo. Ik kan wel informeren, maar zal ik er nog wel aan denken nu mijn geheugen elke dag slechter wordt? Alsjeblieft, begin er niet elke ontmoeting die we hebben opnieuw over.'

Mijn moeder begreep dat ze het onderwerp maar beter niet meer ter sprake kon brengen. Ze hadden haar ter bescherming tegen nieuwsgierige blikken ondergebracht in een bijgebouwtje dat ze niet mocht verlaten, een hok van vier bij vier meter met een wastafel, een wc en een eenpersoons veldbed. Men bracht haar op vaste tijden eten en drinken, en boeken uit de boekenkast van de Vozjd. Die vond het leuk er *Le roman du masque de fer* van Alexandre Dumas, een van zijn lievelingsschrijvers, tussen te stoppen. De man die haar haar maaltijden bracht was de kok van de leidsman. Hij heette Plotov. Hij richtte zelden het woord tot haar, de eerste keer was toen hij zijn naam noemde, omdat ze hem die gevraagd had. Het scheen hem geërgerd te hebben. Hij had duidelijk opdracht zo weinig mogelijk met haar te spreken, maar toch kon hij geen weerstand bieden aan het genoegen haar een keer mee te delen dat hij een kleinzoon gekregen had die ze Vladimir genoemd hadden. Niemand kon in die tijd voorspellen dat dit kind, waarvan hij vertelde dat het zijdeachtige blonde lokken had, zevenenveertig jaar later president van Rusland zou zijn.

'Ik heb bericht uit Moskou ontvangen, een verslag van een van mijn mannen met betrekking tot de gevangenhouding van je echtgenoot. Ik heb het nog niet gelezen, het komt op hetzelfde moment binnen als jij. Degene die het me stuurt, is een vertrouwensman. Morgen of overmorgen krijg ik een officieel rapport dat ik alleen maar zal gebruiken ter vergelijking, want op dit moment moet ik het doen met een weergave van de feiten, bijeengebracht door mijn geheime bode. Eens kijken wat hij zegt! Over het algemeen ontbreekt het hem niet aan stijl, zoals je zult zien. 'In de Loebjanka trokken de folteraars hun lange voorschoten aan. Ze bonden hem vast aan een stoel. De baas van de folteraars begint met hem te laten weten dat iedereen die niet door zijn handen is gegaan wat pijn betreft eigenlijk nog niets heeft meegemaakt. Daarna pakt hij een vel papier om zich ervan te vergewissen dat hij bij zijn onderzoek niet verkeerd zit: "Kameraad," zegt hij moeizaam lezend omdat hij nog maar net heeft leren lezen en schrijven, "kameraad, we gaan je ervan langs geven, laat dat je duidelijk zijn. Wat we van je verwachten, zijn volledige bekentenissen op twee punten: ten eerste de echte nationaliteit van je vrouw die wij niet kennen en waarvan alleen jij op de hoogte bent. De tweede kwestie betreft haar bezigheden: af en toe gaat ze 's avonds of 's nachts weg, wij zouden graag willen weten wat ze dan doet, want dat we het je vragen, komt doordat wij het niet weten. Natuurlijk heb je de mogelijkheid te antwoorden voor je gepijnigd wordt. En als je antwoord ons bevalt, word je niet gepijnigd." "Mag ik weten welk antwoord u bevalt?" antwoordde de verdachte. "Het spijt me, kameraad, dat ik je niet tevreden kan stellen, dat zou te gemakkelijk zijn, snap je?" "Dan kan ik u zeggen dat mijn vrouw Russische van verre Poolse komaf is en dat ik absoluut niet weet wat ze doet als ze weggaat."

De folteraar trok een pruillip. "Je antwoorden zijn zeer onbevredigend, kameraad, dit is beslist niet wat we verwachtten, dus aan het werk." "Maar u beweerde dat u niets wist?" "Natuurlijk kennen wij de waarheid niet, maar wij zijn uitstekend in staat in deze zaak uit te maken wat geen enkel verband met haar heeft. Dat we de waarheid niet kennen betekent niet dat we niet vast kunnen stellen wat gelogen is." "Dus u gaat me pijnigen." "Ik ben bang van wel, maar voor jou zal ik een uitzondering maken." "Wat voor uitzondering?" "Ik zal het zonder plezier doen. Maar bovenal wil ik je laten weten dat je niet een geval bent zoals veel andere." "Dat wil zeggen?" "Je bent een belangrijke verdachte, maar het belang dat je hebt, ontgaat je." "Hoezo ben ik een belangrijke verdachte?" "Van hogerhand is men in je antwoorden geïnteresseerd." "Dacht ik het niet.'"

Op dat punt aangekomen, liet Stalin het vel papier dat hij voor zijn gezicht hield zakken en stelde hij zichzelf zonder mijn moeder aan te kijken de vraag: 'Dat antwoord bevreemdt me. Hoe kan hij vermoed hebben dat men van hogerhand in zijn antwoorden geïnteresseerd is?'

Mijn moeder haastte zich te antwoorden: 'Dat komt doordat ik hem heb wijsgemaakt dat ik bij hem wegging voor een hooggeplaatst iemand in de partij, om zogezegd indruk op hem te maken.'

'Zo begrijp ik het beter, maar wat een deugniet ben je, wanneer je vrouwen van slechtheid verdenkt, stel je je altijd nog maar de helft voor van datgene waartoe ze in staat zijn.'

Hij sloot de map waarin het rapport zat en legde die op een hoek van de tafel.

'Het vervolg is minder interessant, ik bespaar het je. Nu wil ik je de tuin laten zien. Als ik me goed herinner, is het de eerste keer dat we overdag bij elkaar zijn. Ik zie nu dat je een mooie, stevig gebouwde vrouw bent, met mooi golvend haar, een echte Russin op wie we trots kunnen zijn.'

Eenmaal in de tuin werd hij enthousiast.

'Water en zon doen wonderen, maar als een van de twee het laat afweten, wordt het allemaal een troosteloze boel. De natuur brengt zo veel schoonheid voort, tegelijkertijd kan ze zo onrechtvaardig zijn, vooral tegen arme mensen, dat we haar niet helemaal kunnen vertrouwen. We moeten haar beteugelen. Zoals je je herinnert, verwijst ook het Oude Testament naar die onderwerping. De natuur lijkt heel erg op mensen, ze smeedt vaak stilletjes complotten en beklaagt zich als we haar hard aanpakken. Ze heeft lang aan de kant van de macht tegenover het volk gestaan, liet het kou en honger lijden. Nu, met ons, ontvangt zij de bevelen van het volk.'

Ze liepen langzaam door de lanen. Elk bloemperk, steeds met andere soorten, bracht hem in verrukking. Voor een perk met rozen bleef hij staan en zijn ogen vulden zich met tranen. Toen mijn moeder hem stomverbaasd aankeek, wendde hij zijn blik af. Vervolgens zei hij met bevende stem: 'Ik heb nog nooit zo het leven bezongen en nooit was je zo dicht bij de dood. Voelde je zijn streling in je nek?'

*

Een week lang zag mijn moeder hem niet weer. Stalin gaf zich met zijn oude Georgische kameraden over aan zwelgpartijen tot diep in de nacht. Daarna wilde hij gauw slapen. Hij stond steeds later op. Maar nadat hij de pijn een paar dagen was vergeten, keerde die in volle hevigheid terug. Op een nacht, toen de drank niet geholpen had om zijn lijden te verlichten, ging mijn moeder naar hem toe. Toen ze klaar was met haar handoplegging, stond hij op en strompelde als een oude man naar zijn bureau.

'Ik heb nieuws over je echtgenoot', zei hij terwijl hij een dossier pakte. 'Eens kijken, wat hebben ze me te vertellen?'

Deze keer las hij voor zichzelf, waarbij beurtelings een geamuseerde en een verbaasde uitdrukking op zijn gezicht verscheen.

'Dat is tamelijk goed nieuws. Hij is langdurig gemarteld, maar hij heeft geen woord losgelaten over je nationaliteit of over de reden van je nachtelijke avontuurtjes. Toch hebben ze, als ik mijn geheime bode moet geloven, geen halve maatregelen genomen en ik ken onze man, dat is niet iemand die het er gauw bij laat zitten.'

Stalin nam de tekst verder door: 'Sommige dialogen tussen de folteraar en je echtgenoot verdienen onze aandacht: "Ik had je niets te geven en toch heb je alles van me afgepakt", zegt je echtgenoot tegen hem. "Alleen je waardigheid nog niet", antwoordt de ondervrager. "Doe geen moeite meer, die geef ik u cadeau." Ten slotte is het goede nieuws voor jou dat hij niets heeft gezegd, niet over je nationaliteit en niet over de reden van je nachtelijke avontuurtjes. Dat betekent dus dat hij niets wist, want met het toedienen van stroomstoten kun je een grootvader laten toegeven dat hij niet meer dan een zuigeling is. Ik concludeer eruit dat je niets, helemaal niets tegen hem gezegd hebt. Je bent betrouwbaar. Eerlijk gezegd twijfelde ik daar ook niet aan.'

'Dus hij wordt vrijgelaten, nietwaar?'

'Dat zal uiteindelijk wel gebeuren, maar nu is het daar nog te vroeg voor. Er zit me iets dwars, hoe moet ik het zeggen? Na dit eerste onderzoek denk ik dat je niets tegen hem gezegd hebt. Ik denk ook dat het uitgesloten is dat iemand bestand is tegen de behandeling die ze hem hebben laten ondergaan. Toch blijft er een uiterst kleine mogelijkheid dat het martelen zijn verzet niet heeft gebroken. Het lijkt me, ik denk nu hardop, vrij simpel om daar achter te komen. Logischerwijs zou hij opnieuw verhoord moeten worden over een kwestie waarvan wij weten dat hij het antwoord kan geven. Laat ik het uitleggen. Je echtgenoot weet dat je een minnaar hebt. Dat hij dat onder foltering niet toegeeft, komt doordat hij niet heeft gezegd dat hij op de hoogte was van je echte nationaliteit en je relatie met mij. Anderzijds sta ik in dubio, want als hij door zou slaan en de mannen in de Loebjanka alles uit de doeken zou doen, zouden die mannen op hetzelfde moment horen dat je een minnaar hebt, maar ook wat je echte nationaliteit is en, als klap op de vuurpijl, dat je Stalin behandelt terwijl mensen zoals jij op de nominatie staan om door ons gepakt te worden. En niet te vergeten, dat je me behandelt volgens bovennatuurlijke methoden, geërfd van het vroegere bewind. Hem uit de weg ruimen zou nergens toe dienen, want dan zou ik nog steeds niet zeker weten of jij me niet verraden hebt. Jullie allebei uit de weg ruimen, is mezelf de waardevolle heilzame werking van je gaven ontnemen. Ik sta hier voor een echt politiek probleem dat ik moet zien op te lossen.'

Er volgde een lange stilte, waarin Stalin door het vertrek ijsbeerde. Mijn moeder barstte in tranen uit. Hij keek haar aan alsof ze een bezienswaardigheid was.

'Kameraad Stalin, ik smeek u …'

Meteen viel hij haar in de rede.

'Alsjeblieft, ga me niet smeken, je hebt geen idee wat voor reactie dat bij me kan losmaken. Breng me niet tot een onjuist oordeel, laat me er niets van merken dat je hem liefde toedraagt, want ik zou in staat zijn … Droog je tranen en laten we verdergaan. Dwing me niet weer tot de meest radicale oplossingen.'

In de stilte in het vertrek, die drukkend was doordat mijn moeder haar best deed haar tranen in te houden, dacht hij enkele ogenblikken na.

'Ik zal vragen hem te verhoren. Als hij zegt te weten dat je een minnaar hebt, komt hij er heelhuids vanaf. Snap je, hij is jong en hij ziet er gezond uit. We hebben wel voorbeelden van mannen of vrouwen die onder het folteren bezweken. Maar die waren zwak of oud, die zouden toch wel gauw het leven hebben gelaten.'

Er gingen drie dagen voorbij zonder dat Stalin vroeg om door mijn moeder behandeld te worden. Pas de vierde dag deed hij 's nachts een beroep op haar, terwijl zij in een diepe slaap lag, uitgeput door achtereenvolgende perioden van slapeloosheid. Ze trof hem languit liggend op zijn divan aan, met zijn handen op zijn buik gevouwen, alsof hij zich op zijn sterven voorbereidde.

'Is het je opgevallen dat ik je niet meer laat fouilleren?'

'Het is me opgevallen, kameraad Stalin.'

'Ik hoop dat je dit blijk van vertrouwen op prijs stelt. Ik heb uitstekend nieuws voor je. Je echtgenoot heeft uiteindelijk gepraat. Na een verhoor van drie uur, naar mijn bronnen volgens de regels van de kunst uitgevoerd, zei hij ten slotte wat ik wilde horen. Hij liet los dat je een minnaar hebt, hooggeplaatst in de partij, maar hij wist niet hoe hij heette. Dat hij zo vlug verklaarde dat hij zijn naam niet wist, vonden ze een beetje verdacht. Dus hebben ze hem nog een uur "uitgehoord", daarna nog een uur om het opnieuw over je nationaliteit te hebben. Ze kregen er niets meer uit. We kunnen van nu af aan zeggen dat er een bepaalde mate van vertrouwen tussen ons bestaat. Ik heb gevraagd hem vrij te laten. Zoals je weet, ik ben Stalin maar, toch heb ik goede hoop dat ze mijn advies zullen opvolgen.'

Hij glimlachte en haalde diep adem, alsof hij zich opgelucht voelde.

'Ik heb de gegevens over zijn dienstverleden bekeken, deze man in wie ik een bepaald vertrouwen stel kan ons in het vervolg van nut zijn. Ik ben met een groot project gestart voor de bouw van kernonderzeeërs. Peregoedov, een begaafd wetenschapper die al voor de oorlog in een kamp zat te verkommeren, is de taak toevertrouwd dit project tot een goed einde te brengen. Ik ben van plan ook je echtgenoot erbij te betrekken. Hij krijgt op het bouwterrein een dienstwoning, wat het hem mogelijk maakt de flat in Moskou te ontruimen, waar jij dan kunt blijven. Wat jou betreft, ze vertelden me dat je door de politie wordt gezocht als "volksvijandin" omdat je je werk in de steek hebt gelaten. Ik zal het beetje macht dat ik heb gebruiken om het onderzoek te laten staken. Maar je zult niet meer betaald krijgen, dat zou niet erg netjes zijn, je salaris te doen toekomen terwijl je ziekenhuis je ontslagen heeft. Terug in Moskou moet je me eraan herinneren dat ik een oplossing probeer te vinden om je niet te ver bij mij uit de buurt werk te bezorgen.'

Vervolgens slaakte Stalin een diepe zucht en keek naar de punten van zijn schoenen, waarbij mijn moeder ontdekte dat zijn voeten, terwijl hij op die divan zat, nauwelijks de grond raakten.

'Als er later over mij gesproken wordt, hoop ik dat jij er zult zijn om te getuigen van mijn kracht, die bestond uit mijn vermogen belangrijke beslissingen te nemen maar evenzeer oog te hebben voor kleinigheden en dicht bij de meest eenvoudige mensen te blijven die ik altijd heb gediend. Om deze zaak af te sluiten, heb ik een vraag: drinkt je echtgenoot?'

'Dat was niet zijn gewoonte, kameraad Stalin, maar ik moet bekennen dat hij, sinds ik hem mijn vertrek aankondigde, aan de drank is gegaan.'

'Ik stelde je de vraag zomaar, omdat ik in een rapport las dat voor personeelsleden die werken aan projecten waarbij ze aan sterke radioactieve straling blootstaan, de enige beveiliging drank is, die ze beschermt tegen ioniserende stralen. Ze vertelden me ook dat onderzeeërs met mannen die de godganse dag wodka drinken ons voor een heus probleem stellen. Maar als we ze verbieden te drinken, gaan ze een wisse dood tegemoet. En dat zie ik als een nadeel, als ze sterven voor ons kernonderzeeërproject voltooid is, is dat een ramp voor het land. Begrijp je het dilemma? Nou goed, snap je, dat is nu politiek, je moet voortdurend beslissingen nemen, ik ben het zat en er is niemand die het in mijn plaats kan doen. Over twee dagen keren we terug naar Moskou. Ik zal Koele Beek bedroefd verlaten. Ik heb al bijna heimwee naar dit oord, dat me mijn weinige momenten van rust schonk. Iets zegt me dat ik het niet terug zal zien. Ook zegt iets me dat jij me zult overleven. Dat had ik toen we vertrokken niet verwacht. Had jij erom durven wedden?'

Een paar weken later werd Stalin getroffen door een hersenbloeding. Toen ze hem verliet, was hij bij bewustzijn, hij sprak of bewoog niet, maar hij lag in een houding die zo'n angst inboezemde dat niemand hem durfde aanraken. Ze lieten hem in zijn urine liggen tot hij overleden was, maar ook toen nog wilde niemand het geloven. De zaak betreffende de witte jassen kwam ten einde met de vrijlating van de Joodse artsen die ten onrechte van samenzwering waren beschuldigd. Het plan om de Joden te deporteren verdween onder tafel.

Mijn moeder ging weer terug naar haar ziekenhuis in de voorstad. Ze werd ontvangen door de nieuwe directeur die haar liet weten dat de vorige was gearresteerd en tijdens zijn verhoor in de Loebjanka was overleden, waarschijnlijk als gevolg van een klein hartfalen. De nieuwe directeur gaf haar de bevestiging dat ze door ingrijpen van hogerhand niet langer gezocht werd als volksvijandin. Er was echter geen sprake van dat ze in haar functie hersteld werd.

Ze heeft nooit met me gesproken over het weerzien met mijn vader. Allebei zijn ze goede communisten gebleven. De terugkeer naar een gewoon leven na gefolterd te zijn, was in die tijd normaal. Net zoals het normaal was dat je het het regime niet kwalijk nam. Dat sommigen over de schreef gingen, deed niets af aan het revolutionaire plan en het geloof dat men erin had. Weinig mensen waren toen in staat naast de martelingen die ze hadden uitgestaan ook nog eens de mogelijke ramp van een desillusie te verwerken.

Terwijl de eerste kernonderzeeërs uitvoeren, werd mijn vader overgeplaatst naar een basis aan de Barentszzee om voor het technisch onderhoud van de atoomschepen te zorgen. Daar werd ik in 1957 geboren. Hun liefdesspel was in alle hevigheid hervat, maar het duurde nog ruim drie jaar voor mijn moeder weer een regelmatige menstruatiecyclus had. 1957 is ook het jaar dat mijn vader aan de gevolgen van drankmisbruik overleed.

We bleven nog vele jaren op de basis, mijn moeder en ik. Ze had er de leiding van een polikliniek voor de gezinnen van bemanningsleden van onderzeeboten. De zeelieden zelf hadden hun eigen gezondheidsdienst. Ze was iets meer dan verpleegster, maar niet helemaal arts en ging door voor een matige geneeskundige. Aan handoplegging deed ze niet meer, en haar resultaten toonden aan dat ze veel theoretische kennis was vergeten. De gezinnen van de bemanningsleden van de onderzeeërs namen het haar kwalijk dat ze maar zo weinig succes had. Ze maakten haar er nooit rechtstreeks verwijten over, maar haar vermeende onbekwaamheid kwam me ter ore via de kinderen van de moeders die ze behandelde, en wel zodanig dat die hele gemeenschap van gezinsleden van onderzeebootbemanningen me was gaan tegenstaan. Uit haat tegen die lui was ik ongetwijfeld het enige jongetje dat niet droomde van de diepten van de zee of van de lof die ze kregen toegezwaaid. Op een keer verweet de vrouw van een onderofficier haar in het openbaar haar onbekwaamheid. Mijn moeder kreeg de neiging de gemeenschap versteld te doen staan door weer van haar magnetisme gebruik te gaan maken. Ze zou het voor mij gedaan hebben, om te zorgen dat ik trots op haar was en er een eind aan te maken dat ze in mijn bijzijn bekritiseerd werd. Ze dacht er lang over na en de avond dat ze haar besluit nam, vertelde ze me het hele verhaal in geuren en kleuren. Vervolgens was ze 's nachts niet in staat een oog dicht te doen en hoorde ik haar door haar slaapkamer ijsberen, want al was onze flat oud, we hadden door ik weet niet welk geluk ieder een eigen slaapkamer. De volgende dag rakelde ze heel vroeg het vuur op in onze extra houtkachel, waarvan de rook door een provisorische schoorsteen via de keukenmuur in de buitenlucht verdween. De schreeuw die ik vervolgens hoorde, klonk heel eigenaardig. Een gehuil dat samenging met vreugdekreten die uit het diepst van haar vrouwelijkheid leken te komen. Ik schoot overeind. Ik trof haar bijna glimlachend aan, met haar beide door de rode platen verbrande handen naar de hemel gewend.

Een paar weken later, toen de winter de natuur met een dikke laag wit had overgeschilderd, kreeg ik opeens pijn waarvan de oorzaak duister bleef. Toen geen enkel geneesmiddel er een eind aan wist te maken, zag ik op een middag door de sluier van koorts heen mijn moeder met haar gewonde handen naar mijn buik toegaan. Ze tilde een hoek van mijn pyjama op en legde ze op mijn gloeiend hete huid. De volgende dag was de pijn verdwenen.

ZO GROEN ALS GRAS

Toen er op de deur werd geklopt, begreep de jonge officier dat dit het teken was dat zijn gesprek met zijn meerdere ten einde was. Hij stond op terwijl deze laatste met grote stappen naar de deur liep om zijn bezoeker te begroeten. Er trad een breedgeschouderde man van gemiddelde lengte binnen. Hij drukte zijn gastheer heel hartelijk de hand en gaf hem een tikje op zijn arm. De ander ontdeed hem van zijn overjas terwijl de jonge officier voor de nieuwkomer in de houding sprong. Toen de man dat zag, beduidde hij hem dat hij weer de rusthouding mocht aannemen. Daarna keek hij hem met een doordringende blik onderzoekend aan. Hij zag dat de jongeman fletsblauwe, wat onrustige ogen had, die hem niet probeerden te ontwijken, bleekrode vooruitstekende lippen en een terugwijkende kin. Het geheel gaf hem het uiterlijk van een zenuwachtige marter die op zoek is naar een diertje om leeg te zuigen. Na voor de generaal gesalueerd te hebben, verdween de jonge officier geruisloos en deed de zware gemoltonneerde deur weer achter zich dicht.

'Een goede rekruut?' vroeg de generaal, terwijl hij naar de leunstoel toeliep die zijn gesprekspartner hem wees.

'Ik heb nog geen oordeel', antwoordde de kolonel en ging weer achter zijn werktafel zitten. 'Het is niet gemakkelijk hoogte van die jongen te krijgen. Hij is nogal impulsief. Ik merk dat hij eerzuchtig, wilskrachtig is, maar nogal gesloten.'

'Omkoopbaar?'

'Ik ken hem niet goed genoeg om daar stellig over te zijn, maar ik wed dat zijn eerzucht hem daartegen beschermt.'

'Toen ik me met rekrutering en training bezighield, jaren geleden, had ik net zulke jongens, die aan geen enkele zwakheid toegaven. Geen drank, geen vrouwen, geen verkwistingen. Mettertijd ben ik tot een stelregel gekomen. Het zijn of de beste of de slechtste agenten die we hebben. Agenten die nooit uit de band springen, kunnen het ineens laten afweten en richten daarbij aanzienlijke schade aan. Toch moet ook toegegeven worden dat we bij die groep asceten enkele opmerkelijke mannen hadden zitten. Dit is zijn eerste risicopost, is het niet?'

'Ja. Hij is tot nu toe gestationeerd geweest in Sint-Petersburg. Hij was er belast met de jacht op dissidenten, waar hij zich zeer geschikt voor heeft getoond. Maar onze politieke vijanden hadden geen enkele reden een beroep op hem te doen, hij had ze maar weinig te vertellen wat ze niet al wisten.'

De kolonel stond op en liep naar een boekenkast van goedkoop exotisch hout om er twee glaasjes met dikke bodem en een fles uit te pakken. De mannen klonken, waarbij ze elkaar recht aankeken, en dronken hun glas in één teug leeg.

De generaal wreef over zijn kin en keek door het raam alsof hij bezig was zijn gedachten te ordenen. De kolonel, die hem goed kende, liet hem zich concentreren en keek eveneens door het raam naar buiten. Er viel niets anders te zien dan een stad in het oosten van Duitsland bij grauw weer.

'We moeten er binnenkort duidelijkheid over zien te krijgen op wie we kunnen rekenen.'

De generaal sprak inmiddels als tegen een oude maat die alleen door een duistere bureaucratische gang van zaken wat hoger in de hiërarchie was opgeklommen. Allebei wisten ze dat hun vak vertrouwen in anderen uitsloot, toch konden ze zich er al jaren niet van weerhouden vriendschappelijk met elkaar om te gaan.

'Ons systeem zal nog maar een paar jaar in de oude staat blijven voortbestaan. Het eindsignaal zal klinken op het moment dat wij besluiten ons uit Afghanistan terug te trekken. We zijn niet in staat deze oorlog voort te zetten, maar ons terugtrekken betekent de nederlaag van de Sovjetunie aanvaarden ten opzichte van een land dat tien keer kleiner is dan het onze en honderd keer minder wapens heeft.'

De kolonel verwachtte waarschijnlijk nog veel slechter nieuws.

'Dat weten we allemaal al, Gennadi, we moeten het systeem hervormen, vechten tegen de corruptie die in alle geledingen van de partij voortwoekert, krachtdadig voortgaan op de weg die Andropov aangegeven heeft …'

De kolonel stopte, want de generaal tegenover hem schudde zijn dikke hoofd diep tussen zijn opgetrokken schouders om aan te geven dat hij het helemaal mis had.

'Nee, Pjotr, het gaat niet meer om hervormingen. Daar slooft Gorbatsjov zich al voor uit. Hij is aan het hozen in een mammoet-tanker waarvan de boeg met een ijsberg in aanvaring is gekomen. De Verenigde Staten hebben ons geruïneerd door de olieprijzen op een afschuwelijk laag niveau te houden. Ze hebben ons met een bewapeningswedloop opgezadeld die ons aan de rand van de afgrond heeft gebracht en daarbij met medeplichtigheid van de olieproducerende landen in het Midden-Oosten voortdurend druk gezet op onze inkomstenbronnen. Afgezien daarvan doen ze hun best ons werk in Afghanistan te bemoeilijken en er ons Vietnam van te maken. Ik ben niet gekomen om het met je over hervormingen te hebben, ik ben gekomen om met je te praten over het einde van het communisme.'

De kolonel staarde hem ongelovig aan. Daarop ging de generaal verder met een stem die wilde overtuigen zonder dramatisch te klinken: 'Trouwens, nu we toch onder elkaar zijn kunnen we vaststellen dat het optreden van de Amerikanen om ons op de knieën te krijgen alleen maar sneller zal zorgen voor de toename van een structureel gevoel van onbehagen dat toch al bezig was onontkoombaar naar het einde van het systeem te voeren.'

'Maar, Gennadi, hoe kun je zoiets zeggen?'

'Ik ben niet de enige die het zegt. Toch heeft dat niets ondermijnends of contrarevolutionairs. Wat mij interesseert, Pjotr, is niet hoe het volgende systeem eruit zal zien. Het houdt me veel meer bezig me af te vragen welke plaats wij in dat nieuwe systeem zullen innemen. En op korte termijn houdt me nog iets anders bezig.'

'Wat dan?'

'Hoe ons regime ook zal veranderen en welke vorm het ook zal krijgen, een paar kameraden en ik hebben twee dingen die ons voortdurend bezighouden: ik wil niets horen over een grote schoonmaak noch over een nieuw Neurenberg. Westerlingen houden van zulke collectieve oefeningen van berouw, bij ons is zoiets ondenkbaar. Trouwens, we raken onze macht waarschijnlijk toch niet kwijt. Hoe verder de tijd voortschrijdt, hoe meer de wereld verdeeld zal worden tussen degenen die weten en degenen die denken te weten.'

'Dat is wat ons van westerlingen onderscheidt, wij hebben de massa's nooit laten geloven dat ze iets wisten.'

'Dat ben ik met je eens, Pjotr. En ik wil er nog aan toevoegen – misschien schok ik je, maar je zult me spoedig begrijpen – dat degenen van ons die het er het beste vanaf zullen brengen, en daar horen wij waarschijnlijk ook bij, nooit echt in het communisme hebben geloofd. Wat mij betreft denk ik dat het een vorm van heerschappij is zoals elke andere, die overeenstemt met een historische werkelijkheid, met een droom die men graag koesterde.'

De generaal zweeg even om opnieuw uit het raam te kijken, alsof hij in die zinkkleurige grauwheid mogelijk een nieuw element zou ontdekken.

'Heb jij er ooit over nagedacht wat een volksvijand is? Dat is het meest geniale begrip dat we hebben bedacht. Soms wandel ik in het grote bos rond mijn datsja in de buurt van Moskou en kijk ik naar de bomen. Onlangs bleef ik voor een reusachtige naaldboom staan die zich statig, vol vertrouwen tot hoog in de lucht verhief. Ik ging naar de schors toe en fluisterde: "Pas op, prachtige boom, je vertoont alle uiterlijke kenmerken van een windvijand." Het was niet meer dan een manier om de dingen te bekijken, sinds het einde van de jaren twintig onze manier. Is het communisme eenmaal gevallen, en het zal vallen, geloof me, dan zullen we moeten terugkeren naar wat we zijn: een levensvorm in een wezenlijk ongeordende natuur. Een soort die bestaat dankzij zijn kennis. Ik denk niet dat we ons moeten uitsloven door tegen de geschiedenis in te gaan. Ik weet dat veel van onze kameraden geneigd zijn dat wel te doen, maar dat is niet productief. Hoe meer we ons tegen de val van dit systeem verzetten, hoe minder kans we maken op een goede plaats in het nieuwe systeem terecht te komen.'

Pjotr schudde met kleine bewegingen het hoofd om zich ervan te overtuigen dat hij zijn vriend goed verstaan had.

'Maar wat je zegt, wat levert dat op het operationele vlak op?'

'Voorlopig levert dat niets bijzonders op. We moeten ons best doen een hechte gemeenschap te vormen die de gebeurtenissen straks met een standpunt en gemeenschappelijke daadkracht tegemoet treedt.'

'Je bedoelt dat we binnen de KGB een tweede KGB in het leven gaan roepen?'

'Zo ver zijn we nog niet. We moeten ermee volstaan in de gaten te houden welke ontwikkeling het leidinggevend personeel doormaakt en te kijken wat die mensen waard zijn. We zullen met veel afvalligen te maken krijgen. De lokroep van de zee. Met het einde van de ideologie moeten we er rekening mee houden dat het "eigenbelang" zich sterker zal doen gelden.'

'Dus voorlopig verandert er niets.'

'Helemaal niets, Pjotr, we moeten waakzamer zijn en onszelf niet uitvlakken. De westerlingen doen er alles aan om onze agenten om te turnen. Het is een geschikte tijd om te kijken hoe trouw ze zijn, niet aan het systeem maar aan het Huis. De enige raad die ik je wil geven, als je meedoet, is je kaders te testen en de mensen eruit te halen die het waard zijn aan het volgende avontuur mee te doen. En, meer dan ooit, niets aan de Amerikanen toe te geven, die dolgraag voor onze vrienden van morgen zouden willen doorgaan.'

Toen het gesprek afgelopen was, verlieten beide mannen het kantoor van de kolonel om te gaan lunchen. Pas op straat hervatte deze laatste het gesprek: 'Welke boodschap wilde je zo-even aan onze vijanden of onze bondgenoten doorgeven? Kun je je voorstellen dat de Stasi al het mogelijke doet om mijn kantoor af te luisteren en dat de CIA, met medeplichtigheid van een van hun omgeturnde agenten, in staat is hetzelfde te doen?'

De generaal trok een bedachtzaam gezicht.

'Ik betwijfel of we afgeluisterd worden, en als het wel zo is, is dat niet best voor jou. Maar wat worden onze vrienden wijzer van ons gesprek? Ik denk dat ze wel verwachten dat het rijk zal instorten. Als er al een boodschap is overgekomen, dan luidt die dat wij ons op geen enkele manier aan de wrakstukken van die schipbreuk zullen vastklampen. We blijven aan de kant. Ooit zijn het misschien niet meer dezelfde vijanden, maar één ding kan ik je verzekeren: tenzij het eeuwige Rusland verdwijnt, zullen ze altijd onze tegenstanders blijven. Een land daarentegen dat geen gestructureerde inlichtingendienst meer heeft, is niemands vijand meer en dat willen ze met betrekking tot ons nu juist graag.'

Hij hield onder aan de traptreden halt om een sigaret op te steken. Hij nam een trek, blies de rook weer uit, zette zijn hoed recht die door de wind scheef was geblazen en vervolgde: 'Wat betreft ... hoe heet hij ook alweer?'

'Plotov.'

'Die ja, dus wat Plotov betreft, niet alleen vrouwen en geld kunnen hem naar de ondergang voeren, je hebt ook de aantrekkelijkheid van een andere levensstijl en, vergeet dat nooit, wrok, dat diepgewortelde gevoel dat verraders een kolenbrandersgeloof bezorgt. De wetenschapper die ze zojuist in Moskou gearresteerd hebben, had precies dat profiel. Uit wraak voorzag hij de CIA van informatie. Je kunt je niet voorstellen hoeveel energie hij daarin gestoken heeft. Denk je dat hij zijn ouders wilde wreken? Niet eens, hij wilde ons laten boeten voor de jaren die zijn schoonouders in de goelag doorbrachten.'

Er verscheen een spottend lachje op het gezicht van de kolonel.

'Als zijn vrouw al die jaren dat haar ouders opgesloten zaten niet wilde dat haar echtgenoot haar aanraakte, dan kun je je voorstellen dat die man behoorlijk gebeten was op het regime. Maar je hebt gelijk, ik zal een blik op de antecedenten van zijn familie werpen.'

Beide mannen liepen een brede weg af die na de oorlog was aangelegd en verlieten deze bij het derde huizenblok om een zijstraat in te slaan die naar een restaurant met een sobere voorgevel voerde. Voor ze naar binnen gingen hield de generaal, die tot dan toe zonder iets te zeggen zijn eigen gedachten had gevolgd, Pjotr aan zijn mouw tegen.

'We hebben toch niet al die jaren geleefd om ons bij een als verbroedering vermomde overgave neer te leggen, want dat is wat ons te wachten staat. Ik maak me niet al te bezorgd om hun streven de geschiedenis te bewerken. De communisten of oud-communisten in West-Europa zullen nooit aanvaarden dat sommige van hun praktijken vergeleken worden met die van de nazi's. Want het zijn vooral de Europeanen die de hebbelijkheid hebben het verleden levend te willen houden. Amerikanen laten zich niets aan de doden van anderen gelegen liggen. Toch zou ik niet graag willen dat ik één van onze jongens ooit ergens op een bank op straat aantref met een fles in zijn hand, net als na 1815 de soldaten van Napoleon, nu door iedereen vergeten.'

Terwijl de hand van de kolonel al op de deurklink lag, hield de generaal hem een laatste keer tegen.

'Als je wilt weten hoe sterk het weerstandsvermogen van Plotov is waar het om vrouwen gaat, test hem dan niet in een gewone situatie. Dat levert niets op. Wacht op of schep bijzondere omstandigheden waarbij sprake is van druk of angst. Lichamelijke angst, of bij gebrek daaraan geestelijke angst. Op zulke momenten ontstaan verlangens om het angstgevoel te compenseren. Wanneer de dood rondwaart of het leven anderszins ernstig bedreigd wordt, ontstaat er een sterke neiging compensatie te zoeken door toe te geven aan de voortplantingsdrang. Die man is een specialist op het gebied van de jacht op dissidenten, hij weet schrik te zaaien, maar we weten niet hoe hij zal reageren als hij zelf slachtoffer wordt. Het is maar een ideetje, beste Pjotr.'

'Ik ben bang dat ik hier niet de ideale omstandigheden vind voor die beproeving, Gennadi.'

Het restaurant was niet zo groot en het lag voor de hand dat beide mannen niet gauw aan een tafel in het midden zouden plaatsnemen. En al had de generaal zich tot dat moment niet argwanend getoond, nu verborg hij nauwelijks zijn verwarring. Een ober met een lang, gedesillusioneerd gezicht bracht hen naar een achterzaal waar zich twee kleine salons bevonden. De kolonel vroeg hem in het Duits: 'Is dit de salon die u voor ons hebt gereserveerd?'

'Jazeker, meneer', antwoordde de ober.

Tot zijn verrassing vroeg de kolonel verder: 'Is er nog een andere vrij?'

'Ik ben bang van niet, meneer.'

Zonder bijzondere gelaatsuitdrukking gaf hij hem bevel dat er met de gasten in een andere salon geruild diende te worden. Dat gebeurde ogenblikkelijk, het stel dat naar een andere plaats moest, gaf zonder mopperen gehoor aan het bevel. De kolonel bestelde een fles schnaps, vroeg of de muziek hard genoeg gezet kon worden om hun gesprek te overstemmen en de beide mannen gingen zitten.

'Zodat je het weet, we sturen geen lokvogels meer naar de westerlingen', zei de generaal.

'Dat heb ik gemerkt, maar wat is de reden?'

'Ze zijn te gemakkelijk om te turnen. Vooral jongeren zijn heel gemakkelijk om te kopen. Voor ons aanleiding om de realiteit onder ogen te zien.'

'Welke realiteit?'

De generaal pakte een snee donker brood en antwoordde met zijn mond half vol: 'Ideologie, die bedrijf je wanneer je probeert de massa te laten geloven dat iets anders dan geldzucht de wereld kan regeren. Toch krijgt die altijd weer de overhand en enkele onderzoekers van de langetermijnstrategie van het Huis wedden in het geheim met mij dat ideologieën aan het eind van de eeuw verdwenen zullen zijn. In Afghanistan ligt dat anders, die mensen hebben het geloof en dat maakt hen gevaarlijk.'

'Waarom gaan we er niet weg?'

'Op alle bestuurlijke niveaus is iedereen daarvan overtuigd, maar niemand heeft de moed de realiteit onder ogen te zien. De Amerikanen weten een nederlaag als die in Vietnam op te vangen, want dat maakt hun systeem mogelijk. Voor ons ligt het anders, een nederlaag jaagt het rijk sneller het graf in. Maar ik hou vol, de belangrijkste reden is dat de mensen in het Kremlin niet de moed hebben toe te geven dat onze soldaten voor niets zijn gestorven. Ik heb de indruk dat wij tot elke concessie bereid zijn om maar de schijn op te houden. In tegenstelling tot wat er gezegd wordt, willen de Amerikanen ons niet met opgeheven hoofd uit Afghanistan zien vertrekken.'

De ober bracht het voorgerecht, eieren met mayonaise, waar beide mannen begerig naar keken. De generaal spreidde zijn servet uit over de voorkant van zijn jasje, waarvan hij de mouwen iets opstroopte, als een boer die zijn zondagse pak wil ontzien.

'Ik heb die mensen echt goed gekend. Toen het eerste Directoraat me naar de *rezidentoera* in Washington stuurde, was ik bang onderdeel van een levensstijl te worden die ik al sinds mijn jeugd bestrijd. De vrees om door de knieën te gaan, om eerlijk te zijn, de angst om toe te geven aan de overvloed. In feite liet het me onverschillig en daar was ik opgelucht over. Ik merkte dat ze in wezen niets moesten hebben van omverwerping van het bestaande. Ze volstonden ermee, zich erin in te leven en er een handeltje van te maken. Wat heeft het om het lijf dat een zanger met een gitaar walgt van Amerika ten overstaan van een publiek van tienduizenden uitzinnige jongeren. Binnen een paar maanden veranderen ze hem in een product en degene die protesteert eindigt als weldoener van een liefdadigheidsinstelling. Je moet toegeven dat ze ten aanzien van de rebellie van de jaren zeventig heel goed zijn weggekomen. Daar komt nog bij dat ze een buitengewoon vermogen hebben om hun behoudende kiezersvolk te laten geloven dat een ideologie die het goede voorstaat ook hun meest wezenlijke belangen dient. Toen ik er wegging, kon je goed merken dat dit land bezig was ten onder te gaan aan zijn consumptiedwang, waarvan zwaarlijvigheid het teken is – weldra zal niet één Amerikaan meer in staat zijn om te lopen.'

De generaal hield op met praten om wat er op zijn bord lag in twee happen te verslinden. De kolonel sloeg hem twijfelend gade. Al was het een vriend die hij al heel lang kende, de generaal bleef een raadsel voor hem. Zijn glanzende carrière liet er geen enkele twijfel over bestaan hoe er in hooggeplaatste kringen over hem werd geoordeeld. Maar het feit dat hij vaak zijn eigen gang ging, bijna een vrijdenkerskant had, was de kolonel altijd blijven verontrusten, waardoor hij ondanks oprechte pogingen niet kon nalaten zijn onverschrokkenheid te beschouwen als een contra-revolutionaire zonde. Toch had hij vastgesteld dat de generaal, ondanks de schijn en een bijna opruiende retoriek, steeds tot een lijn terugkeerde die des te harder was omdat die uit eigen nadenken voortkwam en niet uit een simpel gehoorzamen aan de leer. En trouwens, dat er een rang verschil tussen hen zat, en wat voor een rang, kwam doordat hij in Moskou gewaardeerd werd.

De kolonel legde de vork neer die hij in zijn linkerhand hield en veegde zijn mond af.

'En die inspectiereis, hoe lang gaat die duren?'

'Geen idee. Ze hebben me gevraagd te onderzoeken hoe het ervoor staat met onze posten in het land aan deze kant van het IJzeren Gordijn, om na te gaan hoe ver onze bondgenoten zijn, hoe paraat ze zijn, hoe groot de kans op afvalligheid is, hoe de geheime diensten optreden tegen ondermijnende activiteiten, hoe goed de mensen georganiseerd zijn, over al die onderwerpen moet rapport uitgebracht worden.'

'En daarna?'

'Dan krijg ik denk ik een baan in Moskou. Om eerlijk te zijn, ik heb helemaal geen zin om weer naar het buitenland te gaan of om me met bijzondere operaties bezig te houden, ik heb er een beetje genoeg van actief bezig te zijn. Ik zou daarentegen best iets voelen voor een bestuurlijke functie en de opleiding van hoger leidinggevend personeel. Een nuttige observatiepost voor de maanden die komen gaan.'

De generaal schonk het glas van zijn vriend tot de rand toe vol schnaps, daarna schonk hij zijn eigen glas vol. Hij liet het voetje ervan draaien alsof hij keek hoe het spiegelde.

'Ik dacht aan iets wat nuttig voor je kan zijn.'

Hij zweeg weer maar bleef het glas tussen zijn dikke vingers ronddraaien. Daarna vervolgde hij: 'Er doet zich een theoretisch probleem voor. Het is van belang met betrekking tot de opleiding van kaderpersoneel: "Wat kun je verwachten van een agent die voor zijn werk zelf moorden of aanslagen gepleegd heeft?" Het probleem deed zich niet voor bij vroegere generaties, die dagelijks met moord te maken hadden. Maar tegenwoordig kunnen veel agenten zich de moeite besparen. Ik heb een theorie: je kunt meer verwachten van een agent die nooit gedood heeft dan van een agent die eraan gewend is. Want later, wanneer hij zich in een situatie bevindt waarin hij strategische beslissingen moet nemen met soms een groot aantal doden tot gevolg, ziet degene die gedood heeft zich zonder het te weten voor een tweede mogelijkheid gesteld: doorgaan met moorden om zichzelf ervan te overtuigen dat de eigenhandig gepleegde moorden niet veel betekenen, of uit weerzin afzien van handelen. Wat was de kracht van Stalin of Hitler? Ze hebben nooit met eigen handen gedood. Denk daar eens over na met betrekking tot je nieuwe rekruten.'

De kolonel stemde in en stond toen glimlachend op voor een toost. Hij bedacht dat de generaal het nooit tot de hoogste functie in de organisatie zou brengen. Er was bij hem sprake van een intellectuele creativiteit die hem een vrijheid gaf die, als hij het voor het zeggen zou krijgen, in geen enkel systeem kon worden toegestaan. Toch kon de KGB niet zonder hem, zonder zijn toekomstgerichte visie en zijn ijver in de strijd om zijn macht veilig te stellen. Zijn intellectuele soepelheid paste niet bij zijn lichaam van een ouder wordende boerenknecht. De generaal, daar was hij van overtuigd, was niet in voor de hoogste functie. Hij vond plezier in een houding van vrij elektron in dienst van een instelling die zijn lust en zijn leven was en die weinig voorbeelden kende van zo'n toewijding.

Zodra hun glazen leeg waren, schonk de kolonel ze weer tot de rand vol. Zijn neus was donkerrood en het glas van de bril die erop rustte vergrootte de paarsige poriën.

'En hier, nou, hoe gaat het hier?'

'Geen bijzonderheden. De Amerikanen doen nog steeds veel moeite om bij de Duitsers te infiltreren, maar die laatsten laten hun geen enkele ruimte.'

'De Stasi?'

'Niet alleen, het hele Duitse volk staat achter zijn politieke politie, het geringste abnormale feit wordt gemeld. In heel Oost-

Europa zijn zij altijd de besten van de klas. De westerlingen doen ook veel werk om taken van onze hier gestationeerde troepen over te nemen. Waarmee ik maar wil zeggen dat onze hele activiteit gericht is op contraspionage, ook al boekt de vijand nog geen tiende van het succes dat hij in Moskou behaalde toen ik daar gestationeerd was.'

'En de politieke oppositie?'

'Daar is hier nog minder van dan waar ook in het Oostblok. Het kapitalisme trekt de mensen niet aan, maar herstel van de Duitse eenheid, die zaak ligt anders.'

'Nationalisme tegen ideologie, het eeuwige probleem, is het niet?'

'Als ik je een raad mag geven, verknoei niet te veel tijd met de Duitsers. Die lui raken vroeg of laat buiten onze invloedssfeer. Richt je energie op ons kaderpersoneel, daar moeten we nog een behoorlijk eind mee verder.'

De fles schnaps raakte leeg naarmate de maaltijd ten einde liep. De kolonel vroeg de ober om hun een laatste glas in te schenken. De generaal verzonk in gedachten. Hij beëindigde zijn overpeinzingen pas toen hij zijn lege glas weer op tafel gezet had.

'Ik kom beslist binnen drie maanden terug. Ik verwacht van jou een lijst van agenten op wie we kunnen rekenen. Ik wil graag een heel precies psychologisch profiel van ons kaderpersoneel met een gedetailleerde en van een toelichting voorziene beoordeling. Deze dossiers zijn voorlopig niet officieel, ze zijn alleen jouw en mijn zaak en je persoonlijke mening doet er alleen toe in het verband van onze relatie.'

'Je bedoelt dat de KGB ...'

'We moeten voorkomen dat zich binnen de KGB het gerucht verspreidt dat er een niet-officiële lijst is opgesteld van kaderpersoneel van de organisatie met het oog op een waarschijnlijke ontwikkeling in onze maatschappij. In dit stadium zou dat bij veel kameraden inslaan als een bom.'

Beide mannen stonden van tafel op, trokken hun overjas aan en verlieten het restaurant. Weer in het daglicht keek de generaal om zich heen en toonde zich verbaasd over de harmonie van deze wereld zonder kleuren. Eenmaal op straat schoot hem iets te binnen: 'Ik denk dat het nuttig is dat ik je de banden doe toekomen met de door jou met Plotov gevoerde gesprekken toen die bij de KGB kwam werken. We kunnen er misschien een heleboel van leren.'

'U BENT AL aangenomen bij onze dienst, het gaat dus niet om een sollicitatiegesprek. We willen alleen maar een helder beeld van u krijgen en naar u luisteren. In de praktijk is het beter dat een man van de inlichtingen weinig praat, behalve als spreken in het belang van de dienst is. Je mond opendoen, is bijna altijd het begin van verraad. Woorden brengen ons denken van de wijs en ze geven de werkelijkheid maar zelden juist weer. Toch moeten onze agenten in heel veel gevallen in staat zijn te overtuigen, inzicht te geven, te manipuleren. In de loop van de laatste tien jaar hebben we in Frankrijk een agent van groot formaat gehad, een overtuigd communist, dat spreekt vanzelf, die adviseur van de premier werd op het gebied van de vrijemarkteconomie.

De Fransen heeft het liberalisme nooit lekker gezeten en onze man werd bij de hoogste regeringsinstanties erkend als een van hun belangrijkste kenners van het systeem. Hij had, dat kun je begrijpen, toegang tot informatie die voor ons waardevol was en het aanzienlijke voordeel niet verdacht, ongrijpbaar te zijn. Zo bepaalde een van onze spionnen de liberale politiek van Frankrijk. Afgezien van zijn intellectuele kwaliteiten, moet deze man zwaar gestoord zijn geweest. Hoe kun je anders een vooraanstaand vrijemarkteconoom worden terwijl je een overtuigd communist bent? Het was een soort schizofreen. Ik zeg niet dat we zoiets van u verwachten, ik wilde u alleen maar een voorbeeld geven van geslaagde infiltratie. Een goede agent, en dat was hij, is iemand die zijn mond weet te houden, natuurlijk, maar hij moet zich tegelijkertijd ongedwongen kunnen uiten. Volgens mij is het van belang dat bij een agent nog een ander punt in zijn karakter getest wordt: hoe staat hij tegenover de werkelijkheid, hoe ziet hij die. Van onze relatie met de werkelijkheid hangt die met de leugen af. Ik ben hier niet om u een verhoor af te nemen. Uw aanstelling is een feit en daar zal ons gesprek niets aan veranderen. Maar wij willen u beter leren kennen om beter van uw kwaliteiten gebruik te kunnen maken. Natuurlijk, negentig procent van de testmomenten vindt op het werkterrein plaats, maar toch neemt dat niet weg dat we graag een minimale confrontatie willen uitlokken. Laat ik helder en duidelijk zijn. We gaan het over uw verleden hebben. U kunt zich indenken dat we dat in alle bijzonderheden kennen. Maar ik vind het interessant om wat wij ervan weten te vergelijken met de manier waarop u besluit me erover te vertellen. Dat zal aanleiding geven tot een open discussie, beschouw het niet als een examen. Ons verleden kennen we over het algemeen zelf het beste. Toch zult u verbaasd staan over de afwijkingen die vastgesteld kunnen worden tussen wat er gebeurd is en wat je je daarvan herinnert.'

De kolonel drukte op de rode knop van de bandrecorder, stak een sigaret op en keek uit het raam. Het decor was nog steeds hetzelfde, dat van een kantorencomplex in een land in Oost-Europa. De architectuur was die van een systeem dat hij vanaf zijn geboorte meegemaakt had. Het bezoek van zijn vriend, nu ruim een maand geleden, had hem laten zitten met een gevoel van onzekerheid en angst. Wanneer hij liep, leek het net of hij af en toe duizelig werd en of de grond onder zijn voeten wegzonk. Moskou op enkele duizenden kilometers afstand maakte van hem een banneling, ver van het centrum waar alles gebeurde, waar alles bekokstoofd werd, maar waar ook de wellicht ophanden zijnde verandering zou plaatsvinden. Vóór zijn ontmoeting met Gennadi had hij zich nooit kunnen voorstellen dat het sovjetsysteem ineen zou storten. Het kostte hem nog meer moeite zich een beeld te vormen van het systeem dat er mogelijk voor in de plaats zou komen. Hij wilde hoop houden, maar het was duidelijk dat zijn vriend gelijk had, de ondergang was nabij. Het was niet realistisch te denken dat een nieuwe hervorming het socialisme kon redden. Andropov, zijn baas alsmede die van al het kaderpersoneel van zijn generatie, had het wel geprobeerd, maar het rijk was dieper weggezonken, van binnenuit kapotgemaakt door weinig scrupuleuze zakenlui, corruptie, het ontwaken van het nationaal bewustzijn en een wijdvertakte bureaucratie. Hij voelde zich plotseling van alles beroofd door een ontbreken van perspectief. Over de vijftig, ondermijnd door drank, roken en te weinig lichaamsbeweging, verweet hij zichzelf zijn gebrek aan eerzucht én zijn toewijding die van hem een man maakten die met de aangekondigde veranderingen alles te verliezen had. Hij behoorde niet tot het soort mensen dat lang medelijden met zichzelf had. Zijn verantwoordelijkheden, ook al waren die betrekkelijk, kregen al gauw weer de overhand op zijn zorgen. Na een lange trek van zijn sigaret genomen te hebben, waarvan de helft van het filter inmiddels verbrand was, drukte hij die uit in een asbak en luisterde de band die zijn vriend hem uit Moskou gestuurd had verder af.

*

'Ik begin met een eenvoudige vraag: Waarom hebt u voor de KGB gekozen?'

Het kraken van de band accentueerde de stilte die volgde.

'Commandant, ik heb niet voor de KGB gekozen, dat weet u best. Je solliciteert niet naar een baan bij de KGB, de KGB werft jou.'

'Het is dus toeval.'

'O nee, als student kende ik een man die werkte bij de hulppost in Sint-Petersburg en ik vertelde hem dat ik wel belangstelling had. Pas aan het eind van mijn studie werd ik door een agent benaderd.'

'U hebt altijd iets bij inlichtingen willen doen?'

'Zo lang als ik me herinner, wilde ik spion worden.'

'Waarom?'

'Als kind droomde ik daarbij van roem. Ik wilde een held worden. Dat verlangen werd later sterker wanneer ik bedacht dat onder bepaalde omstandigheden één man van de KGB meer voor zijn land kan doen dan een heel bataljon.'

'Dus u bent een individualist?'

'Dat is geen individualisme, commandant, want agenten bij de inlichtingendienst maken deel uit van een geheel.'

'Wanneer je bij de KGB dient, wie dien je dan volgens u?'

'Het vaderland, het socialisme en je groep.'

'In die volgorde?'

'Ik denk niet dat je ze kunt scheiden.'

'U weet dat in het Huis, dat indertijd anders heette, onder invloed van personen die wij scherp hebben bekritiseerd, van soms misdadige ontsporingen sprake was, wat vindt u daarvan?'

'Uitwassen zijn afkeurenswaardig, maar ze mogen de instellingen niet aangerekend worden.'

'Waar wijt u dat wangedrag aan?'

'Aan een persoonsverheerlijking die niet past bij onze ideologie.'

'Toch, ook al hebben wij hem scherp bekritiseerd, Stalin heeft grootse dingen tot stand gebracht, vindt u niet?'

'Beslist, en we hebben de overwinning op de nazi's aan hem te danken. Dat heeft de hele wereld aan hem te danken.'

'Dat is voldoende om hem zijn daden van geweld te vergeven, is het niet? Trouwens, ik las in uw dossier dat uw grootvader, een talentvol kok, de kok van Stalin was.'

'Dat klopt.'

'Hij moet een heel goede kok geweest zijn om die functie zo lang te hebben bekleed en tijdens de zuiveringen de dans te zijn ontsprongen.'

'Dat was hij ook.'

'Uw vader werd tijdens de oorlog toegelaten tot de strijdgroepen van de KGB, ik stel me voor dat dat invloed op uw roeping gehad moet hebben.'

'Zeer beslist.'

'En hoe stond die zo standvastige man tegenover het orthodoxe geloof van uw moeder?'

Er viel een stilte, daarna vervolgde de ondervraagde: 'Daar stond hij heel negatief tegenover.'

'En u?'

'Ik respecteer het.'

'Toch bent u het ermee eens dat dit geloof in strijd is met al onze principes. Dan heb ik het nog niet eens over godsdiensten die altijd alleen maar hulpkrachten van de heersende klasse zijn geweest, ik spreek over de tegenstrijdigheid dat iemand communist en godsdienstig is. Wat vindt u daarvan?'

De ondervraagde krabde eens aan zijn keel, wat een geluid maakte dat samenviel met het kraken van de band.

'Ik zie in die houding een tegenstrijdigheid.'

'Waarom?'

'Godsdienst is meestal bijgeloof en in die hoedanigheid zet zij de wetenschappelijke grondbeginselen van onze aanpak weer op losse schroeven. Ik ben het er helemaal mee eens dat wij spiritualiteit volstrekt niet nodig hebben.'

'Zou u bereid zijn dat tegen uw moeder te zeggen?'

'Beslist.'

'Zou u het begrijpen wanneer zij lastig werd gevallen om haar geloof?'

'Eh … in theorie wel, ja, maar als we de feiten beschouwen, berokkent zij het socialisme geen enkel nadeel en belijdt ze haar godsdienst heel discreet.'

'Onze afdelingen berichten ons dat veel sovjetburgers naar hun geloof terugkeren, wat vindt u daarvan?'

'Naar mijn mening is dat het teken van een verslapping van ons ideologische werk, en als ik zeg wij, bedoel ik de partij.'

'Wat zou u vinden van een eventuele nieuwe reeks onderdrukkende maatregelen?'

'Zoiets zou alleen zin hebben als het zou samengaan met een stevige aanpak op het ideologische vlak. Ik heb gevallen van godsdienstige ijver meegemaakt waar geen enkele vorm van onderdrukking vat op kreeg.'

'Bijvoorbeeld?'

'Joden die onze gemeenschappelijke flat in Sint-Petersburg deelden, en dat was niet eenvoudig, op godsdienstige feestdagen waren ruzies met mijn ouders geen uitzondering.'

'En u, wat vond u als kind van dat gezin?'

'Het waren heel aardige mensen, maar erg op zichzelf, vanwege hun nationaliteit en hun geloof.'

'Veel van hen zouden graag weg willen uit de Sovjetunie, wat vindt u daarvan?'

'Als het zo is dat zij een hoge opleiding hebben genoten die het hun mogelijk maakt op niveau een bijdrage te leveren aan wat ons land tot stand probeert te brengen, zou hun vertrek een vorm van verraad zijn. Anderen zijn niet bruikbaar, daar ligt het anders.'

'Niet bruikbaar?'

'Ik denk dat wij geen enkele reden hebben belangrijke wetenschappers die op de hoogte zijn van staatsgeheimen te laten vertrekken, maar wat hun soortgenoten betreft die geen bijzondere kwaliteiten hebben, ben ik van mening dat we ze best kunnen laten gaan, hun hart gaat uit naar de handel, we hebben ze niet nodig.'

'Maakt u onderscheid tussen onze vijanden en binnenlandse tegenstanders?'

'Ja. Ik denk dat tegenstanders afkeurenswaardiger zijn dan onze vijanden, want het zijn ook nog eens verraders.'

'Maar moeten we hun aansprakelijkheid niet wat afzwakken?'

'Hoe bedoelt u?'

'Door ze als krankzinnig te beschouwen en ze als zodanig te behandelen.'

'Beslist, ik denk dat je om dissident te worden je gezonde verstand moet zijn kwijtgeraakt en dat vraagt eerder om therapie dan om straf, waarmee je niets aan de persoon verandert.'

'Ik kom terug op uw bijzondere belangstelling voor de geheime dienst. U zei dat één spion zijn land evenveel diensten kan bewijzen als een heel leger. Maar als je militair bent, dood je meestal naamloze slachtoffers. In ons vak dood je weinig, toch mag het niet tot hevige emoties leiden op het moment dat je het wel moet doen. En soms moet je iemand doden, en hem daarbij recht in de ogen kijken, iemand met wie je langdurig, maand na maand, jaar na jaar, een band hebt opgebouwd. Wat vindt u daarvan?'

'Daar heb ik me op voorbereid en ik aanvaard volledig dat dat erbij hoort.'

'U lijkt me niet een man die met hevige emoties te kampen zal krijgen.'

'Dat is ook niet zo.'

'U zult toch weleens uit uw slof schieten, of vergis ik me?'

'Nee.'

'Is dat wel te verenigen met uw werk? Woede is een uiting van het gevoel, dat niet de beste bondgenoot van een inlichtingen-agent is. U beoefent op een behoorlijk niveau judo, meen ik, waarom hebt u voor een vechtsport gekozen? Om uw agressiviteit beter in de hand te houden? Om complexen te boven te komen? Het antwoord doet er niet toe. Ik heb ook de indruk dat u niet erg bang bent voor gevaar.'

'Dat klopt.'

'Dat kan een handicap zijn, wie niet bang is, neemt vaak zeer grote risico's. Op het niveau waarop wij werken, zijn onze beste inlichtingenagenten gewone mensen. Ze bezorgen ons inlichtin-gen omdat ze bang zijn. Zonder hen zouden we niets zijn.'

'Ik weet het, commandant, de kwaliteit van de inlichtingen-dienst op het eigen grondgebied hangt af van het vermogen van de politieke politie de bevolking zo te "terroriseren" dat die zich verplicht voelt de mensen die toezicht op haar houden van inlich-tingen te voorzien.'

'Dat is de theorie van de wederkerigheid. Goed, ik geloof dat we klaar zijn. Als ik een oordeel over u moest uitspreken, wat niet het geval is, zou ik zeggen dat u zowel cynisch als onverzet-telijk bent, misschien nog een beetje te onverzettelijk, maar door ervaring … Nog één vraag voor we uiteengaan, wat vindt u van het westerse model?'

'Dat is een model dat op een doodlopende weg zit, want het be-rust op het opeenstapelen van rijkdommen door een minderheid.'

'Net zo'n manier als elke andere om macht uit te oefenen.'

'Niet de manier waar mijn voorkeur naar uitgaat.'

'Goed, dan laten we het hierbij. Ach, dat zou ik nog vergeten, u hebt rechten gestudeerd, vindt u dat het gerechtvaardigd kan zijn dat de KGB bij zijn handelen buiten de wet treedt?'

'Nee. Ik ben voor eerbiediging van de wet, wat er ook gebeurt. De KGB mag niet aan het recht voorbijgaan, omdat hij zich in-dien nodig zelf op het recht beroept.'

'Ik begrijp het.'

*

Zorgvuldig als hij was, spoelde de kolonel de band terug voor hij hem in een van de laden van zijn bureau opborg. Hij had het gevoel dat hij niets belangwekkends gehoord had, zonder echter zijn tijd verknoeid te hebben. Hij was moe. Hij had totaal geen zin om aan een andere klus te beginnen. De woorden van Gennadi hadden hem uit zijn evenwicht gebracht. Moest hij hem geloven en zo ja, in hoeverre? Zou de voorspelling van de generaal uitkomen? Kon hij nu al lid worden van die groep die plannen had met betrekking tot een onzekere toekomst, zonder het eind van zijn carrière op het spel te zetten en zonder het risico te lopen op een dag als een verrader beschouwd te worden? Wat zijn vriend hem vroeg had echter niets compromitterends. Hij riskeerde niets met het beoordelen van zijn kaderpersoneel, met het testen van hun gehechtheid aan de instelling, hun aanpassingsvermogen, met het bij het hoge kaderpersoneel opsporen van degenen die mogelijkerwijs spoedig het Huis de voorrang zouden geven boven een op zijn laatste benen lopend systeem, zonder naar de andere kant van de versperring over te lopen en zich bij de huidige vijand aan te sluiten. Hoewel het hem zwaar viel, overtuigde hij zich er ten slotte van dat Gennadi gelijk had, de KGB van morgen zou een derde weg zijn.

*

Een paar weken later liepen de kolonel en zijn ondergeschikte in een bleek zonnetje op straat, over de hoofdweg van de stad. Tot verrassing van de jongeman sloeg de kolonel een zijstraat in.

'We gaan niet naar hetzelfde restaurant als gewoonlijk. Het is een nieuw adres. Ik heb het gekozen omdat ik ervan overtuigd ben dat de Stasi bezig is het vol te stoppen met microfoons. Als we er straks zitten, zullen we heus wel wat informatie over onszelf prijsgeven, maar ik stel voor dat we het over ons eigenlijke onderwerp hebben terwijl we heen en weer lopen, desnoods doen we er wat langer over dan nodig om er te komen. Hoe verloopt uw verhuizing?'

'Heel goed, kolonel, we zijn goed gehuisvest, we hebben ruimte en de mensen om ons heen zijn gezellig.'

'Blijf niettemin waakzaam. De Oost-Duitsers zijn niet onze vijanden, verre van dat, maar ik heb altijd als principe gehad dat we in broederlanden geen vrienden hebben. Uw werk zal niet erg boeiend zijn, is het niet?'

'Het is het gebruikelijke werk van gegevens verzamelen en ordenen, ik neem aan dat het een verplichte overbruggingsfase is voor een officier die zoals ik op zijn eerste post in het buitenland is benoemd.'

'Ik ga op de man af, want ik denk dat u dat ook zou doen. Ik heb een blik in uw dossier van het Instituut van de Rode Vlag geworpen. Het schijnt dat u met de hakken over de sloot door de selectie bent gekomen. Als ik u een advies mag geven: probeer u socialer op te stellen. Ze zijn een beetje gevallen over uw introverte aard en uw moeite met communiceren. Kortom, ze vonden dat je bij u op honderd meter afstand de spion ruikt. Ze vonden het een beetje te riskant u op een post in het Westen te benoemen, reden waarom ze u naar onze minst exotische bondgenoot hebben gestuurd. Als er met betrekking tot spionage één regel bestaat, dan luidt die: zo min mogelijk te lijken op wat je bent. Dat is de reden waarom een groot aantal van onze staffunctionarissen in Moskou die uit de partij afkomstig zijn in elke vermomming herkenbaar zijn. Hoe was dat in Sint-Petersburg?'

'Daar was het materiaal beweeglijker. Dissidenten zijn een bedrijviger soort wild.'

'Vooral omdat hun aantal vast niet kleiner wordt.'

'Ze voelen zich gesteund door de geheime diensten en de media in het Westen. Ik vraag me soms af of ze niet gewoon denken dat ze straffeloos hun gang kunnen gaan.'

'Tot ze opeens in een psychiatrische inrichting zitten en hun ego na een paar injecties zo'n klap heeft gekregen dat ze zich zelfs schuldig voelen als ze alleen gaan pissen.'

'U hebt gelijk, kolonel.'

'Ik merk dat u zich hier wat beperkt voelt in uw handelingsvrijheid.'

'Ik klaag niet.'

'Ik heb misschien een belangrijke zaak voor u, die u in staat zal stellen uw kwaliteiten op het werkterrein te laten zien. Ze komt van de hulppost van de KGB in Berlijn.'

'En als ik zo vrij mag zijn, wat gaat dat ons aan?'

'De Oost-Duitse vrouw die erbij betrokken is, is hier aangeworven, en behalve Stasi-agente, is ze naar ze me vertelden een heel mooie vrouw.'

De kolonel wierp een onopvallende blik over zijn schouder. Vanuit zijn positie zag hij de bovenkant van de ander zijn hoofd, met blond en dun haar dat spoedig dunner zou worden. De jonge officier liep in een regelmatig tempo en terwijl een van zijn armen de bijbehorende slingerbeweging maakte, leek de andere door een merkwaardige spiertrekking van die regelmaat af te wijken. De opeengeklemde kaken deden sterker uitkomen dat zijn kin naar zijn hals terugweek.

'Als u er geen bezwaar tegen heeft, lopen we nog wat rond, zo winnen we tijd, ik denk niet dat onze vrienden ook microfoons in de straatlantaarns aangebracht hebben. Die vrouw dus is als lokvogel naar West-Berlijn gestuurd om een informant te werven. Dat is een man die bij de NAVO werkt. Hij heeft naar het schijnt toegang tot zeer belangrijke informatie die gedetailleerde technische gegevens betreft over de vloot onderzeeërs van verschillende Europese landen. Eerst heeft ze hem op de gebruikelijke manier benaderd, met haar vrouwelijke charmes, iets wat wij niet hebben. Vervolgens, toen ze dacht dat het geschikte moment gekomen was, stelde ze hem een samenwerkingsverband voor. De man is verblind, maar niet genoeg om alleen voor haar mooie ogen verraad te plegen. Hij begon met om geld te vragen, dat is gebruikelijk, veel geld. De man is gewiekst, hij vindt geld niet voldoende, hij wil geen eenzijdige relatie.'

'Wat wil dat zeggen?'

'Om zich in te dekken, wil hij dubbel spel spelen. Kortom, hij wil zijn bazen wijsmaken dat hij de Duitse heeft geworven. En om hem geloofwaardig te laten zijn, moet zij hem op haar beurt informatie bezorgen over de troepen van het Warschaupact. Natuurlijk zullen de Europeanen argwaan krijgen, want afvalligheid van Oost-Duitse agenten komt maar zelden voor. Maar van zijn kant is het uitgekookt, hij dekt zich in én hij geeft zich bloot, snapt u?'

'Ik denk dat ik het snap.'

'Deze relatie heeft echter als nadeel dat het hen allebei oncontroleerbaar maakt. Ieder wordt verondersteld een minimum aan informatie door te geven om zich geloofwaardig te maken, maar snapt u, bij dit soort dubbelspelletjes weet je op het laatst niet zo goed meer wie de boel nu echt verraadt. Je kunt je voorstellen dat onze Duitse, onder het mom van gelijk oversteken, belangrijke informatie verschaft over de troepen van het Warschaupact en dat ze er onbeduidende informatie voor terugkrijgt. Het is even goed denkbaar dat de man en de vrouw het op een akkoordje gooien om er allebei zo veel mogelijk geld uit te slaan door waardevolle informatie te verschaffen, vervolgens besluiten er samen vandoor te gaan en ergens in Patagonië onder te duiken. In die denkbeeldige situatie komen wij een heleboel te weten over de Europese onderzeeboten van de NAVO en de vijand krijgt heel nuttige informatie over hoe het met onze raketten in Oost-Europa staat. Het is wat we noemen een nulsomspel, behalve voor de hoofdrolspelers. Dat is een ingewikkelde en gevaarlijke situatie. Ik zou graag willen dat u zich ermee bemoeit.'

'Hoe had u dat gedacht, kolonel?'

'Geen flauw idee. Aan u om daarover na te denken en me te laten weten hoe we kunnen ingrijpen zonder de gelegenheid voorbij te laten gaan informatie over de NAVO-vloot binnen te krijgen. We moeten greep op het meisje krijgen zonder het geheel uit elkaar te laten knallen. Dat is vrij moeilijk, we moeten een contraspionagezaak tot een goed einde brengen zonder een spionagezaak in de weg te zitten, een opgave die enig strategisch inzicht verlangt.'

Het gezicht van de jonge officier werd nog iets geslotener. Na enkele meters zwijgend verder te zijn gelopen, voegde de kolonel eraan toe: 'Deze zaak is een kans voor u, een gelegenheid die zich misschien niet weer zal voordoen.'

'En waarom?' vroeg de jonge officier, nieuwsgierig geworden.

'De mooie jaren liggen achter ons, ben ik bang. De Koude Oorlog loopt op zijn laatste benen, we kunnen de spanning tussen de beide blokken niet eindeloos handhaven, op het economische vlak is dit voortduren voor ons rampzalig. Ik denk dat het de kansen op een welslagen van het socialisme in gevaar brengt. In de komende jaren zult u zien dat agenten op onze posten in "broeder"-landen het grootste deel van hun tijd zullen doorbrengen met pogingen het toenemen van dissidentie tegen te houden en met het produceren van paperassen, steeds meer paperassen die in Moskou belanden waar ze geordend worden door analisten die nog nooit achter hun bureau vandaan zijn gekomen. Om u de waarheid te zeggen, ben ik daarom heel blij met deze zaak, die ons terugvoert naar de kern van ons vak. Ik laat u nadenken. Denk er ook aan dat we in het restaurant alleen dingen tegen elkaar zeggen die door onze vrienden van de Stasi gehoord mogen worden. Een onderwerp waar ze niets wijzer van worden, maar ze toch het idee geeft dat we ergens druk mee bezig zijn, anders merken ze misschien dat wij weten dat ze ons afluisteren en … ach, u weet wel hoe je zoiets aanpakt.'

Ze kwamen tien minuten later bij het restaurant zonder verder nog een woord gesproken te hebben. Voor ze er binnentraden, zei de kolonel nog tegen zijn ondergeschikte: 'Ik zou niet willen dat u dacht dat alles wat in uw dossier staat negatief is. Het vermeldt ook dat u trouw bent in uw vriendschappen, dat is een kwaliteit. U vond me zo-even misschien wat somber over de toekomst van het Huis. Toch zou ik u willen zeggen dat het onder alle omstandigheden de beste plek is. Daar mis je nooit iets van het schouwspel en je weet altijd meer dan gewone stervelingen. Kijk naar Amerika, de enige president in hun geschiedenis die de geheime dienst tegen zich in het harnas joeg hebben ze daar heel zwaar voor laten boeten. De moord op Kennedy was een waarschuwing voor leiders in de hele wereld.'

*

De volgende dag was de eerste dag van het weekeinde. Plotov besloot zijn gezin mee naar buiten de stad te nemen. Zijn vrouw en zijn beide kinderen stapten in de Zjigoeli. De natuur was lieflijk, een schuchter zonnetje bescheen de akkers en de hoge gewassen bogen in de wind. Eenzaam reed de auto over de kronkelende wegen in het achterland. Het gezicht van Plotov drukte geslotenheid uit, meer dan gewoonlijk. Zijn vrouw maakte er een opmerking over, maar stelde geen vragen. Dat was regel. Een man van de KGB mocht zich nooit tegen zijn vrouw uitspreken, hoe groot zijn zorgen ook waren. Plotov was meer dan bezorgd. De zaak die de kolonel hem had toevertrouwd liet hem geen rust. Hij had het gevoel dat hij bij het ontrafelen van deze intrige zijn carrière op het spel zette, evenals de achting die hij voor zichzelf had. Voor het eerst sinds hij voor het Huis werkte, voelde hij zich belast met een belangrijke taak in het middelpunt van de confrontatie tussen de beide kampen, stond hij voor het probleem van een echt dubbelspel dat zijn kwaliteiten van inlichtingenofficier op de proef stelde.

'Het is niet dat me iets dwars zit, ik ben gewoon in gedachten verdiept. Meer mag ik je niet zeggen, maar er ligt straks een reusachtige verantwoordelijkheid op mijn schouders.'

'Ze laten de beslissing om op de atoomknop te drukken aan jou over', waagde zijn vrouw, voldaan over haar grapje.

Plotov moest zich in bedwang houden om er niet op in te gaan. Er viel een lange stilte, die nauwelijks werd verstoord door de bezigheden van hun dochtertjes achter in de auto. Toen zijn vrouw vond dat de stilte lang genoeg had geduurd, besloot ze er een eind aan te maken: 'Het is echt een mooi land, vind je niet?'

De officier beaamde het zonder zijn mond open te doen.

'Hoe verklaar je dat het de mensen hier aan niets ontbreekt, in tegenstelling tot bij ons?' ging ze verder.

'Dat weet ik niet', antwoordde haar echtgenoot, geërgerd omdat hij gedwongen werd te antwoorden. 'Ze zijn waarschijnlijk beter georganiseerd.'

'En wat de netheid betreft, wat een verschil, de Duitsers zijn heel helder.'

'Dat zijn de Russen ook, het verschil is dat wij overal om ons heen die volken hebben die nog maar net uit de Middeleeuwen komen.'

'Vertel eens, Volodia, de problemen die je bezighouden, kunnen die ook gevolgen hebben voor ons leven?'

'Dat weet ik niet. Maar ik stel me voor dat als ik faal, ze ons spoedig naar een of andere plek in de USSR terug zullen sturen.'

'Dat zou jammer zijn. In het begin vond ik het wat moeilijk, maar nu ben ik gewend aan het raken aan het leven hier. Onze flat is ruim, het eten overvloedig en gevarieerd. Maar er is geen enkele reden dat je niet zou slagen, Volodia, ik heb je nooit iets zien verknoeien. Alleen, als ik zo vrij mag zijn, je zou wat meer de indruk moeten wekken dat je successen je gemakkelijker afgingen, ik heb steeds het gevoel dat je er heel veel moeite voor moet doen, ten aanzien van anderen maar ook ten aanzien van jezelf. Bovendien loop je er te veel mee te koop dat je een moeilijk mens bent.'

'Ben je klaar?'

'Ik zeg dat niet om je te ergeren, Volodia, lieveling, maar ik denk dat ik de persoon ben die jou het beste kent. Ik weet dat je overgevoelig bent en als je dat niet was, zou ik niet met je getrouwd zijn. Maar soms lijkt het wel of je emoties met je op de loop gaan en ik moet bekennen, op zulke momenten maak je iemand bijna bang. Mij niet natuurlijk, maar ik merk dat je anderen ongerust maakt.'

Hoewel zich geen enkele hindernis voor hen verhief, remde Plotov plotseling. Hij betreurde zijn drift al toen hij met een doffe stem tegen zijn vrouw zei: 'Luister. Ik moet maandagochtend naar de kolonel en ik zie nog helemaal geen oplossing voor de kwestie die hij me heeft toevertrouwd, dus doe me het genoegen en laat me een beetje met rust.'

'Best', antwoordde ze luid. 'Kinderen, jullie papa is bij ons, maar we doen net alsof hij er niet is, afgesproken?'

'Afgesproken', antwoordden de kinderen in koor.

*

De maandagochtend daarop zat Plotov, minder scherp door een beginnende migraine, in het kantoor van de kolonel. Hij leek op het punt te staan in huilen uit te barsten toen hij zijn meerdere bekende dat hij nog geen enkel idee had hoe hij te werk zou gaan.

'Dat is normaal,' antwoordde de kolonel, 'dit geval is niet eenvoudig. Ik heb het me dit weekeinde kwalijk genomen dat ik u zo heb laten weggaan met maar een deel van de gegevens. Het belangrijkste probleem is het vertrouwen dat de Stasi in deze vrouw stelt. Als ze op een of andere manier ontdekken dat wij haar zonder hun voorafgaande toestemming testen, zullen wij ze kwetsen en zullen zij langs politieke weg in Moskou hun beklag doen. In mijn hoedanigheid van chef van deze KGB-post mag ik me trouwens ook niet tevredenstellen met twijfel. Als deze vrouw uit de school klapt, ligt alles over de strijdkrachten van het Warschaupact op straat in ruil voor informatie over de NAVO-vloot die niet even doorslaggevend hoeft te zijn. Mochten we horen dat deze vrouw naar het Westen is overgelopen, dan zal ik me ten volle voor deze blunder verantwoordelijk voelen.'

'De eenvoudigste oplossing zou natuurlijk zijn haar aan de leugendetector te zetten en haar twee vragen te stellen: "Bent u van plan naar het Westen over te lopen en bent u van plan u door de vijand te laten betalen?" Maar zoals u al zei, kolonel, dat zou een oorlogsverklaring aan de Stasi zijn.'

'We zouden haar ook aan de leugendetector kunnen zetten in West-Berlijn, door een team van de KGB dat zich zou uitgeven voor haar westerse contactpersonen die zich van haar betrouwbaarheid willen overtuigen. Maar dat zou haar argwaan kunnen wekken en verwarring kunnen zaaien, wat de hele voortgang mogelijk zou blokkeren, want laten we niet vergeten dat wij degenen zijn die geïnteresseerd zijn in informatie over de Europese onderzeebootvloot van de NAVO. Nou, wat stelt u voor?'

'Ik zie geen andere oplossing dan een aanpak van een tegen een. Ik benader haar. Ze zal vermoeden dat het om iemand van een inlichtingendienst gaat, maar ik moet haar in slaap zien te wiegen.'

'Ik denk zelfs dat u haar, om tijd te winnen, al meteen zou moeten zeggen dat de KGB zich zorgen maakt over deze overeenkomst en dat u zich met haar in verbinding stelt om er vrij en zonder enig wantrouwen over te praten. Dat zal ze begrijpen. Ik zou er zelfs aan willen toevoegen dat ze het daarentegen niet zou begrijpen als de KGB geen belangstelling toonde voor een operatie van dit gewicht. U zult geduld moeten hebben en u soepel moeten opstellen, Plotov. Aan u om het spel te spelen, laat zien wat u als manipulator in huis hebt. Maar vergis u niet, zij is dé vrouw die je in spionageromans tegenkomt. Ze is mooi en opmerkelijk intelligent. U zult wat ongedwongen moeten optreden, een beetje de verleider moeten uithangen. U zult allerminst te klagen hebben. Tenzij alles op een mislukking uitdraait, maar ik ben ervan overtuigd dat dat niet zal gebeuren. En vergeet niet dat er een kans van negentig op honderd bestaat dat die vrouw haar werk heel goed zal doen.'

'Is ze echt zo mooi?'

'Jazeker! Zo mooi als de mooiste vrouwen van Voronezj. En om het geheel te bekronen, doet ze of ze het niet weet.'

*

De week daarop ging Plotov aan het werk. Hij had zijn vlotste kleren aangetrokken en zich te voet naar de lokalen begeven waar de agente van de Stasi werkte. Zijn conditie ging achteruit door gebrek aan lichaamsbeweging, wat kwam doordat alle gebouwen van de inlichtingendienst vlak bij elkaar lagen. Hij liep nooit meer dan honderdvijftig meter om zich van zijn woning naar zijn kantoor of van zijn kantoor naar de kantoren van de Stasi te begeven. Zoals een diplomaat in een risicovol land zou doen, leefde hij binnen een beperkt gebied, al kende hij totaal geen angst voor gevaar en maakte hij zich ook de zorgen niet die daarmee samengaan, factoren die verhinderen dat je dik wordt. Hij wist dat een paar gram meer rampzalig zou zijn voor zijn garderobe. Al lopend probeerde hij zich als een ongedwongen, vriendelijke man voor te doen, hij mocht vooral niet overkomen als een inquisiteur. Om zich niet te verraden door zijn eigen gevoelens van onzekerheid, deed hij zijn best zich ervan te overtuigen dat zijn carrière niet op het spel stond. Dat had hij weleens anders meegemaakt. In het bijzonder die keer dat hij in de Moskouse metro in aanvaring kwam met een of andere punker. In plaats van hem te negeren zoals elke officier van de KGB zou hebben gedaan en de beveiligingsdienst te roepen om hem te laten doodslaan, had hij zich erop gestort. Het was hem op een gebroken arm komen te staan, hij, de oud-judokampioen. Gelukkig had men van hogerhand niet op het voorval gereageerd.

De afhankelijkheidsrelatie tussen de USSR en Oost-Duitsland zou het hem mogelijk hebben gemaakt de jonge vrouw bij zich te laten komen, maar dat had hij juist niet gedaan. In het ergste geval zou dat het einde betekend hebben van zijn carrière als spion in het buitenland en van het vooruitzicht om ooit op een van de posten in het Westen benoemd te worden. Dit blijk van onbekwaamheid zou niet verhinderen dat hij weer ingedeeld zou worden bij de inlichtingendienst die op het eigen grondgebied werkte, in Sint-Petersburg of in Moskou of in welke uithoek van het rijk ook. Maar Vladimir Vladimirovitsj had een vreselijke hekel aan mislukkingen en alleen al de gedachte daaraan deed hem het zweet uitbreken in zijn pak van slechte kwaliteit. In zijn strijd tegen zijn eigen verkramptheid merkte hij dat ondanks zijn inspanningen een van zijn armen almaar niet in hetzelfde tempo als de andere in tegenovergestelde richting wilde zwaaien. Dus hield hij op het plein voor het gebouw van de Stasi halt. Hij strekte zijn beide armen naast zijn lichaam en liep weer verder, waarbij hij erop lette dat ze symmetrisch heen en weer bewogen. Nog steeds ontevreden bleef hij opnieuw staan, met een strenge blik op het ledemaat dat hem niet wilde gehoorzamen. Vanachter haar raam sloeg de jonge Duitse vrouw hem nieuwsgierig gade.

Plotov betrad het kantoor van de jonge vrouw met een onvervalste gelegenheidsglimlach. Hij merkte op dat zij veel langer was dan hij en dat ergerde hem. Hij deed veel moeite om een ondoorgrondelijk gezicht te zetten, maar had geen idee wat de bovenkant van zijn hoofd mogelijk over hemzelf zou onthullen. Dat een vrouw misschien raadde wat er in hem omging, stond hem niet aan. Na een korte uitwisseling van beleefdheden, waarbij hij de jonge vrouw tersluiks gadesloeg, merkte hij dat ze de uitdrukking kreeg van een vrouw die bereid was aandachtig te luisteren naar wat hij te zeggen had.

'Alleen maar een beleefdheidsbezoek, kameraad. De KGB kan zich niet helemaal op de achtergrond houden bij een belangrijke operatie. De Stasi heeft er het initiatief toe genomen, daar kunnen we alleen maar blij mee zijn. We zijn hier om u te begeleiden en om Moskou regelmatig te informeren over het verloop van deze zaak. Ik ben van hogerhand aangewezen om uw contactpersoon te zijn.'

Toen sprak hij een zin die uit zijn mond zo onnatuurlijk klonk als maar kon: 'Ik ben dolblij kennis met u te maken en ik weet zeker dat we prima zullen samenwerken.'

De vrouw onderwierp de kleine man vervolgens meer aan een aandachtige beschouwing dan dat ze naar hem keek.

'Daar ben ik van overtuigd', antwoordde ze met een glimlach die een mooi regelmatig gebit ontblootte.

Opeens voelde de officier een voldoening waarvan hij niet goed wist waar die vandaan kwam, tot het moment dat hij besefte dat ze hem niet beviel. Deze vrouw was beslist mooi, begerenswaardig, maar ze beviel hem niet. De volmaaktheid van haar vormen was storend. Op geen enkel moment was hij bang geweest voor deze mogelijkheid, maar toch stelde het hem gerust te merken dat deze schoonheid van haar vormen hem volkomen koud liet.

'Hoe wilt u dat we te werk gaan, kameraad?'

Ze sprak een heel verzorgd Duits met een aangeboren traagheid, wat Plotov geruststelde, bij wie het nog aan vlotheid in deze taal ontbrak.

'Ik stel voor dat u me alles vertelt wat u over deze zaak kwijt wilt, en mochten er punten zijn die het verdienen om nader op in te gaan, dan komen we daar vervolgens samen op terug. Dit is geen verhoor, snapt u? Ik heb liever dat onze relatie zo lang dat mogelijk is iets informeels behoudt. Lijkt u dat wat?'

De jonge vrouw knikte instemmend zonder iets te zeggen, daarna concentreerde ze zich om te bepalen hoe ze zou beginnen.

'Ik ben sinds vier jaar geheim agente in West-Berlijn onder een gefingeerde naam en met een gefingeerde functie. Officieel leid ik een bedrijf voor serviceverlening in de computerbranche. Daar zit ik het grootste deel van het jaar en probeer in contact te komen met invloedrijke personen die ons strategische informatie zouden kunnen verschaffen. Ik ga in besturen zitten onder de dekmantel van mijn onderneming en daar blijf ik in zitten dankzij de persoonlijke betrekkingen die ik met sommige mannen aanknoop. Deze relaties hebben vaak een duurzaam karakter, het lichamelijke speelt er natuurlijk een beslissende rol bij, maar daar spring ik heel voorzichtig mee om, ik wil niet de naam krijgen een vrouw van lichte zeden te zijn. Overigens stellen de meeste mannen die ik ontmoet zich tevreden met het genoegen en de trots om een avond door te brengen met een mooie zakenvrouw die doorgaat voor ongenaakbaar. Ik ga een stapje verder als de man me de verantwoordelijke positie, het psychologische en ik voeg eraan toe ook het seksuele profiel lijkt te hebben om me belangrijke informatie te kunnen verschaffen.'

'Wat bedoelt u met seksueel profiel?'

'Dan heb ik het over de mate van afhankelijkheid, dat is essentieel om je aan iemand te hechten.'

'O, ik begrijp het.'

'En onlangs hebben we besloten nog verder te gaan en te proberen de bewuste man die speciaal toegang heeft tot gegevens van de NAVO voor ons te laten werken.'

'Daar hebt u de hulppost van de KGB in West-Berlijn over ingelicht?'

'Ja, ze hebben me de vrije hand gegeven en me gevraagd hun post in Dresden op de hoogte te stellen. Ze hebben liever zo weinig mogelijk ontmoetingen met me in Berlijn om me niet verdacht te maken.'

'Hoe zijn de zaken met die informant verlopen?'

'Ik ben nu al een aantal maanden, om niet te zeggen twee jaar, aan het proberen om hem te werven. Ik heb alles op hem gezet.

Vanaf het begin hebben we een intieme relatie. Iets minder dan drie maanden geleden heb ik open kaart gespeeld, ik heb hem gevraagd of hij tegen flinke betaling voor ons wilde werken. Hij is niet meer zo ver van zijn pensioen af. Snapt u, kameraad, alleen mijn charmes waren niet genoeg om hem om te turnen. Ook geld was niet genoeg. Maar de combinatie van die twee, samen met het naderend pensioen, heeft een positieve uitwerking gehad.'

'De in het begin voorziene situatie is wat ingewikkelder geworden.'

'Hij wilde zich indekken door te doen geloven dat hij mij geworven heeft en dat hij de enige is die mij kan benaderen.'

'En om zijn beweringen inhoud te geven, bent u gedwongen hem overtuigende informatie toe te spelen over de strijdkrachten van het Warschaupact. Wat ons noodzaakt tot een minimum aan controle op de informatie die hem ter kennis wordt gebracht.'

Plotov stond op van de ongemakkelijke stoel waarop de jonge vrouw hem had laten plaatsnemen.

'Wat zou u zeggen van een wandeling? Dat is voor mij een belangrijke financiële kwestie. Als ik niet een beetje lichaamsbeweging krijg, zal ik mijn hele garderobe moeten vervangen en daar heb ik het geld niet voor. Maar misschien kunt u me helpen?'

'Hoe bedoelt u?'

'Ik neem aan dat u de westerlingen niet voor niets informatie verschaft?'

De jonge vrouw wierp hem een grimmige blik toe voor ze antwoordde: 'Over geld is nog niet gesproken, maar dat zal niet lang meer duren.'

'Als u geen geld vraagt, zult u niet geloofwaardig zijn. Tenzij men u iets anders voorstelt, zoals in het Westen de juiste papieren aanvragen onder uw echte naam om bij de West-Duitse inlichtingendienst te gaan werken.'

'Dat meent u niet!' zei de jonge vrouw geschokt.

'Welnee, ik zeg niet dat u akkoord zou gaan, maar dat ze het u zullen voorstellen lijkt me zeker en dat u dan doet of u akkoord gaat, is nogal logisch.'

Ze namen de trap om naar beneden te gaan en kwamen op het

plein terecht. In het midden stond een troosteloze fontein aan de voet van een beeldhouwwerk ter ere van de arbeiders. Ze gingen langzaam lopen, als twee intellectuelen die van gedachten wisselden over de toestand in de wereld. De jonge vrouw keek voor zich uit, niet ontspannen, maar ook niet verkrampt. Plotov sloeg haar met zijn fletse blauwe ogen tersluiks gade. Hij moest even moeite doen zich ervan te overtuigen dat hij niet een dissidente ondervroeg, maar sprak met een agente van de geheime dienst van een broederland, en niet het minste, want het toonde het meest zelfgenoegzame aangezicht van het socialisme.

'En hoe is het Westen?' ging Plotov verder met de stem van een man die de situatie beheerst.

'Hoezo, bent u er nog nooit geweest, kameraad?' antwoordde ze terwijl ze even glimlachte.

Plotov antwoordde stug en bedaard: 'Nooit, en om eerlijk te zijn, ik voel het ook niet als een gemis.'

De jonge vrouw nam kleinere stappen, want ze merkte dat de officier haar niet kon bijhouden.

'Als ik het moest samenvatten, kameraad, zou ik zeggen dat ze schijnbaar alles hebben, maar vergeleken bij ons ontbreekt het hun aan het belangrijkste: een streven.'

Plotov liet zijn overwicht nog eens voelen: 'Dat is vrij goed geantwoord, kameraad, maar vindt u dat we nog wel echt een plan hebben?'

'Hoe bedoelt u?'

'Met de "perestrojka" kunnen we niet meer van een plan spreken, maar van een aanpassing van het systeem aan een werkelijkheid die zich elke dag sterker doet gelden ten koste van de ideologie. In dat verband is het te begrijpen dat een jonge vrouw zoals u door het Westen aangetrokken wordt.'

'Dat is niet het geval, kameraad, degenen die het Westen niet kennen, hebben geen weet van de hardheid van de menselijke betrekkingen die daar de boventoon voert. Je moet voortdurend vechten om te overleven.'

'Laat ik eens een ander onderwerp aansnijden. Hebt u geen familie?'

'Jazeker, natuurlijk heb ik familie …'

'Nee, ik bedoel een gezin, een echtgenoot en kinderen …'

'Nee, ik ben niet getrouwd.'

'Vindt u het indiscreet als ik u vraag waarom?'

'Waarschijnlijk omdat mijn functie me er de tijd niet voor heeft gelaten.'

'In het algemeen is het dacht ik eerder omgekeerd, vrouwen die geen gezin willen, kiezen een beroep dat hun belet er een te stichten.'

Plotov bleef even staan om te genieten van het effect van zijn woorden.

'Om een eind te maken aan de indiscrete vragen, als ik zo vrij mag zijn, is het niet een beetje moeilijk om je … hoe zal ik het zeggen, ook al is het voor het socialisme en het vaderland, zomaar aan mannen te geven van wie je niet mag gaan houden?'

De jonge vrouw deed haar best hem niet aan te kijken toen ze antwoordde: 'Wanneer je je plicht doet, is niets moeilijk.'

Plotov ging pal voor haar staan en terwijl hij het hoofd ophief om haar blik te kunnen zien zei hij op een besliste toon, die hij vergezeld liet gaan van een glimlach om de strengheid ervan af te zwakken: 'Als ik u mag zeggen waar ik van overtuigd ben, dan denk ik dat u een hekel hebt aan mannen.'

Met de zon in het gezicht antwoordde de jonge vrouw kordaat en zonder met haar ogen te knipperen: 'Ik denk dat ik in staat ben u van het tegendeel te overtuigen, mocht u dat wensen.'

Als enige reactie liet Plotov een zacht 'hm' horen waarvan moeilijk was na te gaan wat het betekende. Juist op dat moment besloot hij om terug te gaan.

Onderweg zei hij niets en hij leek beurtelings in gedachten verdiept, bezorgd en gepikeerd. Het lukte hem duidelijk niet de gevoelens die in zijn binnenste om voorrang streden te uiten, ze waren niet bij machte naar buiten te komen. De jonge vrouw leek er totaal niet van in de war te raken. Voor de ingang van het gebouw besloot Plotov afscheid van haar te nemen, hij vond dat dit eerste gesprek lang genoeg had geduurd. Ze toonde hem een beleefde glimlach maar voor ze in de hal verdween draaide ze zich om en zei nog steeds glimlachend: 'Uiteindelijk hebben we niet veel gelopen. U zult vast uw garderobe moeten vernieuwen. Als u geld nodig heeft, aarzel niet het er met me over te hebben.'

*

Plotov keek naar de punten van zijn schoenen. Gezien zijn lengte was dat voor zijn ogen geen grote afstand. De kolonel had de bovenste knoop van zijn overhemd losgemaakt en net een sigaret opgestoken. Hij inhaleerde diep voor hij de dikke rookwolken met oranjegele en blauwe randen weer uitblies, waarbij hij de volgende woorden sprak: 'U weet het zeker?'

'Geen twijfel mogelijk, kolonel, met wat ze me bedekt te kennen gaf, probeerde deze vrouw me om te kopen. Eerst met haar verleidingskunsten, daarna met geld. Voor het overige, over wat er in West-Berlijn gebeurt, heb ik weinig vernomen. Maar van één ding ben ik overtuigd geraakt: deze vrouw heeft een hekel aan mannen. Sterker nog, ze heeft zo veel minachting voor hen dat ze hun zonder scrupules haar lichaam aanbiedt. Ik heb bijna de neiging eruit te concluderen dat ze de voorkeur geeft aan vrouwen.'

'Hoe komt u erbij dat te zeggen?'

'Ik heb me een hele poos afgevraagd waarom ik haar niet verleidelijk vond. Het antwoord is dat niets in haar manier van doen aangeeft dat haar verlangen echt naar mannen uitgaat.'

'Wat is uw conclusie?'

'Ik denk dat we er nooit echt achter zullen komen wat ze met haar contacten in het Westen aan het uitspoken is, maar omdat we de gehele en volle waarheid niet kennen, roept alles ons ertoe op om wantrouwig te zijn. Niets houdt deze vrouw in Oost-Duitsland vast. Ze heeft geen echtgenoot en geen kinderen. Ze is gewend aan de genoegens van het leven in het Westen en ik acht haar in staat het ideologisch standpunt aan haar laars te lappen. Sterker nog, zich voorbereiden op een radicale koerswijziging van het socialisme door nu al een mooi goudmijntje in het buitenland aan te boren, is een manier om niet overvallen te worden. Tot slot zijn er de feiten. Ze heeft me onomwonden voorgesteld met haar naar bed te gaan, net zoals ze me, heel slim, op een toon alsof het een grapje was, geld heeft aangeboden.'

Alsof de aanblik van de volstrekt troosteloze omgeving hem een ingeving zou bezorgen, keek de kolonel door het raam naar buiten en werd getroffen door de afwezigheid van kleuren, alsof de hemel zelf het bouwmateriaal had geleverd voor de kantoorgebouwen die het uitzicht belemmerden. Hij trommelde met zijn vingers op de glasplaat die zijn bureau bedekte.

'Wat stelt u voor?'

Plotov verbeet zijn ergernis. Om zich een houding te geven, ging hij rechtop op zijn stoel zitten en knoopte de bovenste knoop van zijn jasje dicht. Daarna klemde hij zijn kaken op elkaar en opende ze weer met de woorden: 'We moeten de Stasi inlichten en haar onschadelijk maken. Er is maar weinig kans dat we fout zitten. Deze vrouw zal straks, daar ben ik van overtuigd, koffers vol documenten over de troepen van het Warschaupact doorsluizen.'

'En wij zullen er minstens evenveel over de NAVO binnenkrijgen, of niet soms?'

'Beslist, maar ...'

'In ieder geval is ze een verrader.'

'We hebben genoeg aanwijzingen om dat aan te nemen.'

'Als we de Stasi inlichten, zal die niets doen, daar ben ik van overtuigd. Sinds de "perestrojka" vinden ze dat we steeds meer verslappen en is het vertrouwen een beetje aangetast. Als bepaalde informatie in het Westen terechtkomt, kunnen de gevolgen rampzalig zijn.'

'Wat stelt u dan voor?'

'Ze moet uitgeschakeld worden.'

Als enige reactie trok hij zijn neus op. Na weer op adem te zijn gekomen, zei hij: 'Ik heb ook liever dat ze verdwijnt, maar laten we ons niet blij maken met een dooie mus, het resultaat zal hetzelfde zijn. Ik zal deze oplossing aan mijn bazen voorleggen. Wie gaat het doen?'

'Volgens mij zou het minder opvallen als we het onze agenten in het Westen lieten opknappen.'

'U bent wel zeker van uzelf, is het niet? Zijn we niet wat te voortvarend?'

'Er bestaat altijd een risico, kolonel, een foutmarge, maar echte beslissingen nemen betekent knopen doorhakken.'

'Dus u bent akkoord.'

'Ik ben akkoord, kolonel.'

De kolonel leek na te denken. Niet als een man die zich op een beslissing beraadt, maar eerder als iemand die prakkiseert over de bijzonderheden van de uitvoering ervan.

'Ik vraag me af of het wel een goed idee is haar door in het Westen gestationeerde agenten uit de weg te laten ruimen. Ze zouden de afdeling Zware misdrijven achter zich aan krijgen en we lopen de kans dat ons hele apparaat in verlegenheid gebracht wordt. Het afhandelen op Oost-Duits grondgebied heeft tot gevolg dat we de Stasi tekst en uitleg moeten geven en daar voel ik niets voor. De Stasi zal denken dat ze door westerse inlichtingendiensten uit de weg is geruimd. Ik heb liever dat u haar daarginder neerschiet en dat u meteen terugkomt, hoe staat u daar tegenover?'

Plotov blies zich op als een kind dat zich opmaakt om in bad zijn record adem inhouden te breken: 'U hebt gelijk, kolonel, dat is de beste oplossing. Toch is er iets wat me dwars zit.'

'Wat, bent u bang dat u niet tot het eind durft te gaan?'

'Helemaal niet,' verweerde Plotov zich, 'mijn bezorgdheid is dat we een gelegenheid missen om informatie over de vloot NAVO-onderzeeërs in handen te krijgen.'

'Ik ben het helemaal met u eens, maar je kunt niet alles hebben. Ik ga met u mee naar West-Berlijn, om als lokvogel te dienen voor de westerse contraspionage en om u bij te staan mocht zich een probleem voordoen. Ik zal de leiding op de hoogte stellen. Die zal misschien vinden dat we wat te hard van stapel lopen. Maar wat zijn het leven van deze vrouw en de hoop op informatie over de onderzeeboten van de NAVO vergeleken bij het gevaar dat er belangrijke informatie over het materieel van het Warschaupact onthuld wordt?'

'Niets.'

'Niets, behalve dat het waarschijnlijk is dat het Warschaupact op z'n laatst over een paar maanden niet meer zal bestaan', voegde de kolonel er peinzend aan toe.

'Dat is waar, kolonel, maar als we naar de geschiedenis kijken, hoeveel mensen zijn er dan niet op de laatste dag van de oorlog gestorven? Als een oorlog ophoudt, moet er een laatste dag zijn. Of je zou een internationale afspraak moeten maken die verbiedt dat er de laatste dag van de oorlog gedood wordt', voegde Plotov er tevreden over het effect van zijn woorden aan toe.

'Maar hoe weten we de dag voor de laatste dag van de oorlog dat die de volgende dag zal ophouden? Dat is een serieus probleem', deed de kolonel er glimlachend nog een schepje bovenop. 'Genoeg grapjes gemaakt. Behalve als u twijfelt, hebben we geen enkele reden om terug te krabbelen.'

*

De woning van de Plotovs lag in een flatgebouw dat was gebouwd om functionarissen uit broederlanden te huisvesten te midden van toonbeelden van leidinggevend personeel van de Oost-Duitse militaire inlichtingendienst. Van buiten waren het onaantrekkelijke blokken beton, maar van binnen zagen deze gebouwen er gerieflijk uit. Sinds het gezin hier was komen wonen, voelde het zich er prettig. De officier herinnerde zich, net als zijn vrouw, nog de dagen dat ze met hun eerste kind zesentwintig-eneenhalve vierkante meter met zijn ouders deelden in een oud gebouw ver van het centrum van Sint-Petersburg. Zijn vrouw had het vrij goed doorstaan, dat samenwonen met schoonouders die ze nog niet zo lang kende, ook al had ze af en toe het gevoel dat ze alleen maar oog hadden voor hun zoon. Ze hielden zielsveel van hem, maar op een ingetogen manier en ze waren apetrots op alles wat hij deed. Zij waardeerden hun schoondochter voorzover haar optreden ertoe bijdroeg dat ook hun zoon in achting steeg. Niet alle agenten van de KGB mochten reizen. Het zou natuurlijk mooier zijn geweest als hij in een westerse hoofdstad was benoemd, daar waar de oorlog tussen de inlichtingendiensten op z'n hevigst woedde. Maar voor hem was het voldoende om zich boven de grote hoeveelheid agenten te voelen staan die waren belast met inlichtingenwerk op het eigen grondgebied in vaak verre uithoeken van de USSR. Zijn reis, over een paar dagen, naar West-Berlijn was een stap verder in zijn loopbaan. Hij verlangde ernaar het Westen zelf te ontdekken. De eeuwige vijand, de schim die de ideologie bedreigde waarvoor hij streed, die zou hij nu met eigen ogen gaan zien en die zou het hem mogelijk maken zich een oordeel te vormen. Hij had wel een gat in de lucht willen springen van vreugde, maar hij liet er zijn gezin niets van merken, ook zei hij niets over de reden van zijn reis, die hij voorstelde als een inspectiereis binnen de DDR. Wanneer de temperatuur het toeliet, stond hij graag op het balkon van hun flat, voor hem alleen al het teken van zijn maatschappelijk succes. Daar liet hij dan uitvoerig zijn gedachten gaan over hoe hij zaken voor zichzelf het best kon aanpakken. Leunend op de balustrade van ruw ijzer keek hij naar beneden naar de paar auto's van medebewoners waarmee gemanoeuvreerd werd. Hij betrapte zich op het gevoel dat hij een hartgrondige hekel aan die Duitse vrouw had. Een door de voorzienigheid beschikte afkeer die zijn taak vergemakkelijkte. Hij had nog nooit gedood, maar hij was er al heel lang op voorbereid, zich ervan bewust dat zijn verantwoordelijkheden hem ooit zouden dwingen levens te beëindigen. De man was scherpzinnig genoeg om te beseffen dat de beschuldigingen die hij tegen de jonge spionne had ingebracht, en die niet gering waren, hem meer door zijn intuïtie waren ingegeven dan dat ze door feiten werden gerechtvaardigd. Maar hij ging ervan uit dat zijn inzichten het dichtst bij de waarheid lagen. Hij voelde zich enorm trots dat hij op basis van eigen overwegingen de taak op zich had genomen de vrouw uit de weg te ruimen die in staat was in haar eentje de krachtsverhoudingen tussen Oost en West overhoop te halen. Dit uitstapje naar het Westen, door de leiding goedgevonden, was een blijk van vertrouwen dat het regionale niveau ontsteeg. In Moskou beschouwden ze hem waarschijnlijk al als een waardevolle kracht.

*

Een paar dagen later reden de kolonel en Plotov in een niet meer als dienstwagen herkenbare auto, met valse papieren op zak, over de snelweg. Hun verplaatsingen mochten noch door de autoriteiten in de DDR noch door die in West-Duitsland opgemerkt worden. De jonge officier zat achter het stuur, tot grote voldoening van de kolonel, die autorijden vervelend vond.

'Ik denk aan wat ik u onlangs zei. Ik ben bang dat we die vrouw voor niets uit de weg ruimen. De informatie die ze misschien doorgeeft, zullen de westerlingen over een paar maanden hoe dan ook in handen hebben.'

'Als ik zo vrij mag zijn, kolonel,' antwoordde Plotov terwijl hij rechtop in de bestuurdersstoel ging zitten, 'ik denk dat dat het probleem niet is. Dat deze vrouw een vijand informeert die dat over een paar maanden misschien niet meer zal zijn, verandert niets aan de zaak. We hebben te maken met hoogverraad. En ik heb aan deze kant van het IJzeren Gordijn nog nooit gehoord dat dat als een gewoon vergrijp wordt beschouwd. Bovendien maakt ze zich op om haar vaderland in de steek te laten.'

'Duitsland is haar vaderland, daarom voelt zij het misschien niet zo.'

'Met een verantwoordelijkheid op dit niveau mag je niet op ontwikkelingen vooruitlopen. De rechtstoestand nu is de wettige toestand. Als die morgen verandert, is dat een andere zaak. Voor ons doet dat er niet toe, recht is recht. En wat recht aangaat, deze vrouw smeedt een complot tegen ons en tegen haar land. Sterker nog, ze is zich ervan bewust en ze begint er spijt van te krijgen.'

'Hoe dat zo?'

'Ik kwam daar pas gisteren op, toen ik bedacht dat nu deze vrouw zich zo snel blootgaf door me oneerbare voorstellen te doen, ze dat deed omdat ze bereid is de prijs voor haar verlossing te betalen. Anders zou ze ten opzichte van mij een andere strategie gevolgd hebben en de tijd als bondgenoot genomen hebben. Of anders heeft ze me door me op het spoor te zetten uitgedaagd met de gedachte dat ze gered zou worden door gebrek aan bewijs.

Maar we hebben helemaal geen bewijs nodig. Waar denkt ze dat ze is, in het Westen, om te veronderstellen dat er jarenlang onderzoek naar bezwarende feiten zal worden gedaan?'

'U hebt beslist gelijk. Daar merk ik wel aan dat u jurist bent. U zou een goede officier van justitie zijn geweest.'

'Ik heb er een tijdje over gedacht.'

Vervolgens slaakte de kolonel een lange, bedroefde zucht, voor hij met zijn blik op de uitgestrekte akkerlanden verder sprak: 'Dat neemt niet weg dat het schip overal water maakt. De eenheid van de broederlanden valt uiteen zoals na een hete zomer de fundamenten van een datsja verbrokkelen. Ik zou er veel voor geven om het schouwspel dat eraan komt niet te hoeven zien.'

'Het lijdt geen twijfel, kolonel, dat ons systeem er slecht aan toe is, maar we hoeven geenszins in die dodelijke beweging mee te gaan. Al is het maar voor ons zelfrespect. Dat zal ons de komende maanden beslist nog van nut zijn.'

Het was niet lang rijden. West-Berlijn, ingesloten door de DDR, was niet meer dan een westers eilandje midden in een communistische oceaan. Toen ze de grens passeerden, voelde Plotov even een kriebeling in zijn ingewanden. Die had kunnen worden toegeschreven aan de geestdrift voor wat hij ging ontdekken. Maar zo was het niet. Het kwam gewoon doordat al het nieuwe hem deed duizelen. Hun valse papieren en hun zogenaamde hoedanigheid van fabrieksdirecteuren leverden geen enkel probleem op voor de grenswachten aan beide kanten. Kort nadat ze via de grote poort de muur hadden gepasseerd, parkeerden ze hun auto om te voet verder te gaan. Ze vergewisten zich er onopvallend van dat ze niet gevolgd werden, maar ondanks het feit dat niets erop wees dat ze geschaduwd werden, stelden ze zich tot taak een route te volgen waarbij ze achtereenvolgens opgingen in de mensenmassa's die van het openbaar vervoer gebruikmaakten en die de grote warenhuizen bezochten. Ze hadden de hele dag uitgetrokken om hun taak te volbrengen. Al snel had de jonge officier zijn mening klaar over de nieuwe wereld die hij ontdekte. Mooie auto's, daar was hij wel gevoelig voor, mensenmassa's die niets liever wilden dan consumeren en een merkwaardige haast hadden om zich steeds weer naar elders te begeven. Verder kreeg hij de tijd niet om veel te zien. Zijn plan bestond eruit het kantoor van de Duitse vrouw binnen te stappen en haar te gelasten zonder het iemand te laten weten met hem mee te komen. Daarna zouden ze per taxi naar een stadsdeel rijden waar niet meer in gebruik zijnde loodsen stonden. Daar moest hij haar ter dood brengen. De kolonel zou zich bij hem voegen om hem te helpen het lijk te laten verdwijnen, meteen daarna zouden ze de stad weer verlaten. Om zich ervan te vergewissen dat de vrouw op haar kantoor was, had de kolonel een van zijn agenten gevraagd haar te bellen en zich als potentiële klant voor te doen. Er was een afspraak gemaakt om veertien uur precies.

Twee minuten voor die tijd verscheen Plotov bij het hoofdkantoor van de onderneming. De plek waar het gebouw stond en de moderne inrichting zonder overdaad maakten het tot een ideale dekmantel. De officier zat geduldig in een daartoe uitgekozen verborgen hoek te wachten en bladerde een computertijdschrift door dat hij op een lage tafel had aangetroffen en waarachter hij voor de jonge vrouw die als receptioniste dienstdeed zijn gezicht verborg. De Duitse vrouw herkende hem pas toen hij eenmaal in haar kantoor tegenover haar zat. Uit haar blik sprak verontrusting over het feit dat ze de kleine Rus aan deze kant van het IJzeren Gordijn terugzag. Met een zachte en gelijkmatige stem volstond hij ermee haar te vragen of ze een afspraak had en waar.

'Over een paar uur heb ik in mijn kantoor een ontmoeting met een functionaris van de sociale voorzieningen.'

'Uitstekend, we vertrekken hier samen zo ongedwongen als maar kan. U laat een taxi komen. Daarna ontmoeten we enkele vrienden.'

Enigszins van haar stuk gebracht, deed de jonge vrouw haar best zich een houding te geven.

'En waarom die vrienden?'

Plotov betrapte zich erop dat hij de gave had om vlot iets te bedenken.

'Een heel kleine commissie. Begrijpt u, de zaak waarmee u

bezig bent is belangrijk. Tegelijkertijd is het heel moeilijk zich een mening te vormen. We hebben dus besloten u aan een leugende-tectortest te onderwerpen.'

'Misschien weiger ik wel daaraan mee te werken', bracht de jonge vrouw er beledigd tegenin.

'Dat kunt u natuurlijk doen. Maar ik raad het u niet aan. We zouden ertoe gebracht kunnen worden drastischer maatregelen te nemen zonder ons tot de DDR-autoriteiten te wenden. Dat zou een onderzoek naar uw verdwijning bemoeilijken.'

Plotov liet het vervolg van zijn woorden vergezeld gaan van een kille glimlach.

'Als u me nu, hier, vertelt dat u voor het Westen werkt, is er nog tijd om het programma te wijzigen. Als dat het geval is, zou in uw eigen belang hoe dan ook de beste oplossing zijn het meteen toe te geven. Ik denk niet dat u al tijd gehad hebt om veel schade aan te richten. Ik zou volstaan met een rapport aan de Stasi. Nog voor ze reageren, kunt u zich dan onder bescherming plaatsen van de West-Duitse autoriteiten. Persoonlijk wil ik u geen schade berok-kenen, al heb ik een vreselijke hekel aan verraders. Dus?'

De jonge vrouw dacht enkele tellen na.

'Ik heb mezelf volstrekt niets te verwijten.'

'Nou goed, dan gaan we.'

De jonge vrouw liet een taxi komen die voor het gebouw op hen wachtte. De chauffeur, een Turk die nog maar kort in het land was, sprak de taal nauwelijks. Dat deed Plotov besluiten om hun gesprek gewoon voort te zetten. Hij gaf de chauffeur een adres op dat de jonge Duitse vrouw deed opschrikken.

'Zo begrijpt u dat we er geen feestje van gaan maken. Een zone met grotendeels niet meer in gebruik zijnde pakhuizen en lood-sen, je kunt er uit volle borst zingen zonder de buren te storen. De tocht zal volgens mijn informatie waarschijnlijk vijfentwintig minuten duren. U kunt elk moment uitstappen. U ziet maar.'

Er viel een stilte, nauwelijks drukkender dan hun gedachten. Nadat ruim een derde van de weg was afgelegd, richtte de jonge vrouw het woord tot de Russische officier zonder hem aan te kijken, met een strakke blik op de nek van de chauffeur.

'Ik wil u een voorstel doen.'

'Ik luister', antwoordde Plotov opgewekt.

'We veranderen van richting en rijden naar een bank. Daar ligt in een kluis een miljoen dollar. Het is voor u.'

'Waarom zo'n gul aanbod?'

'Omdat u me niet zult laten vertrekken als ik ermee volsta een zeker aantal feiten toe te geven.'

'Het probleem is dat ik een vrouw en kinderen heb.'

'U hebt mij, intussen hoeft u ze maar te laten komen. Als u akkoord gaat, zijn ze morgenochtend hier. De autoriteiten zullen het zo druk hebben met het zoeken naar ons dat ze niet eens zullen merken dat ze vertrekken.'

'Er is een nog veel ernstiger probleem.'

'En dat is?'

'Dat ik niet omkoopbaar ben. Ik ben op mijn gemak gesteld, maar niet in die mate dat ik bereid ben om van de macht af te zien. Bovendien heb ik niet de mentaliteit van een overloper, ik kan geen dankjewel zeggen.'

'Maar binnen een paar maanden is er geen muur meer, dat weet u best.'

'Dan zal er een andere staan, minder duidelijk zichtbaar, die van ons nationaal bewustzijn. Wat de komende veranderingen ook gaan inhouden, wij, Russen, zullen nooit weer tot eensgezindheid met de westerse volken komen. We zijn te verschillend en ik hecht erg aan dat verschil. Wij hebben tot taak om de volken om ons heen een nieuw samenwerkingsmodel te verschaffen, u zult zien ...'

'Ik denk niet dat ik daar nog veel van zal zien', antwoordde de jonge vrouw terwijl ze een glimlach forceerde.

'Of de wereld zich nu op de ene of op de andere manier ontwikkelt, voor verraders is er hoe dan ook geen plaats. Maar het is niet aan mij om te beslissen.'

'En als u dat wel mocht?'

Plotov keek de jonge vrouw met een ernstige blik aan: 'Dan zou ik u doden, beslist.'

Omdat de jonge vrouw in tranen uitbarstte, keek hij uit het raam. In dit stadsdeel zagen de gebouwen er precies zo uit als in Oost-Europa: blokken beton, lijnrecht op een rij, het was er vies en de bevolking bestond ook nog eens uit kleurlingen.

De zone met niet meer in gebruik zijnde loodsen lag er verlaten bij. De auto stopte. In gebrekkig Duits vroeg de chauffeur hun of ze wel zeker wisten dat ze in deze uithoek moesten zijn. Aan het gezicht van de officier zag hij dat het geen zin had verder te vragen. Hij nam het geld aan, wilde hier gauw weg. De officier van de KGB stapte als eerste uit en opende het portier voor de Duitse vrouw, die haar best deed een goede indruk te maken. Ze liepen samen langs een dichtgespijkerde opslagloods. Plotov kwam bij een deur en duwde die open.

De jonge vrouw deed een laatste poging om hem om te kopen door haar aanbod van een miljoen dollar te verhogen tot anderhalf miljoen, waarbij ze hem voorhield dat ze nog dezelfde dag een rekening voor hem konden openen en dat hij niet meteen hoefde te vluchten. Ook dit laatste aanbod bracht geen verandering.

Hij haalde een pistool uit zijn regenjas tevoorschijn en voor hij het laadde, zei hij: 'Het is de eerste keer dat ik iemand koelbloedig ga neerschieten. Het is werk waaraan ik, dat weet ik, geen enkel plezier beleef. Maar ik heb geen keus. En dat het een vrouw is die ik dood, verandert niets aan de zaak. Het socialisme heeft heel erg zijn best gedaan vrouwen op te trekken naar het niveau van mannen. U zult de kwalijke kant van de gelijkheid van de seksen meemaken. U zult ongetwijfeld een van de laatste slachtoffers van de Koude Oorlog zijn. Maar het kan niet anders.'

Op dat moment hoorde de officier een geluid achter zich. Hij herkende de gestalte van de kolonel en het luchtte hem een beetje op dat hij het nare werk niet alleen hoefde op te knappen. Hij verheugde zich erop hem te kunnen vertellen dat ze bekend had.

De kolonel zag er helemaal niet uit als een man die zich opmaakt om te helpen bij een terechtstelling. Hij stond er ontspannen en glimlachend bij. Intuïtief draaide de officier zich om naar de jonge vrouw. Zij glimlachte eveneens.

'Dit is het eind van de laatste akte, Plotov', sprak de kolonel terwijl hij naar hem toe kwam. 'Deze hele enscenering had alleen maar tot doel om uw trouw te testen en u bent met vlag en wimpel geslaagd. Noch hoge bedragen noch zinnenprikkelende beloften hebben uw integriteit aangetast. U hebt evenmin geaarzeld toen het erom ging een vijand uit de weg te ruimen. De nabijheid van ingrijpende veranderingen heeft geen invloed op uw vastberadenheid gehad. Dat is heel goed. Als u een artiest geweest was, zou ik u toegejuicht hebben.'

Plotov voelde zich misselijk worden. De vernedering bracht eenzelfde verwarring teweeg als bij een kind dat kleiner en minder sterk is dan de anderen en wiens broek door kwaadwillige schoolvriendjes op een speelplaats omlaag wordt getrokken zodat het het mikpunt wordt van de spot van giechelende meisjes. Zijn hand verkrampte rond de kolf van zijn pistool, dat nog steeds in de zak van zijn regenjas weggestopt zat. Als het aan hem gelegen had, zou hij hen allebei vermoord hebben, daar, in die stoffige loods die getuige was van zijn vernedering. Maar anders dan een gewone psychopaat was hij, hoewel emotioneel helemaal van de kaart, niet in staat iets te doen wat tegen zijn belangen inging. Dus vermande hij zich en glimlachte even samenzweerderig.

'Nu weten we wat voor vlees we in de kuip hebben', sprak de kolonel terwijl hij de weg naar buiten wees. 'Met een beetje meer ervaring zou u geweten hebben dat onze betrekkingen met de Stasi u nooit in zo'n situatie gebracht zouden hebben. Het is een beetje hard voor u, maar het was op enig moment in uw carrière nodig dat u door ons in gevaar werd gebracht. Het examen is succesvol verlopen. Nou ja, als het u lukt uw woede te boven te komen. Probeer van zelfbeheersing een karaktereigenschap te maken. U zult zien, dat is nuttig in belangrijke perioden van verandering.'

*

Zelfbeheersing, daar ontbrak het Vladimir Vladimirovitsj Plotov een paar maanden later bijna opnieuw aan toen tegenstanders van het regime, waarvan het aantal aanzwol als een bergbeek na het smelten van de sneeuw, zijn kantoor binnendrongen. Sinds het begin van de onlusten had hij niet meer geslapen, druk bezig als hij was om alle vertrouwelijke documenten die in hun handen hadden kunnen vallen te vernietigen en te verbranden. Toen duidelijk werd dat de horde niet kleiner zou worden en hij kans liep door opstandelingen mishandeld te worden, zoals met agenten van de Stasi gebeurd was, wachtte hij op orders uit Moskou. Die kwamen nooit. De enige voldoening op dat catastrofale moment, waarbij hij de dans ontsprongen was door zich voor tolk uit te geven, was dat hij zag dat de mooie Duitse vrouw het aan de stok had met de volksmassa die haar aan de schandpaal nagelde. Haar trotse zelfverzekerdheid was verdwenen en hij had niet het minste medelijden met haar. Een paar dagen later vluchtte hij over de wegen om naar de USSR terug te keren, in gezelschap van zijn kleine gezin, dat in de auto minder ruimte had door de wasmachine die ze meegenomen hadden. Als hij van vermoeidheid achter het stuur in slaap was gevallen en tegen een tegemoetkomende vrachtwagen was gebotst, zou zijn leven geëindigd zijn op een moment dat je er geen cent voor gegeven zou hebben.

ANTEROGRAD

.

Boven aan onze trap kwam ik die dag Alexandra Alexandrovna tegen. Er liep een onopvallende rimpel dwars over haar voorhoofd, als de aanzet tot een verwijt dat ze me niet durfde maken.

Laat ik niet meer zeggen dan dat ik nogal misselijk was omdat ik op mijn nuchtere maag gerookt had. Ik was vroeg in de ochtend vertrokken om in het dichtstbijzijnde winkelcentrum een fles gas te halen, ongerust omdat de vlam van ons fornuis steeds zwakker werd. Ik verwachtte een dikke laag ijs op de voorruit van mijn auto aan te treffen, maar dat was niet het geval. Het was een droge nacht geweest of de wind was gedraaid. Zonder die zware fles die ik droeg, zou ik vast niet voor mijn deur halt hebben gehouden voor een pauze, om uit te blazen en weer op adem te komen. Op dat moment verliet Alexandra Alexandrovna haar flat. Het wit van haar bonten tsjapka stak af tegen het rood van haar wangen en het vage blauw van haar spleetogen, alsof een Centraal-Aziatische voorouder op haar blondevrouwengezicht te gast was. Er hing een grote gevlochten mand aan haar arm.

Alexandra was niet zomaar een buurvrouw. We hadden drie jaar samengewoond in de flat die ik nu alleen met mijn gezin bewoon. In die tijd – ik heb het over jaren voor de val van het communisme – woonden we met drie gezinnen, voorzover je een oud echtpaar en een vrouw alleen gezinnen kunt noemen. De man stierf aan cirrose en zij, met een paar weken ertussen, van verdriet. Kort daarna verliet Alexandra ons op haar beurt om het flatje tegenover ons op het portaal te betrekken. Het ligt boven een vroegere staatswinkel, die is verbouwd tot een restaurant met een Italiaanse naam waar op z'n Russisch gekookt wordt, hoewel de Russische keuken eigenlijk niet bestaat, want die is het resultaat van een samengaan van Poolse en Joodse gerechten, wat niets te maken heeft met de Joods-Poolse keuken van nu, die in het land van oorsprong verdwenen is om de reden die we kennen.

De revolutie duurde iets langer dan zeventig jaar, als je uitgaat van de gedachte dat een revolutie de omlooptijd van een planeet is die dan, draaiend om zijn eigen as, terug is op zijn vertrekpunt. Zo gebeurde het dat Alexandra drie jaar voor het einde van de revolutie, aan het eind van de jaren tachtig, naar de gemeenschappelijke flat terugkeerde. Het was niet echt krap, ook na haar komst niet. Ze was bescheiden, sprak weinig, luisterde veel naar muziek en gebruikte haar glimlach om anderen op afstand te houden. Mijn vrouw had zich er, zonder het tegen mij te zeggen, bij de beheerder over beklaagd dat ze ons met een vrijgezelle vrouw als medehuurder hadden opgezadeld. Ze vond dat 'tegen het fatsoen'. De beheerder had haar geantwoord dat hij haar niet als vrijgezelle vrouw beschouwde omdat ze weduwe was. Ik ben ervan overtuigd dat mijn vrouw geen gevoelens van jaloezie jegens haar koesterde en ze had haar niets te verwijten, maar ze kon het niet hebben dat ze tegen haar zin ons privéleven deelde. Ze vond haar niet ordelijk genoeg. Overdreven aandacht voor orde en netheid is vaak een manier om aan je eigen innerlijke wanorde te ontsnappen. De keuken en de badkamer waren de enige gemeenschappelijke ruimtes. Het toilet was op de overloop. Dat deelden we met de buren aan de overkant en het vormde aanleiding tot vele ruzies. Er werd niet over geklaagd, want de tijd verliep trager dan nu en onderwerpen die ertoe deden waren niet zo talrijk.

Na de val van het sovjetbewind en het vertrek van de buren naar een stad in het zuiden, kon Alexandra Alexandrovna aan de overkant gaan wonen. De autoriteiten stelden haar voor de flat te kopen voor een belachelijk bedrag dat ze leende en waarmee ze zich voor vijftien jaar in de schulden stak. Het zal nu niet lang meer duren of ze is er vanaf.

De beheerder besloot na de val van het rijk (met val bedoel ik niet een militaire overgave maar veeleer het inzakken van een handkar onder het gewicht van een dode ezel) vrij spoedig de gemeenschappelijke flats te privatiseren, maar het probleem van de gemeenschappelijke ruimtes werd nooit opgelost. Wat het onderhoud van toiletten, trappen en de lift betreft bestaat er nog steeds een juridische leemte. En dan heb ik het nog niet over de verwarming, waar de staat wel spoedig zijn handen van af zal trekken, een echt probleem in een land waar de koude jaargetijden vaak langer dan zes maanden duren. De beheerder betaalt vooralsnog, dat staat vast, het bewijs is er, want we puffen van de hitte.

Zo'n vijftien jaar geleden viel er, twee of drie dagen voor de jaarwisseling, een dik pak sneeuw. Dikke vlokken dwarrelden traag langs de ramen neer om als ganzenveren te landen op een glinsterende grond. De sneeuw, heel vertrouwd voor ons volk, vormde een steeds dikkere beschermende deken, alsof hij het zachte praten over onze problemen nog iets meer wilde dempen. Het was bijna middernacht. Ik zat in het vertrekje dat ons tot zitkamer diende, een vrij brede gang, ingericht met vier eenvoudige leunstoelen, enkele snuisterijen, waarvan het bijzondere was dat ze meer gevoelswaarde dan handelswaarde hadden, en zo'n vijftig boeken, waarvan er drie verboden waren, die op beukenhouten planken stonden. Mijn vrouw en de beide kinderen sliepen. Het oude echtpaar sliep waarschijnlijk eveneens, om deze tijd was de fles leeg. Ik had de gewoonte om 's avonds vlak voor ik naar bed ging de wasgelegenheid te bezoeken. Ik opende de deur omdat ik dacht dat er niemand binnen was. Ik had wel een streepje licht gezien, maar het kwam vrij vaak voor dat iemand de ruimte verliet en vergat het licht uit te doen. Voor de spiegel stond Alexandra. Van achteren toonden zich jaren van stille eenzaamheid, in een naaktheid die slechts werd verhuld door de haren die in haar nek hingen. Ze verroerde zich niet toen ze me zag. Ik ging naar haar toe, vermeed haar blik in de spiegel en pakte met één hand haar haar bijeen om het omhoog te trekken. Daarna kuste ik de huid die ik zojuist vrijgemaakt had, van haar haarwortels tot waar haar nek in de rug overging. Ik liet de haren pas weer los na onze omhelzing, die maar kort duurde, al gloeiden onze hoofden en stonden we te trillen op onze benen, beiden zonder iets te zeggen, verbaasd dat we zelfs hadden verzuimd de deur op slot te doen. En ik vertrok weer, achteruitlopend, om de vrouw die me geen moment had aangekeken niet de rug te hoeven toekeren.

Vervolgens kroop ik in het echtelijk bed alsof ontrouw de gewoonste zaak van de wereld was. Daarna is het nooit weer voorgekomen. We beseften allebei dat we onze levens alleen maar over-hoop konden gooien. Het samenwonen ging door, ongedwongen en in goede verstandhouding. Toch ging er geen dag voorbij zon-der dat de herinnering weer bij me bovenkwam aan die krijtwitte rug boven stevige heupen, dat door eenzaamheid verwaarloosde lichaam dat opeiste wat het toekwam. Ik vernam haar vertrek naar de flat aan de overkant met een opluchting die samenging met de vrees dat die zeer korte afstand juist weleens aanleiding tot toenadering zou kunnen geven. Ze vertrok in alle rust om alleen te gaan wonen en de aardige medehuurster veranderde in een aardige buurvrouw. Onze toevallige ontmoetingen verliepen ongedwongen, zonder dat ze aanleiding tot misverstanden gaven, en daarom verbaasde ik me er die dag over dat haar gezicht er-gernis uitdrukte. Ze zette haar gevlochten mand neer om me te wijzen op het probleem dat het toilet niet goed werkte.

'Het is echt een probleem', begon ze, verlegen om deze trivi-ale kwestie aan te roeren. 'Ik weet dat het gemeenschappelijke voorzieningen zijn, maar ik heb geen geld om er iets aan te laten doen.'

Meewarig en oprecht vervolgde ze: 'Ik heb een heleboel ge-hoord, Pavel, en ik sta volledig achter u, dat weet u. Maar ze heb-ben ook overal op de radio bekendgemaakt dat u binnenkort een groot bedrag aan geld krijgt, wat u ruimschoots verdient.'

'Het is niet meer dan een bericht, Alexandra, en u weet wat zulke berichten waard zijn', antwoordde ik.

'O ja, dat weet ik. Ik heb al viereneenhalve maand mijn wedu-wepensioen niet ontvangen. Ik val de administratie van 's mor-gens vroeg tot 's avonds laat lastig en ...'

'Maar als u iets nodig heeft, Alexandra, wat het ook is, dan weet u toch ...'

'Ik weet dat u niet rijk bent, maar dat gaat u waarschijnlijk wel worden. Ik vraag niets, behalve dat het slecht functioneren van de gemeenschappelijke voorzieningen mijn leven niet nog moeilijker maakt, begrijpt u?'

'Dat begrijp ik heel goed, maar ik ben niet in staat iemand te laten komen en hem voor zijn werk te betalen, en het zal vast nog een hele poos duren voor het geld er is ...'

'Nee, ik denk dat het deze keer snel gaat, daar ben ik van overtuigd. Ze kunnen het zich niet veroorloven de boel te trainen, te veel mensen hebben het over die zaak en ik ben zo vrij om te zeggen dat dat uw geluk is.'

'Ik zal proberen het probleem zelf op te lossen. Vanochtend is onmogelijk, ik verwacht binnen het uur een vertegenwoordiger van de presidentiële staf, maar vanmiddag zal ik die ellendige plee uit elkaar halen en repareren.'

'Heel fijn, maar hoe gaat het nu eigenlijk met uw vrouw?'

'Naar omstandigheden goed, dank u. Ik vind dat ze er de laatste tijd vrij goed uitziet.'

Ze glimlachte tegen me en sloeg toen haar ogen neer, omdat ze niet wist hoe ze het gesprek moest beëindigen. Ik maakte van de gelegenheid gebruik door te vervolgen: 'Ik vind het jammer dat we elkaar, behalve over die onderhoudsproblemen, niet vaker spreken, u niet?'

Ze antwoordde alsof haar lippen vanzelf in beweging kwamen, zonder daar opdracht toe te hebben gekregen: 'Ik zie niets wat dat in de weg staat, Pavel, maar u lijkt het zo druk te hebben.'

'Ik zal proberen me de komende weken af en toe eens vrij te maken.'

'Veel plezier, het zijn geen mensen die twee keer langskomen. Eén keer is al zoiets als een wonder.'

'Dat ben ik met u eens, ik moet trouwens opschieten om die gasfles te verwisselen voor de vertegenwoordiger van de president komt. Maar ik zal me houden aan alles wat we besproken hebben. Als u het goed vindt, klop ik binnenkort bij u op de deur.'

'Afgesproken, klop maar zodra het u uitkomt.'

'Nog één ding, Alexandra Alexandrovna, er steekt geen enkel kwaad in dat we samen wat gepraat hebben, maar ik zou het fijn vinden dat als we elkaar ontmoeten dit zo onopvallend gebeurt dat er niets achter gezocht kan worden. Mijn schoonmoeder is hier van de ochtend tot de avond om mijn vrouw gezelschap te houden en ik zou niet willen dat ze op andere gedachten zou komen dan die haar gewoonlijk bezighouden, snapt u.'

'Ik begrijp het heel goed, Pavel.'

Ze glimlachte met zo'n glimlach die een gezicht boekdelen laat spreken en we gingen volgens mij voldaan uiteen.

De man die in onze huiskamer op de jarenzestigcanapé zit, kijkt gepikeerd. Niet teleurgesteld of geërgerd, nee, gepikeerd als die kioskhoudster in *De meester en Margarita* omdat ze haar klanten geen fles spuitwater meer kan aanbieden. Ook al leenden de omstandigheden zich niet voor een wat nauwkeuriger onderzoek naar zijn toestand, ik had de indruk dat als hij zich heel diep in zijn binnenste, in een hoekje van zijn geest, bewust was van het treurige van zijn werk, hij dat niet zou laten merken. Hij was hier in opdracht, in een situatie die voor de overheid niet in haar voordeel was, maar waarin ze probeerde dat voordeel terug te krijgen. En dat werk was voor deze man waarschijnlijk niet zijn gewone werk; hij liep aan het begin van deze eenentwintigste eeuw tegen de zestig, waarvan hij een goede veertig toezicht op anderen gehouden had zonder er ooit over nagedacht te hebben wat zijn werk voor zin had.

Pietluttigheid is voor miezerige mannetjes altijd een goed handvat geweest om grote geesten onderuit te halen. Ons vroegere regime had van die pietluttigheid een god gemaakt en tegenover me zat nu een van zijn priesters.

Hij droeg een pak dat plomp afkleedde met te korte mouwen waaruit dikke harige handen staken en hij had een dikke buik die uit zijn lichaam puilde alsof hij eraan wilde ontsnappen. Zijn gezicht vertoonde de trekken van een komische moezjiek en hij had spleetogen die onafgebroken ronddraaiden, alsof niets en niemand ze tot stilstand kon brengen. Hij was met enige vertraging komen aanzetten, waarvoor hij zich zonder veel overtuiging had verontschuldigd. Ondanks deze vertraging had hij zijn programma moeten afwerken en had hij in het bijzonder langs gemoeten bij de Federale Veiligheidsdienst, om redenen die helemaal niets met mijn dossier te maken hadden, had hij gauw verduidelijkt. Nadat ik koffie had ingeschonken, ging hij weer recht op zijn stoel zitten om zich een houding te geven.

'Ik vertegenwoordig hier de president van de Russische Federatie en ik wil u zeggen dat wij deze zaak heel vervelend vinden.'

Omdat ik niet reageerde, richtte hij voor het eerst zijn blik op mijn gezicht en glimlachte hij even heel schuchter.

'Ik heb vóór u twee andere families bezocht en u bent degene die zich duidelijk het meest flink en, om zo te zeggen, ook het meest waardig toont.'

Zijn optreden was minder boers dan zijn voorkomen deed vermoeden. Hij vervolgde: 'Ik ben hier om u, in ieder geval mondeling, mee te delen wat het aanbod van onze regering is.'

Daarop pakte hij een aktetas die hij bij zijn voeten had neergezet en haalde er een vel papier uit dat hij voor zichzelf las, waarna hij de belangrijkste punten samenvatte: 'Als schadevergoeding bieden wij u tien jaar soldij van een jonge luitenant-ter-zee, wat neerkomt op 600.000 roebel, welk bedrag in één keer uitbetaald zal worden.'

Ik vertrok geen spier om de eenvoudige reden dat het bedrag in de buurt zat van wat de geruchten hadden verspreid. Maar omdat er geen sprake was van voldoening en nog minder van de neiging die te tonen, deed ik er op mijn manier nog een schepje bovenop: 'Ik neem aan dat bij dat bedrag de betalingsachterstanden niet zijn inbegrepen. Die komen volgens mij neer op een maand of vier, vijf.'

'Dat is heel goed mogelijk, maar daar heb ik niets mee te maken, dat valt onder de verantwoordelijkheid van de marine. Het bedrag dat ik u noemde is bijeengebracht door de regering en door gulle gevers, superrijken. Ik weet niet precies hoeveel ze ieder hebben bijgedragen en overigens denk ik dat dat er ook niet toe doet, een roebel is een roebel. Tot zover het eerste deel van het aanbod.'

Hij veegde met de rug van zijn hand zijn voorhoofd af, bracht zijn kop koffie naar zijn mond en lette daarbij op dat zijn das er niet in kwam te hangen, die voor zijn dikke buik bewoog als de slinger van een klok, maar dan van voren naar achteren. Hij verdiepte zich opnieuw in zijn papieren voor hij als een gewetensvol ambtenaar verderging: 'Dat was het eerste deel van het aanbod, nu het tweede dat eruit bestaat u een woning in Sint-Petersburg aan te bieden. Een grote woning, van alle gemakken voorzien, niet te vergelijken met wat u hier hebt, alhoewel het hier naar de huiskamer te oordelen grieflijk en vrij ruim lijkt.'

Dat aanbod had ik niet verwacht, daarvan had het gerucht niets laten doorschemeren en ik werd er enigszins door overvallen. Het was uitgesloten dat ik daarmee akkoord zou gaan.

'Ik ben bang dat ik dat niet wil', zei ik kortaf.

Hij staarde me wezenloos aan.

'Maar Pavel Sergejevitsj, hoe kunt u zoiets afwijzen, dat heeft nog niemand gedaan?'

Van zijn verbazing bekomen, vroeg hij aarzelend: 'En waarom wilt u die flat in Sint-Petersburg niet?'

'Omdat we er niet tegen kunnen daar te wonen.'

Hij leek geheel van zijn stuk gebracht. Toen kwam ik op een idee.

'Als we die mooie flat in Sint-Petersburg niet nemen, kunnen uw gulle schenkers ons dan misschien de tegenwaarde in geld geven?'

Daar hoefde hij niet eens over na te denken.

'Daar kan geen moment sprake van zijn, Pavel Sergejevitsj, aan het aanbod mogen geen voorwaarden verbonden worden. Het is ook uitgesloten dat u de flat krijgt toegewezen als u er niet in gaat wonen, dat is een uitdrukkelijke voorwaarde die bij dit aanbod hoort.'

'Wat kan het uw schenkers schelen of we al of niet in die flat wonen?'

'De gulle gevers uit de privé-sector staan buiten de kwestie, het is de regering die deze voorwaarde stelt.'

'Mag ik ook weten waarom?'

'Waarom? Daar weet ik niets van, ik heb niets in te brengen bij belangrijke beslissingen, mijn enige taak is u een bedrag en een flat in Sint-Petersburg aan te bieden op voorwaarde dat u ermee akkoord gaat de streek te verlaten en u daarginds te vestigen. Die voorwaarde is bepalend, waar nog de verplichting bij komt dat u nooit meer contact met de pers mag hebben, in geen geval, of het nu de Russische of de buitenlandse pers is.'

Ik dacht even over zijn antwoord na.

'Ik ben volstrekt niet van plan met de pers te spreken, tot nu toe heb ik dat trouwens ook niet gedaan. Maar ik wil me per se niet in Sint-Petersburg vestigen, en dat beletsel is niet zomaar een gril. Zo is het nu eenmaal. Maar dat is geen reden om af te zien van wat die flat in Sint-Petersburg aan waarde vertegenwoordigt.'

'Ik zie niet hoe het anders zou moeten, het aanbod is over het geheel genomen gul, maar het staat geen uitzonderingen toe …'

'In een land waar toch al zo weinig is toegestaan', onderbrak ik hem, terwijl ik me kunstmatig opwond, iets wat we in ons land goed kunnen, om ons vervolgens des te gauwer gewonnen te geven, zozeer zijn we gehecht aan het theaterspel van onze zelfverloochening.

'Ik geloof niet dat er ooit eerder in de geschiedenis van ons land sprake was van een dergelijke schadeloosstelling', antwoordde hij scherp.

Precies op dat moment trad mijn vrouw de huiskamer binnen. Het leek wel een geestverschijning. Ze ging naar de ambtenaar toe om hem te begroeten, maar alsof ze opeens de zin niet meer zag van wat ze deed, maakte ze rechtsomkeert terwijl hij net was opgestaan om haar de hand te drukken. Onder de verbijsterde blik van de afgezant verliet ze het vertrek. Daarop ging hij weer zitten en keek me met een schuinse blik bezorgd aan.

'Ik begrijp dat er bijzondere problemen zijn', mompelde hij en slaakte een diepe zucht. 'Is dat sinds de gebeurtenissen?'

De gebeurtenissen … Het zou juister geweest zijn te spreken van de tragedie, maar ik besefte dat hij niet geacht werd de feiten nader te omschrijven. Ook merkte ik dat hij er, gewoon uit nieuwsgierigheid, graag meer over zou willen horen. Ik vond het niet gepast hem er meer over te vertellen, vertrouwelijke mededelingen vragen een minimum aan achting en daar waren we ver van verwijderd. We onderhandelden, zeker, maar medelijden is geen wapen, behalve als je wilt dat het zich tegen je keert. Ik bleef vaag, als iemand die zo weinig te verbergen heeft dat hij ook geen moeite doet de woorden bij elkaar te zoeken om het te zeggen en vervolgens fluisterde ik op een toon alsof ik toch iets ging loslaten: 'Dat was al ver voor die tijd. Nou ja, zo ver nu ook weer niet, maar als u het wilt weten, haar toestand en de gebeurtenissen die u hier brachten houden geen verband met elkaar. Laat ik nog zeggen dat ik de voorzienigheid dank dat deze kwaal dateert van voor die noodlottige dag, dat heeft haar heel veel verdriet bespaard.'

Daarna voelde ik een aarzeling, een vage angst die me er bijna toe had gebracht me gewonnen te geven. Maar ik herinnerde me dat het soort organisatie dat hij vertegenwoordigde, een erfenis uit onheuglijke tijden, van nature beslist niet bereid was concessies te doen vanwege een gebrek aan culturele achting voor het bijzondere. Onder deze omstandigheden konden ze het echter niet maken aan één van de honderdachttien families geen aandacht te schenken, dat wist ik, en daarom had ik besloten dat uit te buiten. In zijn hoofd zocht hij naar een uitweg om tot een akkoord te komen en hij was zo aardig me nieuwe bijzonderheden te geven.

'Ik vergat een aspect te vermelden dat bij ons aanbod van belang is, Pavel Sergejevitsj. U bent toch geschiedenisleraar?'

Ik barstte in lachen uit, wat me al maanden niet gebeurd was.

'Maar waarom lacht u zo, Pavel Sergejevitsj?'

Ik gaf zomaar ineens een beschouwing weg die hem zeer bevreemdde. Terwijl ik sprak, keek hij me aan en bewoog hij met zijn hoofd als een hond die probeert zijn baas te begrijpen.

'Ik lach omdat lachen meer over een tragedie zegt dan de tragedie zelf. Lachen in een komedie is geen lachen, het is je mond vertrekken, een houding. Lachen in een tragedie is een superstructuur van huilen. Vergeef me, meneer de afgezant, ik lach omdat u me vroeg of ik geschiedenisleraar was. Dat klopt en toch kan ik u na een loopbaan van zesentwintig jaar nog steeds niet zeggen wat geschiedenis is. Waarom die vraag?'

'Omdat het de bedoeling is dat u wordt herplaatst op een grote middelbare school in Sint-Petersburg of, als u dat wenst, op een cadettenschool van de marine, of eventueel aan een universiteit. Luister, Pavel Sergejevitsj, ik besef heel goed dat u met grote problemen zit, maar vertel me niet dat u niet uit de poolcirkel weg wilt!'

'Zo slecht is het leven hier niet, en de bevolking is interessant. Op geen plek ter wereld vind je zo veel stralende meisjes bij elkaar, de mensen zijn er tegelijkertijd heel levendig en stil als doden, een dag en een nacht duren er een jaar, geloof me, het is geen oord dat je zonder heimwee verlaat.'

'Dus u wilt niet tot een schikking komen.'

'Praat me niet van willen, ik kan gewoon niet, ik offer de sporen die hier liggen van iemand die me dierbaar is niet op voor een flat, hoe luxueus ook, in de stad van Peter de Grote.'

Ik had die woorden nog niet gezegd of ik veranderde al stilletjes van gedachten, terwijl mijn gesprekspartner bezig leek zijn hersens heel erg in te spannen om voor het probleem een oplossing te vinden die geen andere mocht zijn dan dat ik onvoorwaardelijk akkoord zou gaan met de gulle gift van onze regering en haar bondgenoten uit de privésector. Ik maakte me op om alles in z'n geheel te aanvaarden, overtuigd door een plotselinge realiteitszin, de vrucht van eeuwenlange collectieve onderworpenheid, het besef dat ik geen uitzondering mocht zijn. Toen zag ik zijn spleetogen nog wat smaller worden, zodat de pupillen bijna helemaal verdwenen en hij opende ze pas weer om me triomfantelijk mee te delen: 'We hebben een manier om iedereen tevreden te stellen, Pavel Sergejevitsj. Maar allereerst nog even een vraagje, u bent Joods, is het niet, Altman is toch Joods?'

Ik begreep natuurlijk niet waar hij naartoe wilde, maar ik besloot toch te antwoorden om hem te laten voelen dat zijn vraag me niet beviel: 'Het is een Joodse naam. Maar wat doet het ertoe of ik Joods ben of niet? Waarom die vraag?'

'Het is niet om u te beledigen, Pavel Sergejevitsj, maar juist integendeel, u weet dat Joden geschikter zijn voor het doen van zaken dan anderen. Dat zit hun in de genen. Ook verscholen in wat de vroegere Sovjetunie is, hebben die geenszins in slaap gevallen genen niet gedraald weer tevoorschijn te komen en toen het ging om het privatiseren van onze rijkdommen, waren de Joden er het snelst bij om in oligarchen te veranderen, vat dat vooral niet als kritiek op, laat er alleen maar een zekere bewondering uit spreken. In zekere zin zijn zij het trouwens, die me naar u toesturen.'

'Ik begrijp het wel, maar ik zie het verband niet.'

'Nee, ik zei het omdat uw eisen gegrond zijn, en twee verstandige zakenmannen moeten een oplossing kunnen vinden. Afzien van een flat in Sint-Petersburg is waanzin, zeg ik u. De prijzen stijgen, buitenlanders verdringen zich. Met een beetje werkelijkheidszin kunnen we die zaak regelen. We wijzen u de flat toe en u blijft hier, u en uw familie. Dat is in strijd met wat in de overeenkomst staat, maar als u uw mond houdt, zal waarschijnlijk niemand er moeilijk over doen en ik ben er om u als zich toch iets onverwachts voordoet de hand boven het hoofd te houden.'

'Dat is heel grootmoedig van u.'

'U hoeft me niet te bedanken, ik ben er om in ieder geval uw materiële zorgen weg te nemen en we weten allebei dat dat in ons land niet niks is. We zitten allemaal in de ellende en we moeten elkaar helpen. Dat is wat ik u als mijn beschermende werk aanbied, tegen een kleine vergoeding, een verzekeringspremie als het ware.'

'En die wat u noemt "verzekerings"-premie, hoeveel bedraagt die?'

'De helft van het geld dat ze u zullen uitbetalen contant, ik denk dat dat redelijk is.'

Ik moest even nadenken, waarbij ik zijn blik vermeed. Ik schraapte mijn keel voor ik hem vastberaden antwoordde: 'Na alles overdacht te hebben, schik ik me naar uw inzichten. Ondanks alle moeilijkheden waar we mee kampen, ga ik akkoord met de voorwaarden van het aanbod. We verhuizen naar Sint-Petersburg, maar ik ben niet van plan er te gaan werken. Als tegenprestatie voor het feit dat ik geen baan in Sint-Petersburg vraag, verzoek ik u een goed woordje voor me te doen om te bewerkstelligen dat Onderwijs me met pensioen laat gaan. Ik ben pas vierenveertig, maar ik zal toch wel ergens recht op hebben, temeer omdat mijn vrouw invalide is, snapt u?'

De zakenman verdween even snel als hij gekomen was, zo snel dat je je, als je hem zo in een oogwenk weer een ijverige ambtenaar zag worden, afvroeg of zijn uitstapje naar de financiële wereld niet een droom geweest was.

'Een geschiedenisleraar meer of minder, dat zal niet veel uitmaken. En vergeet niet dat het u in geen geval is toegestaan contact te hebben met de Russische of buitenlandse pers, munt te slaan uit vertrouwelijke informatie of zulke informatie te verstrekken zelfs zonder er geld voor te vragen en ook mag u geen melding maken van deze clausule.'

Toen hij opstond om te vertrekken, viel me voor het eerst op hoezeer het bloed naar zijn gezicht was gestegen. Zijn blik was dof geworden, zijn werk was gedaan. Hij sprak een paar woorden van troost en drukte me de hand, waarbij hij me recht in de ogen keek om me van zijn oprechtheid te overtuigen. Ik deed de deur weer achter hem dicht, in de greep van een merkwaardige roes. Dit gesprek over onbelangrijke materiële dingen had iets geruststellends: het voerde me terug naar de dagelijkse zorgen, zoals miljoenen anderen die kenden. Vreemd genoeg voelde ik dat ik deel uitmaakte van de grote mensengemeenschap. Die wekt de indruk dat de mensen elkaar verscheuren om ieder hun deel te veroveren van waar ze recht op menen te hebben, maar eigenlijk is die strijd slechts schijn, hij wordt gevoerd om veel aanzienlijker leegtes op te vullen. Ik keek uit het raam. Een aantal geparkeerde auto's in het straatje dat voor onze flat lag, was bedekt met een sneeuwdek dat dateerde van de eerste sneeuwval en ik vroeg me af wie zich kon veroorloven een aantal weken zijn auto niet te gebruiken.

Daarna schoot me weer een nieuwtje te binnen dat de afgezant me verteld had. De president had zojuist besloten tot de aanleg van een waterrecreatiepark in de zwaar aangeslagen stad, langs de monding, hier zo'n dertig kilometer vandaan. Om de families ontspanning te bieden, niet degenen die de streek gingen verlaten, nee, de anderen, zij die bleven in die kunstmatige omgeving waar men slechts verouderde grote flatgebouwen aantrof, kaarsrechte straten naar de aanlegsteigers, sinds kort een paar verwesterde winkels, twee of drie bioscopen, een sportzaal en binnenkort dus een waterrecreatiepark.

Met betrekking tot onze president vroeg men zich af hoe hij op dat idee gekomen was opnieuw de omstandigheden te scheppen waarin men zich weer in de aangename warmte van vruchtwater kon wanen, en dit ten behoeve van een bevolking die getraumatiseerd was door gebeurtenissen waaraan zij het gevoel had ontsnapt te zijn, of althans voorlopig. Ongetwijfeld had een verdienstelijk psycholoog hem ingefluisterd dat de mens het betreurt ooit meedogenloos uit de buik van zijn moeder te zijn gesmeten en dat de therapeutische werking van een waterrecreatiepark beslist het meest geschikt is om zwaar getroffen bevolkingsgroepen weer hoop te geven. Kort geleden hoorden we dat dezelfde president zojuist opdracht had gegeven ook een waterrecreatiepark aan te leggen in Tsjetsjenië, in een omgeving die door onze artillerie was verwoest.

*

Ik kreeg het geld uiteindelijk via een internationale bank in Moskou. Het wachten duurde maar een paar weken, een topprestatie in een land waar de tijdseenheid evengoed een eeuw kan zijn. Alles zat erbij, de tien jaar traktement en de achterstallige soldij. Een begeleidende brief bevatte het eigendomsbewijs van de flat in Sint-Petersburg, gelegen in een heel nette wijk, met een vrij nauwkeurige beschrijving van de ruimtes en de voorzieningen, alsmede een briefje dat me herinnerde aan de verplichting hem ten spoedigste te betrekken. Ze waren niet vergeten er een kopie bij te doen van de verklaring die ik had getekend dat ik niet met journalisten in contact zou treden.

Dit nieuws, heel vroeg ontvangen op een ijskoude dag, betekende een ingrijpende verandering in ons bestaan. Ik wist niet hoe ik er vat op moest krijgen om het echt tot me te laten doordringen. Ik was ontdaan als iemand die ziet dat hij voor het eerst een koningskrab gevangen heeft, geschrokken van zijn roofdier-oogjes en zijn vervaarlijke hulpmiddelen, reusachtige scharen die in staat lijken elke staalkabel door te knippen. Het bracht inder-daad een ingrijpende verandering in ons materiële leven, alsof jaren van moeilijkheden en zinloos werken voor een karig loon in één keer verdwenen. Het bespaarde me vanaf dat moment dat ik mijn plaats moest zoeken tussen de wereld van gisteren en die van nu, een bezigheid die net zo veel akkoordjes als arbeid vroeg.

Zo'n soort schadeloosstelling vier je niet. Ik kon niets tegen mijn vrouw Jekaterina zeggen wat ze in staat was te onthouden. Wat Anna, onze dochter, betreft, haar zou ik toch moeten vertellen dat de regering en haar superrijke vrienden relatief gezien rijke mensen van ons hadden gemaakt. Ik durfde haar niet te bellen om het er met haar over te hebben want meer dan enig ander zou zij beseffen dat, al nam deze regeling de dagelijkse materiële zorgen weg die tot nu toe ons leven, dat van haar moeder en mij, hadden beheerst, diezelfde regeling ons alleen liet zitten in een onpeilbaar diepe afgrond, kil en leeg.

Ik overwoog even aan de overkant aan te kloppen om bij Alexan-dra Alexandrovna een kop koffie te gaan drinken, maar ik vond het niet netjes bij haar te beginnen over de financiële afwikke-ling van deze zaak. De televisie en de radiozenders gaven hoog op van de gulheid van de regering, ons lotgeval vormde het on-derwerp van alle gesprekken in de inham en van onze haven tot de Barentszzee, en het leek me ten opzichte van wat zij zelf had meegemaakt buitengewoon wrang om me op deze ontknoping te laten voorstaan.

In de flat was mijn schoonmoeder net als elke andere dag bij haar dochter op bezoek gekomen en beide vrouwen bleven dis-creet in onze slaapkamer, waar ze alleen uit kwamen voor de lunch die de baboesjka meestal klaarmaakte. Soms at ze 's avonds mee, maar ze sliep thuis. Een keer had ze het idee geopperd bij ons in de flat in te trekken, maar behalve dat ik niet wilde dat zij de lege kamer in bezit zou nemen, was ik tegen dat samenwonen, al betrof het familie, wat me herinnerde aan de jaren van collectivisme, toen niemand geacht werd een eigen leven te leiden en iedereen de ander voor de voeten liep. De baboesjka was indertijd onderwijzeres geweest en ze was met haar zieke dochter even geduldig als ze altijd met jonge kinderen was geweest. Ik vroeg me echt af waar ze het hele dagen naast elkaar zittend over hadden, want ze gingen alleen de deur uit om in de supermarkt in de hoofdstraat boodschappen te doen. Anna had beloofd 's avonds langs te komen om mee te eten en daar verheugde ik me op. Ze vulde het huis met iets waaraan het ons, haar moeder en mij, altijd had ontbroken: een soort geloof in het leven, een overwicht op de tijd, een manier om het antileven dat wij altijd hadden geleid, een leven dat in traag tempo voortsjokte in een troosteloze omgeving, af te wijzen.

De ochtend begon pas, het was nog aardedonker, toen ik de auto pakte en naar de haven reed, wat maar vijf minuten rijden is, in de hoop Boris te ontmoeten.

De sneeuw viel als plakkerige dorre bladeren. Deze sneeuw bezorgde de stad wat natuurlijk licht, waarvan zij van de herfst tot het voorjaar verstoken was. 's Winters maakte het donker bij ons in het noorden slechts plaats voor een schemerachtig halfduister dat nooit langer dan vijf uur duurde.

Dostojevski schreef dat er twee soorten steden zijn: spontaan ontstaan of ontworpen. De onze was ontworpen. Wel moet er eerst een dorp geweest zijn. Waarschijnlijk waren er ooit mensen verdwaald, maar van deze leefgemeenschap is geen spoor meer terug te vinden. Wanneer een bezoeker van elders ons vraagt waar zich de oude stad bevindt, wijzen wij hem op de onder Stalin gebouwde eerste grote flatgebouwen. Het idee om ter hoogte van de poolcirkel een haven aan te leggen, kwam voort uit het feit dat de zee er nooit dichtvriest omdat zij wordt verwarmd door de Golfstroom, een van de weinige buitenlanders die al onze hele geschiedenis toestemming heeft om vrij langs onze kusten te reizen zonder dat hij een dubbelagent is.

Terwijl ik over de brede weg reed die naar de haven voert en erop lette dat ik niet in een slip raakte, voelde ik me over één ding opgelucht, één ding maar: dat Onderwijs me met pensioen had gestuurd. Ik hoefde nooit meer geschiedenisles te geven. Onder Jeltsin dacht ik even dat er anders over het verleden gesproken zou gaan worden dan in de vorm van verzinsels. De nieuwe president besliste echter dat trots zijn op je vaderland inhield dat je niets van zijn geschiedenis afkeurde. Al die onderwijsjaren waren slechts een langdurige troonsafstand geweest en van dierbare herinneringen was geen sprake. Wat me echter goed is bijgebleven is de klassenraad, aan het eind van het schooljaar, wanneer in de sovjetperiode het hoofd van de onderwijsinstelling ons vroeg de cijfers op te trekken om te zorgen dat het maximum aantal van onze leerlingen zou overgaan naar een hogere klas en de middelbare school de door het leerplan gestelde doelen zou halen.

Hoewel ik dichterbij kwam, bleef de haven moeilijk in het donker te onderscheiden. Aan het eind lagen pontificaal de reusachtige en bewegingloze nucleair aangedreven ijsbrekers om de Noordelijke IJszee open te breken. Dichterbij bedekte ijs de masten van vissersboten die te groot waren voor wat ze vingen. Je merkte nauwelijks iets van de bedrijvigheid hier en daar in de op de kaden gebouwde barakken. Alleen door de olievlekken die in het vale licht van de straatlantaarns allerlei vormen aannamen, zag je dat de zee bewoog. Iedereen was er op de plek waar hij moest zijn en toch leek de haven verlaten. Het geheel deed denken aan een filmdecor in de jaren dertig, toen kunstmatige mist de beperkte middelen moest maskeren.

Boris verwachtte me niet, toch scheen hij niet verbaasd toen hij me zag, want hij is een van die mensen die weten dat hun vrienden hen nooit in de steek zullen laten. Hij lijkt op een omgekeerde eik, met de wortels boven op de stam. Hagel heeft zijn gezicht, breed als een hand, toegetakeld. Door de wodka die hij vanaf 's morgens vroeg drinkt, staan zijn ogen waterig. Een gewoonte die hij heeft aangenomen toen hij les gaf op het Technologisch Instituut voor de Visserij. Het was de tijd dat er werd gescandeerd: ''s Morgens drank, de rest van de dag vrij.' Hij zat achter zijn metalen bureau met een brilletje op zijn neus. Toen hij me zag, verhulde zijn glimlach slechts een deel van zijn ergernis over het feit dat het vele administratieve werk hem als ondernemer dwars zat. Hij was mijn vraag voor: 'Ze hebben ons nog steeds niet doorgegeven wat de quota zijn. Intussen schrapen de Noren de zeebodem af en als die idioten op het ministerie niet gauw een besluit nemen, treffen we straks alleen nog maar de verdomde wrakstukken van onze nucleaire vloot in onze netten aan en kunnen we de deuren wel sluiten. Nou ja, er zijn belangrijker dingen in het leven, daar weet je alles van. Hoe gaat het met Jekaterina?'

Ik pakte de met kunstleer beklede stoel die tegenover hem stond en zonder mijn jasje uit te trekken of mijn tsjapka af te zetten ging ik zitten. De futloze kachel midden in het vertrek brandde zonder warmte te geven en de vochtigheid van de nabije zee werd telkens wanneer er medewerkers in- of uitliepen met kracht door de wind naar binnen geblazen.

'Het gaat goed met haar,' zei ik zonder veel overtuiging, 'haar toestand is stabiel, ik heb het gevoel dat ze weer emoties heeft en dat ze die beheerst.'

'Nou ja, des te beter, ouwe jongen.'

Hij rommelde in de papieren die voor hem lagen alsof hij hoopte dat degene die voor een doorbraak in de situatie zou zorgen zich onder een stapel had verstopt.

'Daarginds in Moskou zit iemand op een envelop vol dollars te wachten, in ruil waarvoor hij ons toestemming zal geven om op krabbenvangst te gaan. Misschien ligt de brief al op zijn tafel, maar vindt hij het niet genoeg, vindt hij het geen eerlijke verdeling. Of iemand heeft hem beloofd het geld ergens op een buitenlandse rekening te zetten, maar die idioot is zijn rekeningnummer kwijt en hij durft de internationale lijn van het ministerie niet te gebruiken om zijn bank te bellen om erachter te komen of het aangekomen is, want hij is bang dat een van zijn collega's meeluistert op die lijn en wil delen in de buit. En intussen betaal ik mijn mannen, slecht weliswaar, maar ik betaal ze, terwijl ze zitten te duimendraaien.'

Hij schudde het hoofd voor hij vervolgde: 'En jij, beste Pavel, je wacht nog steeds op je geld? Ik denk dat je dat pas krijgt als ze Nicolaas II uit zijn kist hebben gehaald en een manier hebben gevonden om hem weer tot leven te wekken.'

'Ik heb het geld vanochtend ontvangen, Boris.'

Hij sperde zijn ogen wijd open.

'Nee maar, ze moeten wel een verdomd smerig zaakje willen verbergen om niet voor de zoveelste keer hun woord niet gestand te doen. Je verbaast me. Temeer omdat er naar het schijnt geen kopeke meer in de staatskas zit. Wat ze aangekondigd hadden?'

'Tot op de roebel.'

'Dus nu ben je rijk, nou ja ... vergeleken met anderen.'

'En ze hebben me met pensioen laten gaan.'

Hij wierp me een merkwaardige blik toe, alsof alles hem ertoe dwong de ogen neer te slaan terwijl hij tegelijkertijd zijn best deed om me aan te kijken, en zacht vroeg hij: 'En nog iets over hem gehoord?'

'Vooralsnog niets. Maar dat verwacht ik ook niet echt', antwoordde ik somber.

'Ten onrechte. Het feit dat ze het geld keurig op tijd gestort hebben, ik zeg het nog eens, geeft aan hoe ernstig de zaak is. En het zou me verbazen als de Federale Veiligheidsdienst niet bezig was de planeet om te ploegen. Mooi, dat is allemaal goed nieuws. Ik zal Jevgenja bellen om te horen of zij ook alles gekregen heeft.'

'Ik heb eraan gedacht, maar ik vind het zo moeilijk om er met haar over te praten, vooral omdat zij geen enkele hoop heeft.'

'Ik weet het, Pavel, ik vind het ook moeilijk, maar we moeten contact met haar blijven houden, Anton was onze vriend, we zijn haar dat beslist verschuldigd, nietwaar?'

'Je hebt gelijk, Boris, maar ik heb liever dat jij je om haar bekommert.'

'Zoals je wilt. Wat heb je op het ogenblik te doen?'

'Niets bijzonders, ik probeer de gebeurtenissen te verwerken.'

'Kom dan met me mee, ik moet een schip uittesten, we varen naar open zee. Het is rustig weer vandaag, we lunchen aan boord. Tegen vijf uur zijn we terug, ik wil een aantal dingen met je bespreken.'

Nadat ze de trossen hadden losgegooid, baande de stuurman zich een weg tussen de reusachtige aangemeerde schepen door, tankers, ijsbrekers, containerschepen, kolossen die de wet van Archimedes tartten, terwijl de dag een ooglid optilde. In dit jaargetijde, waarin de duisternis slechts enkele uren wijkt voor een halfduister dat vaak nog wordt bedorven door slecht weer, spannen hemel, aarde en zee voortdurend samen, wat de mensen die ervan afhankelijk zijn tot een merkwaardige ernst stemt die handelen en denken een bijzonder gewicht geeft dat je op het gezicht van zeelieden kunt aflezen. We zetten koers naar het noorden, in de richting van volle zee, en volgden de oevers van de vaargeul die langs het schiereiland K.* loopt. Het speet me dat ik me niet beter had voorbereid, want de vochtigheid die het zeewindje aanvoerde drong via kleren en vlees door tot op het bot. Met een sigaret die opgloeide in de wind en zijn jasje openstaand rond zijn bolle buik, liet Boris zich niets aan de kou gelegen liggen. Hij zag toe op het varen, meer beducht voor kleine boten dan voor grote schepen die voor anker lagen en, verlicht als kerstbomen, de indruk wekten nooit meer in beweging te zullen komen.

Toen het rijk viel, nu zo'n vijftien jaar geleden, was Boris niet meteen opgehouden met lesgeven aan het Technologisch Instituut voor de Visserij, maar hij was wel gauw fondsen gaan werven om een eigen vloot op te zetten. Twee jaar later had hij het onderwijs vaarwel gezegd en was vervolgens een van de superrijken van de streek, dat wil zeggen van de stad, geworden, want als we het over de streek hebben, dan omvat die niet meer dan onze stad en een aantal verboden terreinen, bases van de oorlogsvloot.

Vóór de Koude Oorlog was er geen koningskrab in de Barentszzee te vinden. Het monsterlijke roofdier dat zee-egels net zo gemakkelijk doorknipt als een schaar een draadje, leefde een lui leventje in de Zee van Ochotsk in het uiterste oosten van de Sovjetunie. Het was in die tijd een van onze weinige exportproducten, andere zouden pas ruim een eeuw later komen. De mensen waren dol op deze krab, het was de Stalin van de zeeën. Met haar vooruitziende blik besefte de regering dat deze goudmijn ooit uitgeput zou raken, dus kreeg een bekwame ingenieur in de eigen gelederen opdracht de soort in de Barentszzee uit te zetten, die veel overeenkomsten vertoonde met zijn oorspronkelijke leefomgeving. Met evenveel eerbied behandeld als een eerste partijsecretaris, nam de koningskrab in een speciaal voor de gelegenheid

---

* Kola. De niet genoemde stad is Moermansk, de thuishaven van de Russische oorlogsvloot.

gebouwd aquarium met vrouwen en kinderen de Trans-Siberië Express richting poolcirkel. Hij werd vergeten tot de dag dat de Noren en de mensen bij ons vaststelden dat het monster zich had voortgeplant als een konijn in een gebied waar niet gejaagd mag worden. Van de geldelijke opbrengsten van dat eldorado zou Joeri Orlov, de ingenieur die in de sovjetperiode een van de weinige deportaties van oost naar west organiseerde, geen enkel profijt trekken. De oude man woont nu in armoedige omstandigheden in een Moskouse voorstad.

Toen het schip eenmaal midden in de vaargeul opstoomde, gingen we de kajuit weer binnen. Een van de matrozen sloeg een klaptafel neer om er borden, glaasjes wodka en verschillende soorten gerookte vis op te zetten. Het was in die kajuit bijna overdreven warm en je werd er misselijk van de stank van stookolie die zich via een of andere buis verspreidde en zich vermengde met een nog scherpere, van zee komende jodiumgeur. Het schip deinde niet, slingerde of stampte ook niet, de zee was zo glad als een bergmeer. We schepten op en Boris nam me mee iets verder naar achteren, zodat we konden praten zonder door zijn beide matrozen gehoord te worden. De vier grote patrijspoorten in de messroom keken uit op beide oevers. Buiten in het donker tekenden zich de angstaanjagende omtrekken af van de schepen van het in het noorden gestationeerde deel van de oorlogsvloot, op een rij naast elkaar op de ankerplaatsen waar alles ervoor was ingericht, de natuur naar hun behoeften was geplooid. Afgedankte vaartuigen maakten water. Zonder pardon aan hun lot overgelaten dieselonderzeeboten lagen voor iedereen zichtbaar in een inham in het water te verkommeren, in obscene standen, de bovenbouw en de achtersteven in de lucht, de voorsteven diep in het slib. Boris sprak een poos over zijn zorgen als ondernemer, maar liet zijn verhaal vergezeld gaan van een brede glimlach die, uit eerbied voor wat ik doormaakte, de ernst relativeerde. Hij was een filosoof, een levensgenieter die zich nooit enig genoegen ontzegde. Hij was al zo'n vijftien jaar weduwnaar, nadat een kleine operatie bij zijn vrouw in het plaatselijke ziekenhuis op een drama was uitgelopen. Hij had geen kinderen. Zijn avonden bracht hij met vrouwen door. Die vond hij in de bar van het grootste hotel in de stad, het Meridiaan, waar elke avond tamelijk achtenswaardige studentes zakenmannen hun gezelschap aanbieden. Ze verbeteren zo hun omstandigheden, die er maar niet op vooruit willen gaan door de schuld van de roofdieren die de landseconomie aderlaten en die vaak juist hun klanten zijn.

'Ondanks alle hindernissen is de visserij op koningskrabben een bedrijfstak die het investeren waard is', besloot hij. 'Denk er eens over na nu je wat geld achter de hand hebt. Als je het op de bank laat staan, smelt het weg als sneeuw in de zomer.'

'Maar ik weet er helemaal niets van, Boris.'

'Ik weet er genoeg van om jou advies te kunnen geven. Het is geen onuitputtelijke bron, maar er ligt een gunstige tijd voor ons. En degenen die over onze rug mee zouden willen profiteren, die zal ik wel tot de orde weten te roepen.'

Hij sloeg een glaasje wodka achterover, daarna nam hij me mee naar het achterdek, een beetje uit de wind, alsof hij alleen de wind en de zee, nog steeds even donker en kalm, als getuigen wilde.

'Je hebt me een belangrijk blijk van vriendschap gegeven door mij, en mij alleen, een echt geheim toe te vertrouwen. Daar ben ik je oprecht dankbaar voor. Ik heb nooit betere vrienden gehad dan jou en onze betreurde Anton en je moet weten dat je als je in de visserij investeert nergens bang voor hoeft te zijn, ik waak over alles, je zult van niemand de dupe worden.'

Hij hield weer op met praten om diep adem te halen, een teken dat hij van onderwerp ging veranderen.

'Ik geloof niet in wrok, Pavel. Wrok is iemand die bezit van je neemt, die je toestaat je leven te delen, tegelijk met jou met je vrouw naar bed te gaan, dat is veel eer voor een man die je iets te verwijten hebt. Ik heb rancune altijd van me afgezet zoals je je ontdoet van ondergoed dat aan een huid blijft plakken die nat van het zweet is. Maar een poosje geleden is hier een man uit Moskou aangekomen om bij de Federale Veiligheidsdienst te gaan werken. Hij was er nog geen week of hij vroeg me om een ontmoeting onder vier ogen nadat hij inlichtingen over mij en mijn zogenaamde fortuintje had ingewonnen. Hij kwam alsof hij een handelsreiziger was die met stalen stof rondreist en hij was helder. "De privatisering van rijkdommen is niet op een billijke manier tot stand gekomen, Boris Vladimirovitsj", zei hij tegen me. "Jullie ondernemers, jullie profiteren al jaren, terwijl wij, die de staat al ruim zeventig jaar dienen, tot armoede zijn vervallen. Maar dat is nu afgelopen, u krijgt een nieuwe aandeelhouder op lange termijn. Ik stel een heffing in van 10% op uw omzet. Als u niet meewerkt, zult u steeds meer problemen krijgen: van kleine moeilijkheden met betrekking tot de zeewaardigheid van uw schepen tot beschuldigingen van spionage, en dan heb ik het nog niet over fiscale controles zodat u geen roebel meer overhoudt en wij het bedrijf ten slotte als partij schroot overnemen. In de streek wordt over u gesproken als de reder die het minst bereid is om mee te werken. Het Rusland van nu, snapt u, is als het Amerika aan het eind van de negentiende eeuw, zonder het Indianenprobleem, maar met een oude groep dienaren van het land die begrepen hebben dat, wilden ze hun belangen verdedigen, ze daarbij niet hoefden te rekenen op de nieuwe rijken." Tot dat moment, snap je, werd ik niet warm of koud van dit gesprek, een gewone zakelijke gedachtewisseling met een lid van de politieke politie die uit een lange slaap gewekt was door onze nieuwe president die hun beloofd had dat de dingen gingen veranderen. Dus, snap je, ik maakte me op om de zaak heel rustig te bespreken. Tien procent van de omzet, dat was natuurlijk veel te veel, maar ik dacht dat hij hoog inzette om uiteindelijk bij iets redelijks uit te komen, wat eigenlijk al het geval was, want een percentage van de omzet, dat is al een risico nemen, terwijl hij ermee had kunnen volstaan een vast bedrag te eisen waaraan niet te tornen viel, hoe de economische omstandigheden ook waren. Kortom, je zult je verbazen, het bracht me bijna in een goed humeur, ik was opgelucht dat er duidelijke regels werden gesteld en dat hij de afpersing in zekere zin stroomlijnde, terwijl je tot dan toe nu eens de een, dan weer de ander iets moest geven, en dat was allemaal niet zo goed op elkaar afgestemd. En toen hij vervolgens, terwijl ik er al van overtuigd was mee te werken, bij het hoofdstuk dwangmaatregelen kwam, wilde hij het toch nog even tot in de bijzonderheden hebben over de straf die me in geval van weigering te wachten stond: zes tot zeven jaar goelag in het uiterste oosten van Siberië, maar wel een wat bijzondere goelag in de buurt van een uraniummijn die binnen vijf jaar in het hele lichaam uitgezaaide kanker garandeerde. Toen ik het woord goelag hoorde, gebeurde er iets wat ik nog nooit meegemaakt had, Pavel, mijn beide hersenhelften maakten zich los van elkaar. Ik lachte hem met een brede glimlach toe, haalde sigaren en Russki Standard onder mijn bureau vandaan. Hij had niet de kop van iemand die snel sociaal gedrag aan te leren was, eerder die van een maki die tevoorschijn was gekropen uit de koelcellen van de Federale Veiligheidsdienst, waarin het diepgevroren sperma werd bewaard van de beste staffunctionarissen van de Tsjeka, de GPOe en de KGB. Intussen herinnerde mijn andere hersenhelft zich dat ik onder het oude regime nooit ook maar enige moed had getoond, dat ik me er nooit tegen had gekeerd, dat ik geleefd had zoals wij allemaal, muisstil, laf onderworpen, het weinige reddend dat er te redden viel. En die andere hersenhelft dacht, zonder dat die me echt een duidelijke boodschap stuurde: Hé, het begint weer! We dronken onze wodka op, althans ik leegde mijn glas, want hij dompelde zijn lippen nauwelijks in het zijne, en ik zei terwijl ik hem recht in zijn ogen keek: "Meneer S., ik geloof dat we het over alles eens zijn en omdat we vanaf nu partners zijn, vind ik dat u een heel klein beetje van het vak moet weten. Morgenochtend neem ik u mee ter visvangst en om u mijn goede wil te tonen, overhandig ik u dan een eerste geldbedrag." Hij scheen te aarzelen, ik vroeg me af of hij misschien last had van zeeziekte, maar ik denk dat het eerder gebrek aan belangstelling voor de visserij was. Die man liep over van vijandigheid en wraakzucht, waar zijn hele geest duidelijk van doortrokken was en ik voelde wel dat hij niets van dat reisje moest hebben. Ik gooide nog wat olie op het vuur door hem erop te wijzen dat het bedrag dat hij eiste een deksels hoog percentage was en dat hij zich, nu we tot afspraken waren gekomen, ook als een echte partner moest opstellen, al was het maar om ethische redenen. Zoals ik het zag waren we deelgenoten en zijn rol voor mij was wat rust te brengen in mijn betrekkingen met alle plaatselijke en landelijke overheden. Deze taak kon hij niet volbrengen zonder enige kennis te hebben van de onderneming waarvan hij nu deel uitmaakte. Hij bleef wantrouwend ten opzichte van de manier waarop ik onze relatie invulde, hem het idee gaf dat hij iets voorstelde, de smerige kant verdoezelde, bovendien voelde ik dat hij langzaam onder de bekoring raakte van het zakenkostuum op maat dat ik hem aanbood. Toch denk ik dat hij diep in zijn door vijfentwintig jaar werken bij de geheime dienst verkalkte bureaucratenhersens slechts door één gedachte werd beheerst voor het geval dat hij met mij de zee op zou gaan: hoe kon hij aan de hand van de cijfers controleren hoeveel krab er was opgevist, op welke manier kon hij zich een reëel beeld vormen van het aantal tonnen en zo de afgeperste bedragen optimaliseren. De volgende dag stapte hij onopvallend aan boord in gemakkelijke kleding, zoals een Noorse toerist eruit had kunnen zien. Ik durfde erom te wedden dat die vent nog maar net zonder gezin bij ons was aangekomen. Als hij wel een gezin had, was dat nog niet klaar om hem naar de poolcirkel te volgen. Maar als ik zijn kop zag, dacht ik dat hij evengoed een leuk gezin kon hebben dat natuurlijk niets liever wilde dan verlost te zijn van een autoritaire man die er waarschijnlijk zonder reden op los sloeg. Het was een soort voorgevoel, maar ik had hem door en op zulke momenten maak je onbewust een afspraak met jezelf. Tot we op volle zee waren verliep de reis goed, we spraken nauwelijks, want we hadden elkaar sinds de vorige dag al niets meer te zeggen. Op de Barentszzee aangekomen begon het schip wat te deinen en te slingeren. Hij verbleekte, zijn wangen werden spierwit en ik had het gevoel alsof hij in elkaar kromp. Ik nodigde hem uit mee te komen naar het achterschip om te kijken hoe het net werd uitgezet en ik vroeg hem aan de kant te blijven om het werk niet te hinderen, en toen ...'

En toen barstte Boris in een lachen uit dat klonk als het lachen van de basbariton in een voorstelling van *Boris Goedonov*. De tranen liepen hem over de wangen en elke spier van zijn gezicht nam deel aan deze uitbundige vreugde. Ten slotte kreeg hij zijn indrukwekkende lichaam weer onder controle en vervolgde hij: 'Hij werd ontzettend zeeziek, hij kreeg de kleur van salpeter zoals je die onder aan door vocht aangetaste muren ziet, flesgroen. Hij wilde niet in het bijzijn van mijn beide mannen over de reling braken en hij verdween naar de wc in de kajuit. Ik ging hem op afstand achterna met een haaksteel die dient om in de war geraakte netten op te halen, een stalen staak met een haak aan het eind.'

Boris hield op om de lach diep uit zijn keel te onderdrukken die weer de overhand dreigde te krijgen. Hij hikte twee keer voor hij besloot: 'Toen dacht ik aan onze president en zijn vermaarde uitspraak: "Terroristen, die maken we koud tot op de plee." En ik dacht: Ik ben een medestander van de president. Toen hij zijn hoofd boven de closetpot ophief om weer op adem te komen, gaf ik hem een niet eens zo harde klap, precies op zijn achterhoofd. Om heel eerlijk te zijn vroeg ik me niet eens af of hij wel dood was. Ik trok hem aan zijn beide voeten mee zoals ik met een haai gedaan zou hebben. Hij was niet zwaar. Ik tilde hem op terwijl mijn beide mannen deden alsof ze niets zagen en gooide hem in zee, midden tussen de koningskrabben die niets van hem zullen hebben overgelaten, zelfs geen ingegroeide nagel. Het was een schimmige figuur, die vent, en ik denk dat hij voor eigen rekening werkte, want er is nooit iemand over wat dan ook navraag komen doen. Ik had de voorzorgsmaatregel genomen hem de ochtend dat we vertrokken op te halen, zodat ze zijn auto niet geparkeerd in de haven zouden aantreffen. Bij nader inzien vroeg ik me af of zijn collega's, die op bescheidener schaal redelijker tarieven hanteerden, elkaar niet doodeenvoudig hebben gelukgewenst met zijn spoorloze verdwijning.'

Voldaan zweeg Boris enkele ogenblikken om zijn longen weer vol te zuigen.

'Daarom, als je bij mij wilt investeren, de plaats is vrij, Pavel Sergejevitsj. Er zullen anderen komen, maar ... ik zal ze weten aan te pakken, in de hoop dat hun soort met het voorbijgaan van de maanden, de jaren ten slotte zal uitsterven als slachtoffer van het einde van een tijdperk. Denk erover na, er is geen haast bij, ik ben er echt van overtuigd dat een deel van je geld beter in schepen kan zitten dan dat je het op de bank laat staan. Denk er bovendien aan dat vooral buitenlanders mijn krabben kopen, dus er is altijd een manier om via hen elders wat geld voor onze oude dag weg te zetten, als we dit land zouden moeten verlaten om er niet meer terug te keren.'

Voor er een einde aan het rijk kwam, onderwees mijn vrouw Jekaterina vreemde talen aan een technologisch instituut van de staat dat opleidde tot beroepen op het gebied van de visserij, de scheepsbouw, conserveringstechnieken, diepvriezen, pekelen … De regering liet er een aantal studenten uit ontwikkelingslanden opleiden, voornamelijk uit Afrika en Azië. Een technische en politieke scholing in de hoop dat de pasbekeerden in hun eigen streken de blijde boodschap van het marxisme zouden gaan uitdragen en misschien ooit voor ons het bevel over vissersschepen zouden voeren. Jekaterina leerde toekomstige Russische 'zakenpartners' dus de beide internationale talen Engels en Frans, die vooral in West-Afrika belangrijk waren. Op die manier zagen de bewoners van onze stad, die nog nooit van hun leven mensen met een donkere huid hadden ontmoet, van de ene op de andere dag jonge Afrikanen rondlopen met uitpuilende ogen van de temperaturen beneden het vriespunt, in kleren die bestonden uit restanten uit de staatswinkels die gezien de Siberische kou totaal ongeschikt waren.

Jekaterina had ook mij gaandeweg wat Frans en Engels geleerd, voldoende om ervan te dromen ooit naar het Westen te trekken en die droom levend te houden gedurende de elf jaar die we nog samen beleefden voor de grenzen in theorie opengingen. Die kennis van twee vreemde talen maakte het ons mogelijk enkele boeken te lezen die in het geheim verspreid werden. Dat we ze tegen de wil van de autoriteiten in ons bezit hadden gaf ons het gevoel dat we ons verzetten tegen een systeem dat in een klein raamloos vertrek was uitgedacht door krankzinnigen die ons aan hun waanzin hadden onderworpen. Een van de dierbaarste was *Brieven uit Rusland* van Custine. Het had de felheid noch de toegevendheid van bepaalde eigentijdse pamfletten die geheel voorspelbaar waren, ook al deden ze ons goed. Het was het reisverslag van een Franse aristocraat die zich de ideeën van de Verlichting eigen had gemaakt en die, naar ik later hoorde, wist wat gebukt gaan onder totalitarisme betekende, want nadat zijn familie door jacobijnse revolutionairen was uitgeroeid, raakte hij vanwege zijn homoseksualiteit vervolgens in eigen kring in diskrediet. Hij waagde zich aan het eind van de eerste helft van de negentiende eeuw naar Rusland, onder Nicolaas I, een reis waarvan hij verslag deed in een dagboek. En met dat boek, dat verondersteld werd tsaristisch Rusland te beschrijven, had Custine zonder het zelf te weten de meest voorspellende tekst geschreven over de Sovjetunie waar ik drie jaar na de dood van Stalin geboren werd. Dus toen Boris het erover had om geld in het buitenland onder te brengen, schoot me deze zin te binnen die Custine aanhaalt nadat hij hem gehoord heeft van een Duitse reiziger die Rusland net verlaten heeft, terwijl hijzelf op het punt staat het land te betreden: 'Een land dat je met zo veel vreugde verlaat en waarheen je met zo veel ongenoegen terugkeert is een land dat niet deugt.' Dit boek van Custine gold voor alle Ruslanden. Zijn veroordeling dateert niet van de revolutie maar van ver daarvoor. Zijn censoren hadden er de meedogenloze beschrijving in gezien van een onuitroeibare landsaard, waarbij de ander altijd als een dreiging wordt gezien.

Ik had Boris niet op het Technisch Instituut voor de Visserij ontmoet, we kenden elkaar al vanaf onze vroege kindertijd. Toch was hij degene die me aan Jekaterina had voorgesteld, de enige van zijn jonge onderwijscollega's die hij niet had geprobeerd te verleiden. We spraken er nooit over maar ik meende te begrijpen dat haar persoonlijkheid hem angst inboezemde.

Ik vroeg me af of Boris inderdaad iets op zijn schip wilde uittesten of dat hij dat voorwendsel alleen maar had gebruikt om ons naar volle zee te voeren en me zijn misdaad op te biechten waarvan hij de last wilde delen. Ik wist niet wat ik tegen hem moest zeggen. De mededeling deed me totaal niets. Toen we open zee naderden, werden de golven hoger en even vond ik dat beangstigend. Er schoten me de volgende zinnen van Cioran te binnen: 'Heb je weleens naar de zee gekeken op de momenten dat ze zich verveelt? Dan lijkt het net of ze haar golven laat bewegen alsof ze een afkeer heeft van zichzelf. Ze jaagt ze weg met de bedoeling dat ze niet meer terugkeren.'

Boris verbrak mijn stilzwijgen niet, hij nam natuurlijk aan dat ik nadacht over zijn daad en dat ik aan het afwegen was hoe ik mijn reactie zou inkleden. Daar was echter geen sprake van. Om hem echter niet teleur te stellen, zei ik ten slotte glimlachend: 'Niets is heiliger dan het menselijk leven, goed dat je hem hebt gedood.'

Op de terugweg sneed Boris een tweede onderwerp aan dat hem na aan het hart lag. Het betrof zijn sparrenhouten hutje, een van rondhout gebouwd huisje dat helemaal alleen prijkte in het denkbeeldige midden van duizenden verlaten hectaren op het schiereiland K., een schiereiland van enkele honderden kilometers, in het noorden omspoeld door de Barentszzee, waar het enige spoor van beschaving bestaat uit een sloperij voor kernonderzeeërs van de noordelijke vloot en waar de reactoren worden opgeslagen als de romp eenmaal in stukken is gezaagd. Het sparrenhouten hutje van Boris lag daar ver vandaan, maar dankzij dat bedrijf liep er een weg, zodat die woeste uitgestrektheid bezaaid met honderden meren het hele jaar bereikbaar was. Daar gingen wij, Boris, Anton en ik, drie vrienden, naartoe om te vissen en te jagen, midden in een natuur die de beschaving de rug toekeerde, vertrouwenwekkend juist door de vijandigheid die ervan uitging: 's winters helse kou, temperaturen onder het vriespunt die tranen doen bevriezen en je het lachen doen vergaan. 's Zomers wil het daglicht maar niet verdwijnen, dringt het alle openingen binnen om van het leven één lange periode van slapeloosheid te maken. Boris had de hut gekocht van een man die daar permanent woonde. Vier wanden, vier slaapplaatsen, een grote houtkachel die de ruimte binnen een half uur verwarmde en die het mogelijk maakte elk stuk vlees of elke vis te roosteren, mits je aanvaardde dat je de stank de rest van de week tot op je huid meedroeg. In de sovjettijd was de verkoper een soort boswachter, jachtopziener, agent van de KGB belast met het houden van politiek toezicht op asgrijze zalmen, sneeuwhazen of kariboes die daar op verdachte wijze vrij rondliepen. Vervolgens kreeg Eugène, want zo heette hij, het aanbod zijn woning af te kopen, wat hij had gedaan tegen de prijs van een fles verschaalde wodka. Toen zat hij met het onderhoud van twee hutten en had hij het verstandig gevonden er een te verkopen. We waren er al vaak geweest om te jagen of te vissen, op die afgelegen plek waar zich maar weinig mensen waagden. Nadat Jeltsin de scepter in het Kremlin was gaan zwaaien, hield de betaling van onze salarissen, die toch al sporadisch plaatsvond, plotseling voor onbepaalde tijd helemaal op. We verruilden ons salaris voor vrijheid. Gezien de schaarste zetten we een flink deel van ons spaargeld om in vislijn, vishaken en geweerpatronen en wanneer het kon gingen we met z'n tweeën of alle drie vissen of jagen op groot wild. De hut die Boris later kocht diende die hele periode als koelcel, bewaakt door zijn eigenaar, Eugène, die voor deze dienst een percentage als vergoeding kreeg. We brachten uit de stad ook sterke drank voor hem mee. Hij ging tekeer als we wodka voor hem meebrachten, hij had liever Spirit, bij gebrek aan eau de cologne, dat te duur was. Toen we hem er opmerkzaam op maakten dat hij wat overdreef, daagde hij ons uit om voor elkaar te krijgen dat wij net zo lang zouden leven als hij van plan was te doen, 'de buitenkant van het lichaam geconserveerd door kou, de binnenkant door alcohol'. Nadat hij zijn visbedrijf had opgericht, besloot Boris van zijn eerste winst het sparrenhouten hutje te kopen, ook met het idee dat we er alle drie plezier van zouden hebben. Behalve het huis kocht Boris van de staat voor een handvol roebels tweehonderd hectaren grond en nam hij er twee sterke paarden mee naartoe die hij gedurende de poolwinter onderbracht in een aangebouwde schuur. Eugène verzorgde ze. 'Het paard ontvlucht de mens, de ruiter ontvlucht de mens eveneens. Zijn probleem is dat hij het paard ervan moet zien te overtuigen om in dezelfde richting te vluchten als hij.' Wanneer hij gezelschap had, praatte Eugène veel. Dronkenschap en de uitgestrekte vlakte met armzalige berken inspireerden hem: 'De mens die drinkt vlucht eveneens, alleen heeft hij niemand om ervan te overtuigen in dezelfde richting te vluchten als hij.' Als ik er alleen was, sprak ik hem af en toe even onder vier ogen. Hij had in zijn jonge jaren in Siberië gewoond en had lange tijd veel te maken gehad met de volkeren in het noorden, mensen op wie hij probeerde te lijken. 'Bij hen is de mens nederig, is hij slechts één met God en de natuur, zozeer dat ze met elkaar samenvallen. Met de Bijbel zijn ze ieder weer op hun plaats gezet, zo zijn we onze spiritualiteit kwijtgeraakt.' Toen hij dat zei, ging mijn blik in de richting van een lege fles die naast hem stond. Daarom voegde hij eraan toe: 'Als spiritualiteit verloren gaat, is dat voorgoed, je krijgt geen tweede kans.' Hij had het vaak over Tsjechov. Wat ze volgens hem gemeenschappelijk hadden, was dat ze alleen met vrouwen naar bed wilden die beroeps waren. Hij voegde eraan toe dat de grote toneelschrijver apart sliep van de vrouwen van wie hij hield. 'U ook?' vroeg ik een keer. 'Nee, ik heb nooit van ook maar één vrouw gehouden. Bovendien heb ik er het geld niet voor', antwoordde hij. Vervolgens stortte hij zijn hart bij me uit: 'Ik heb een regeling met een vrouw die hier niet ver vandaan woont. Nou ja, zaken met haar doen is niet altijd gemakkelijk, maar op het ogenblik verkeert ze niet in de positie om te onderhandelen. Het is een halve dag rijden met de slee.'

Alsof we afgeluisterd konden worden, begon hij vervolgens zachter te praten. 'Het is de bewaakster van de sloperij voor kernonderzeeërs. Ze klust wat bij. Ik weet niet of het door de straling komt, Pavel Sergejevitsj, maar die vrouw is meer levend dan Lenin dood is. Ze heeft een goed verwarmde dienstwoning, maar ze krijgt niet meer betaald. Er komt geen geld meer. Ze zijn al anderhalf jaar achter. Maar het is een verdomd eerlijke vrouw. Denkt u zich eens in, met al dat materiaal dat ze bewaakt zou ze miljonair kunnen zijn. Hou het voor u, maar al een aantal keren waren er mannen bij haar om haar om te praten. En dat zuig ik niet uit mijn duim. Eén keer was ik er ook net en kwamen er drie kerels aanzetten die haar bedreigden omdat ze niet wilde meewerken. Gelukkig ga ik nooit op stap zonder dat ik op de slee mijn geweer bij me heb en wanneer ik haar bezoek, neem ik het mee naar binnen, want een bevroren geweer, dat zult u wel weten, daar kun je niets mee. Dus toen ik terwijl we druk bezig waren die kerels hoorde schreeuwen, deed ik het raam open, stak de loop naar buiten en schoot in het donker zonder op iemand te mikken. Ik heb geen jachtgeweer met patronen, maar een geweer uit de oorlog. Ik denk dat het lawaai hen heeft doen besluiten te vertrekken en tot nu toe zijn ze niet teruggekomen. En denkt u dat ze bereid was me voor de bewezen dienst te matsen? Geen denken aan, Pavel Sergejevitsj. Alles wat ze wist te zeggen was: "Ik drijf handel met mijn lichaam om in mijn levensonderhoud te voorzien terwijl ik handel zou kunnen drijven in losse onderdelen, dus je denkt toch niet dat ik je korting ga geven?" Met een eerlijke vrouw valt niet te discussiëren. Maar nu zit ik in een machtspositie. Tot voor kort had ze een aantal fabrieksarbeiders als klant, maar omdat die ook niet meer betaald krijgen, ben ik belangrijk geworden. Ik ben nu de enige klant die in staat is haar iets anders te geven dan een embleem van de communistische jeugdbeweging. Niet alleen breng ik gerookt en af en toe ook vers vlees voor haar mee, maar bovendien maak ik het voor haar klaar.'

Op de terugweg naar de haven liet Boris me weten dat hij overwoog het sparrenhouten hutje aan mij te geven. Over geld wilde hij het niet hebben, het enige wat hij me vroeg was om, nu ik er het geld voor had, de paarden te verzorgen die hij niet weer wilde verkopen. Daarna spraken we over onze samenwerking.

Op 4 mei 1999 viel Jekaterina bij ons van de trap. Het schijnt dat ze haar voet verstuikte op de nieuwe schoenen met hoge hakken die ze even tevoren op de Leninweg had gekocht. Het schijnt een onbewuste verkeerde handeling geweest te zijn. De dag ervoor hadden we na een huwelijk van vierentwintig jaar besloten uit elkaar te gaan, het onze kinderen, familie en vrienden te vertellen om vervolgens de echtscheidingsprocedure in gang te zetten. Het idee was niet zomaar bij ons opgekomen. Het had zich geleidelijk, zonder gewelddadige scènes, ontwikkeld. Toch was onze verhouding al kort na ons huwelijk in het slop geraakt.

Aan onze gezamenlijke toekomst kwam een einde op de avond na de begrafenis van mijn moeder. Een stomdronken bestuurder in een auto zonder remmen en met gladde banden op een beijzelde weg had haar op een stoep in de hoofdstraat geschept alvorens tegen een lantaarnpaal tot stilstand te komen. Hij voerde uit wat Stalin besloten had niet te doen: een streep door haar eenvoudige leven halen. Ik had er veel verdriet van, veel meer dan ik verwacht had. Dezelfde avond haalden we haar spullen weg uit de gemeenschappelijke flat die ze sinds ik uit huis was deelde met een gezin van mensen die op de basis in V. aan de wal werkten. Ze had nooit bij ons in onze flat willen intrekken. Op elkaar gepropt zitten met vreemden vond ze minder erg dan met eigen familie, zei ze. Het belangrijkste van haar persoonlijke bezittingen bestond uit foto's van mijn vader. Het enige wat ze me als erfenis naliet was een naam die ze weer aangenomen had, die van haar vader voor hij hem veranderd had, en de mogelijkheid die naam tot de mijne te maken.

Jekaterina besefte al gauw hoe dat van belang kon zijn. Door op mijn beurt weer de achternaam Altman aan te nemen, opende ik voor ons de deuren naar Israël, hoewel ik maar voor een kwart, van grootvaderskant, Joods was. Na mijn moeder in de bevroren grond gestopt te hebben, keerden we te voet naar de flat terug in een decemberwind die ons geselde met striemende klapjes, zoals je die iemand geeft meer om hem te ergeren dan om hem pijn te doen.

'Nu je moeder dood is, kunnen we misschien emigreren', bromde Jekaterina met een stem die door de sjaal die haar gezicht beschermde gedempt klonk.

'Met welk uitreisvisum?'

'Dat hoef je maar aan te vragen. Ze laten Joden zo naar Israël vertrekken.'

'Wij zijn geen Joden.'

'Als je de naam van je moeder weer aanneemt, zal iedereen ons voor Joden houden.'

'En daarna?'

'Vragen we een uitreisvisum aan.'

'En weet je wat er dan gebeurt?'

'Nee.'

'Van de aanvragen voor emigratie maken ze twee stapels. De ene met verzoeken die ze inwilligen, de andere met verzoeken die ze afwijzen.'

'Nou en?'

'Nou, een afwijzing betekent niet dat ze ons dan vergeten. Het is niet zo dat ze volstaan met ons mee te delen: "Het spijt ons, het verzoek is afgewezen, bedankt, probeer het later nog eens." Het komt voor dat de aanvrager wordt gearresteerd, dat hij wordt ondervraagd en dat hij naar Siberië wordt gedeporteerd.'

'Ze vertelden me dat verzoeken van Joden om te emigreren alleen maar worden afgewezen als het mensen betreft die voor het land van strategisch belang zijn en die in het buitenland geheimen zouden kunnen verraden. Maar jij, een geschiedenisleraar, in welk opzicht vorm jij een bedreiging?'

'Geen idee. Wat ik echter wel weet, is dat het systeem niet volgens regels werkt. Ik denk aan regels van het soort: "Joodse wetenschappers moeten blijven, anderen: goede reis." Zo gaat het niet, dat staat haaks op de essentie van het systeem. En zodra ze er lucht van krijgen dat we niet helemaal Joods zijn of, ik zeg maar iets, Israeliërs begaan de stommiteit hen erop attent te maken, in dat geval sturen ze me rechtstreeks naar een kamp wegens verraad.'

'Dus je wilt geen verzoek indienen.'

'Ik ben het niet van plan.'

Jekaterina bleef vechten tegen de wind door haar ogen bijna helemaal dicht te knijpen. Op neutrale toon vervolgde ze: 'Ik weet zeker dat je jezelf houdt voor een belangrijk iemand, voor een echte intellectueel ten aanzien van wie het regime er belang bij heeft hem niet te laten vertrekken. Je denkt dat je een bedreiging vormt, dat is het, een bedreiging, terwijl je niets voorstelt, zelfs niet het begin van iets, je bent een vent van niks. Was je nou nog maar een groot wetenschapper geweest, dan was dat een troost geweest om hier te blijven. Joden worden in Rusland al eeuwen als een smet beschouwd. Maar nu je er één keer iets aan kunt hebben dat je Joods bent, ben je zelfs dat maar een beetje. Je bent een mislukkeling, Pavel, en daarbij ook nog een lafaard.'

Een paar uur later was ik bijna vergeten dat mijn moeder gestorven was. Het gesprek was gestopt. Ik wilde er niet meer aan denken. Vanaf die dag ging het tussen ons steeds slechter. Er zijn mensen die zeggen dat liefde net als vriendschap iets is wat lang nodig heeft om op te bouwen, maar slechts een seconde nodig heeft om kapotgemaakt te worden. Ik hield van Jekaterina vanaf de eerste dag en mijn liefde heeft er toch jaren over gedaan voor ze verwaterd was.

Een buurman trof haar bewusteloos onder aan de trap aan, zonder open wonden of blauwe plekken. De middag liep ten einde en weer thuis na het geven van mijn geschiedenisles, zocht ik in mijn kleine boekenkast naar *Het slot* van Kafka. Net op het moment dat er op de deur van de flat werd geklopt, moest ik weer denken aan de periode waar ik het al eerder over had, toen het onderwijs een plaats kreeg in de doelstellingen van het plan en de cijfers van leerlingen bewust opgeschroefd werden om de school in de statistieken als succesvol naar voren te laten komen. De herinnering aan deze paradijselijke periode voor luie leerlingen schoot me net op dat moment weer te binnen en ik bedacht dat het eigenlijk beter was om leerlingen die niets van de officiële geschiedenis onthielden hoge cijfers te geven dan om ze te verplichten een klas over te doen om te zorgen dat ze zich een verzinsel inprentten.

Toen ik haar op de grond zag liggen, was ik bang dat ze haar nek had gebroken en durfde ik haar niet zelf te verplaatsen. Het duurde een uur voor de ziekenauto arriveerde, terwijl het ziekenhuis op tien minuten afstand ligt. Er was een hele oploop om haar heen ontstaan, buren en mensen van buiten het gebouw die op de drukte waren afgekomen. We volstonden ermee een grote wollen deken over haar heen te leggen en de kring nieuwsgierigen groter te maken zodat ze lucht kon krijgen. Wanneer een lichaam het bewustzijn verliest, bekommert het zich niet meer om de lachwekkende houding waarin het komt te liggen. Zij lag in de foetushouding, wat vreemd was voor een vrouw die tegen de vijftig liep. Ze had heel goed dood kunnen zijn. De beide ziekenbroeders die ter plaatse verschenen hadden de koppen van verplegers in een psychiatrische inrichting. Ze tilden Jekaterina op om haar zonder enige voorzichtigheid op een draagbaar te leggen. Ik mocht niet meerijden in de ziekenauto en eenmaal in het ziekenhuis aangekomen, legden ze haar op een bed in de gang. Na ruim een kwartier kwam er een witte jas die te krap was voor zijn eigenaar met zijn handen in zijn zakken bij haar staan. Degene die hem droeg, haalde één hand eruit om haar ooglid op te tillen terwijl hij bromde: 'Gedronken?' Toen ik nee schudde wierp de witte jas me een blik toe alsof hij dacht van mij meer over haar te weten te zullen komen dan wanneer hij haar zou ausculteren, wat hij trouwens niet deed. Daarna stak hij zijn hand weer in zijn zak en liep nonchalant weg.

Een hele poos later kwamen twee verpleegsters haar halen. Ze rolden het bed op wieltjes weg, wierpen mij een boze blik toe alsof ik mijn vrouw geslagen had en beduidden me te blijven waar ik was. Een van hen kwam terug om me naar een ziekenzaal te brengen met tien bedden waarvan sommige door kamerschermen van grijze stof aan het oog werden onttrokken. Ze wees waar mijn vrouw lag en verdween weer. Na een uur kwam er een arts die me meedeelde dat ze ernstig schedelletsel had maar dat er geen wervels beschadigd waren, dat ze in een diep coma lag waaruit niet viel op te maken hoe ze daaruit zou ontwaken en nog minder wanneer. Recente richtlijnen van het ministerie van Gezondheid in Moskou riepen ziekenhuizen op om het verblijf van patiënten te beperken tot niet meer dan vier dagen, langer mochten ze zich niet om haar bekommeren en ze zouden haar aan mij toevertrouwen zodra ik haar gezondheidsboekje zou hebben gebracht. Ik vroeg de arts wat er zou gebeuren als ik dat niet deed. Hij toonde zich op z'n minst zorgelijk: 'Ik kan haar niet buiten de deur zetten, maar omdat we haar niet langer mogen houden, moet u beslist met dat document terugkomen. U hebt het recht niet om ons tegen de voorschriften te laten handelen door haar langer dan vier dagen in het ziekenhuis te houden. Ik heb de tekst gelezen, ik heb niet gezien welke straf erop staat, maar er staat vast straf op, waarom maak je zulke dwingende voorschriften anders?'

Ik kon het alleen maar beamen.

Vervolgens vertrok ik om mijn oudste jeugdvriend, Michail Petrovitsj Vlatin, te bellen. Michail is niet zomaar iemand. Hij is adjunct-chefarts van het Instituut voor Gerechtelijke Geneeskunde van alle Ruslanden. Michail is een trouwe vriend en op z'n minst een dekselse handlanger. We zaten bij elkaar in de lagere klassen en we gingen pas uiteen toen hij in Moskou geneeskunde ging studeren. We hebben altijd contact gehouden en in bepaalde recente omstandigheden waar ik nu niet verder op wil ingaan, is hij een waardevolle hulp voor me geweest. Toen ik hem belde, vertelde een van zijn jonge assistenten me dat hij bezig was met het verrichten van een lijkschouwing en dat hij zou zeggen dat ik gebeld had. Dat moet snel gegaan zijn, want vijf minuten later had ik Michail aan de lijn. Toen ik me verontschuldigde voor het feit dat ik hem onder zijn werk stoorde, herinnerde hij me eraan dat zijn patiënten nooit klaagden. Omdat ze niet meer dood konden zijn dan ze waren, was er nergens haast bij, behalve wanneer er druk werd uitgeoefend door machthebbers die altijd hopen doden te laten zeggen wat levenden niet willen horen. Men heeft in ons land grote eerbied voor wat doden zeggen, want ze spreken de officiële lezing nooit tegen. Ik vertelde hem over de termijn van vier dagen waaraan we geacht werden ons te houden en zonder me uit te spreken over de grove onbillijkheid van de maatregel, maakte ik hem erop opmerkzaam dat ik er heel erg mee zat om Jekaterina naar huis terug te halen, aangezien ik de kundigheid miste om haar te verzorgen. Hij stelde me gerust door me mee te delen dat hij zelf de ziekenhuisdirecteur zou bellen en hem dringend zou verzoeken zich om mijn vrouw te bekommeren. Ze ontwaakte uiteindelijk de vierde dag, alsof ze in haar diepe slaap lucht had gekregen van de nieuwe bepaling. Ze mocht blijven tot ze in staat was op te staan, er werd vastgesteld dat ze zich haar verleden volledig herinnerde maar dat ze, behalve dat ze moeite had haar evenwicht te bewaren, last had van eigenaardige emotionele stoornissen. Terug in de flat, waar onze dochter Anna en Jekaterina's moeder haar opwachtten, onthulde haar ziekte zijn ware aard, waarvan we vervolgens de bevestiging kregen van een neurochirurg uit Sint-Petersburg die op doortocht in ons ziekenhuis was. Jekaterina was inderdaad haar geheugen niet kwijt. Ze herinnerde zich precies alle gebeurtenissen van voor haar val. Maar dat geheugen werd niet meer bijgevuld. Een nieuwe herinnering kon ze niet langer dan gemiddeld een kwartier onthouden. Was deze termijn voorbij, dan verdween hij als herfstnevel die door de zon verjaagd wordt. Er wordt weleens gezegd dat aangezien het geheugen gedwongen is voortdurend dingen op te slaan, het alleen maar gebeurtenissen onthoudt waarbij emoties meespelen. Jekaterina vertoonde geen enkele emotie meer, behalve dat ze af en toe gebukt ging onder haar toestand, wat zich dan uitte in tranen zonder verdriet. Alleen de herinnering aan onze beslissing uit elkaar te gaan, weigerde aan de oppervlakte te komen. Gedurende deze hele periode belde Michail me geregeld om te informeren hoe het met haar ging en om me te helpen inzicht te krijgen in haar ziekte. De hippocampus, de plaats in de hersenen waar het geheugen zetelt, was beschadigd. Mijn vriend dacht echter dat haar toestand in de loop van maanden zou verbeteren. In afwachting daarvan draaide Jekaterina kringetjes in haar eigen leven. Vóór ze aan de uitvoering van haar dagelijkse plannetjes toekwam, was ze het spoor alweer bijster. Als ze op een plek kwam waar ze voor haar hersenbeschadiging nooit geweest was, wist ze niet hoe ze er weer weg moest komen. Nieuwe ruimtes maakten van haar een slaapwandelaarster die in het donker rondtast om licht te vinden.

Toen ze een paar weken later voor het eerst weer probeerde alleen de deur uit te gaan, trof ik haar na een poosje onder aan de trap aan. Ze huilde. Ze wist waar ze was, maar had geen flauw idee meer van wat ze van plan was geweest. Ze was vergeten waarom ze op stap was gegaan, terwijl ze de trap was afgelopen, was de reden vervluchtigd. Dat gevoel van volstrekte onmacht ten aanzien van voornemens die ze ook meteen weer vergeten was, dreef haar tot wanhoop, en op zulke momenten zag je haar snikken als een kind. Na deze jammerlijke poging ging ze nooit meer alleen de deur uit, sloot ze zich op in de flat en keek televisie. Soms herlas ze boeken die ze mooi had gevonden. Aan nieuwe beginnen had geen zin. Zodra ze ze gelezen had, was alles weer weg. Haar moeder hield haar in de flat gezelschap, sloot zich bij haar aan in het laten voorbijgaan van de lange, zinloze dagen. Het heden verloor elke bekoring, want ze bewaarde geen enkele herinnering aan de genoegens van de dingen. Wat een bezoeker trof, was haar blik. De rusteloze blik van een blinde.

Door ons zijn sparrenhouten hutje en zijn twee paarden aan te bieden, dacht Boris het isolement van Jekaterina te doorbreken en het haar mogelijk te maken in haar eentje de uitgestrekte omgeving te verkennen. Hij herinnerde zich dat Jekaterina vaak over paarden sprak en over haar wens er ooit een te bezitten en te berijden. Een behoefte aan vrijheid, ongetwijfeld, maar vooral een verlangen om tot iets in staat te zijn. Met die paarden deed Boris op dat moment meer dan een droom verwezenlijken, hij bood haar geheugen een hulpkracht aan. Van nu af aan kon ze op mooie dagen, en als ze dat wilde ook 's winters, alleen paardrijden, tochten door de brede, woeste dalen van het schiereiland K. maken, welke kant ook op, zonder bang te hoeven zijn ooit te verdwalen. Een paard vindt altijd de weg naar de stal terug.

Toen we in het aardedonker van boord stapten, had ik haar dit nieuws het liefst zo gauw mogelijk overgebracht, maar waar was het goed voor, ze zou het meteen weer vergeten zijn. Ik moest wachten met haar mee te nemen tot de sneeuw voldoende gesmolten zou zijn, zodat de paarden niet hoefden te zwoegen en er op de ene dag een nieuwe zou volgen. Dan zou ze op een horizon af kunnen rijden en er niet meer aan hoeven te denken dat ze alles vergat.

De moeder van Jekaterina was een standvastige vrouw. Al jaren weduwe van een onderwijzer, was ze zelf onderwijzeres geweest, maar verder was haar leven een raadsel. Ze gaf nooit enig blijk van zorgen of verlangens en berustte erin dat de dingen kwamen zoals ze kwamen. Ze was haar enige dochter onvoorwaardelijk toegewijd, ondanks het feit dat ze jarenlang niet op hetzelfde spoor hadden gezeten, en de taak die ze zich oplegde haar dagen met haar door te brengen, vormde voor haar geen enkel probleem. Ze was er en ze was er niet, want ze had altijd hetzelfde humeur, en ze maakte de dingen niet dramatischer dan ze waren, maar ook zonder ooit van een opwekkend optimisme blijk te geven. We hadden nooit echt met elkaar gesproken. Ze was niet spraakzaam. Wanneer er woorden klonken, gaf zij voorkeur aan de stiltes ertussen. Ze bracht geen onderscheid in het belang van gebeurtenissen aan, alsof alle momenten van ons leven hetzelfde waren, een geruststellende gelijkheid die voor haar de chaos en vooral het onvoorziene op een afstand hielden. Ze was lid van de communistische partij geweest, maar maakte nooit enige opmerking over de stormachtige ontwikkelingen van de afgelopen tien jaar. Ze had zich er alleen maar op toegelegd in niets te veranderen en vond in het verschoond blijven van dagelijkse zorgen – want die had het nieuwe regime gelukkig voor ons weggenomen – een benijdenswaardige bron van evenwicht. Ik veronderstel dat ze diep in zichzelf dacht dat we in een overgangsfase zaten voor een terugkeer naar het communisme van haar jeugd, dat van de jaren vijftig en zestig. Als jong actievoerster had zij het einde van het Stalintijdperk meegemaakt. Uit de willekeur in deze periode had zij naar het scheen geen enkele politieke lering getrokken. Natuurlijk, er werd massaal gemoord. Natuurlijk, men had om verkeerde redenen gemoord en vervolgens helemaal zonder reden gemoord. Maar dat bewees niets. Onze gesprekken duurden altijd maar even. Zonder dat het tot kwetsende woorden kwam. Het was onmogelijk haar van iets te overtuigen wat voor haar verstarde geest nieuw was. Als de mensheid het zo lang uithoudt, zal over enkele miljoenen jaren een studie van de resten van deze 'homo sovieticus' gemaakt worden om achter het geheim ervan te komen. Ik vroeg me af of de handicap van haar dochter niet aan haar rust bijdroeg. De klok van de tijd was natuurlijk tien jaar te laat blijven stilstaan, maar ik merkte dat ze blij was met dat wegvallen van de toekomst, wat voor haar alle dagen hetzelfde maakt, zonder iets in het verschiet.

Ze sloeg zonder belangstelling of afkeuring het westerse gedrag van haar kleindochter gade, die precies het tegenovergestelde was. Anna was vulkanisch, opgeruimd, af en toe warhoofdig, levendig, hield van vluchtige principes zonder zich eraan te houden en had de afkeer van het verleden van haar generatie die er, voorzover mogelijk, geen woord meer over wilde horen. Ze was journaliste bij een televisiezender die eigendom was van een Moskouse oligarch die dat als activiteit erbij deed. Hij betaalde de salarissen op tijd en hij gaf geen politieke richtlijnen. Er werd gezegd dat de nieuwe president van Rusland hem in het oog hield, zoals hij deed met alle mannen die in een paar jaar tijd grote vermogens hadden opgebouwd. Er deden allerlei geruchten de ronde over sluiting van de zender of de omvorming ervan tot een commerciële zender waarbij het geven van informatie tot een strikt minimum zou worden beperkt. Maar de hoofdredactrice, een dappere vrouw van nog geen veertig, sprak dat tegen. Ze kon gewoon niet geloven dat de vrijheden in het land zouden worden teruggeschroefd, had ze Anna laten weten. Ze had haar een maand geleden een uitzending toevertrouwd, een wekelijkse rubriek over vrijetijdsbesteding in de regio. Anna was aan haar derde aflevering toe en had in de stad inmiddels enige bekendheid gekregen, waar ze verstandig gebruik van maakte. Je zag haar rondlopen op de plek waar haar onderwerpen over gingen, een sprankelende verschijning met haar rode haar en haar spijkerbroek laag op de heupen zodat je haar navel kon zien. De uitzending liep goed en bood mogelijkheden om grote advertenties te verkopen. Ze deelde een flat in de hoofdstraat met drie andere journalisten van haar leeftijd, van wie er een misschien meer dan dat voor haar was, maar ze wilde me geen kennis met hem laten maken, waarschijnlijk omdat ze bang was voor mijn oordeel.

Anna kwam een paar avonden per week bij ons op bezoek. Ze leek altijd heen en weer te worden geslingerd tussen haar dochterlijke plicht en een dringende behoefte terug te keren naar de kringen waarin ze zich thuis voelde, een nieuwe wereld waar oppervlakkigheid het mogelijk maakte het noodlot te bezweren.

Ze ging eronder gebukt haar moeder te zien terugvallen waardoor die onwillekeurig afhankelijker werd van haar grootmoeder. De gevoelens van Anna kon je alleen maar afleiden uit haar ademhaling. Snel, bijna hijgend om haar woede te verbergen, of traag en diep van verveling. Met een schuldbewuste uitdrukking verliet ze de flat weer. Haar gevoel van onbehagen opmerkend, had ik haar zelfs voorgesteld haar bezoekjes te beperken. Ik begreep wat het haar deed, te zien hoe het leven ons een pak slaag gaf. Ze had gewoon de leeftijd niet om al met ellende geconfronteerd te worden en ik nam het mezelf kwalijk haar vlucht in de weg te staan. Tussen haar moeder en mij was er ook niet het soort liefde dat zulke drama's draaglijk maakt. Mijn plicht om te helpen klonk me voor onbepaalde tijd aan haar vast. Deze veroordeling was waarschijnlijk van mijn gezicht af te lezen, ook al deed ik er luchtig over om haar minder zwaar te maken. Anna wist dat we vóór het ongeluk hadden besloten uit elkaar te gaan. Het schouwspel van ons gedwongen samenwonen maakte haar diep bedroefd.

We wisten allebei dat de toestand van haar moeder haar voor een nog vreselijker drama behoedde. Zonder dat ze het wist, ploegde Jekaterina elke dag een mijnenveld om door ons te vragen hoe het met Vania, onze zoon, ging. We antwoordden haar dat hij in Sint-Petersburg was en dat hij waarschijnlijk binnen een maand hier zou zijn om zijn vakantie door te brengen. Ze vergat het antwoord en stelde de vraag dezelfde dag nog zo'n tien keer.

Anna en ik waren in alles hetzelfde, behalve dat zij de eigenschap van haar moeder had dat ze altijd meteen tot actie wilde overgaan. Ik was droefgeestiger, meer een binnenvetter en ik vond alleen in de uitgestrekte natuur een oerkracht terug die vrijkwam zodra ik geen mensen meer om me heen had. Ik had de heerschappij van de rode onmens niet meegemaakt, maar de vreselijke angst die mijn ouders gedurende die periode gekend hadden, die pas vier jaar voor mijn geboorte geëindigd was, was bij mij naar binnen geslagen als een rouw ver achteraf.

Afgezien van de momenten die ik met Boris en Anton doorbracht, voelde ik me alleen nog het best. Vooral alleen met jezelf in de vrije natuur vergeet je ten slotte de tijd, geef je ten slotte toe aan de oppervlakkigheid die je je ten aanzien van zeer gewichtige zaken niet kunt veroorloven. De dagen rijgen zich zo aangenamer aaneen dan wanneer de nabijheid van anderen je steeds je eigen spiegelbeeld voorhoudt. Je bestaat in hun blikken, terwijl alleen de spiegel die wordt gevormd door de natuur dankzij een overmaat aan toegeeflijkheid niets weerkaatst van wat we werkelijk zijn. De natuur is vergevingsgezind jegens mensen zoals ik, zij staat hun toe te verwaaien in de wind, tot hun ware afmetingen terug te keren. Ik behoor tot het soort mensen dat vroeg opstaat zonder zin te hebben in het leven maar met nog minder zin om dood te gaan. Al heb ik zwaar onder het leven te lijden gehad, ik zet het zonder geestdrift of bitterheid voort.

Ik vroeg me af of Boris toen hij me zijn sparrenhouten hutje aanbood niet meer iets voor mij had willen doen dan voor Jekaterina. Zij vormde de aanleiding tot zijn edelmoedigheid, maar via deze vriendschappelijke daad gaf hij mij de mogelijkheid me uit de wereld terug te trekken als een oude starets, zo'n orthodoxe monnik die de betekenis van zijn geloof vindt in het kluizenaarschap.

Die avond leek Anna opgewekt. Ze had zich de kamer van haar moeder binnen gehaast waar zij en de baboesjka naar haar dagelijkse uitzending op de televisie zaten te kijken. Geboeid door haar verschijning op het scherm, lieten de beide vrouwen de begroeting niet lang duren. Dus kwam Anna weer bij mij. Ze liet zich in een leunstoel vallen waarvan de fluwelen bekleding versleten was en slaakte een zucht van genoegen. Voor ik haar het nieuws liet vertellen dat haar blij maakte, deelde ik haar mee welk nieuws mijn dag in de war had gestuurd.

'We hebben vanochtend het geld, het eigendomsbewijs van het huis en de pensioenregeling voor mijn uittreding uit het onderwijs ontvangen.'

Haar gezicht betrok.

'Daarmee wordt er een punt achter gezet. Wat vragen ze in ruil ervoor?'

'Ze verbieden ons er met wie dan ook over te praten en vragen ons te verhuizen naar een flat in Sint-Petersburg die voor ons betaald wordt.'

'En ben je van plan daarheen te verhuizen?'

'Nee.'

'Maar wat dan?'

'Dan niets, we blijven hier wonen en zolang ze niet moeilijk doen laat ik die flat leegstaan.'

Ik zag dat ze nu helemaal somber werd.

'Wat zit je dwars, Anna?'

'Je hebt het over een verbod om met de buitenwereld over dat onderwerp te spreken, dat is een probleem voor me.'

'Maar voorzover ik weet hebben die verplichtingen geen betrekking op jou. Ze gelden alleen voor je moeder en mij, wij zijn de enigen die van hun "gulle giften" profiteren.'

'Ben je daar zeker van?'

'Beslist. Ik weet dat in dit land alles mogelijk is, maar jij valt niet onder hun beperkingen. Maar goed, waar was je toen je net binnenkwam zo blij over?'

'Iets wat met dit alles verband houdt. Een Franse journalist belde de redactie van de zender. Hij zoekt een correspondente die Frans of Engels spreekt en die in staat is hem wegwijs te maken en hem te vergezellen tijdens een onderzoek van drie dagen …'

'En betaalt hij goed?'

'Honderdvijftig dollar per dag.'

'Dat is enorm. Maar ga je het ook doen?'

'Jazeker, beroepshalve en voor het geld. Honderdvijftig dollar, denk je eens in, daarnaast vergoedt hij ook alle kosten. Maar zelf zie ik er tegenop om alles weer op te rakelen.'

'Doe dat toch niet, in deze maatschappij kun je met alles geld verdienen, zelfs met je eigen ellende. Maar wat zoekt die journalist eigenlijk en wat wil hij ermee doen?'

'Wat wil je dat hij zoekt, behalve de waarheid?'

'De waarheid? Denk je dat hij, als hij hier drie dagen komt, de waarheid zal ontdekken terwijl duizenden mensen hun krachten hebben gebundeld om die voor ons verborgen te houden? Je bent toch niet van plan hem te vertellen dat wij de enigen zijn die de waarheid kennen, hoop ik?'

'Nee, van mij zal hij niets te horen krijgen, nooit. Híj is de onderzoeker. Ik hoef niet met resultaat te komen. Ik zal hem behulpzaam zijn bij het leggen van contacten, dat is alles.'

'Nou, doe het dan, het is goed geld en je verkwanselt je principes niet. Wanneer komt hij?'

'Over drie dagen. Wil je me helpen als ik je nodig heb om te vertalen?'

'Natuurlijk, maar je moeder zou het vast beter kunnen en ze is ook nog eens ideaal waar het gaat om de geheimhouding, ze is elk woord binnen een kwartier vergeten.'

'Dat is niet grappig.'

'Je hebt gelijk, neem me niet kwalijk. Ik wil je best helpen, ik heb toch niets meer te doen. Ik moet je ook nog vertellen dat Boris me zijn sparrenhouten hutje en zijn twee paarden heeft aangeboden. In het voorjaar ga ik proberen je moeder te leren paardrijden zodat ze uit deze gevangenis weg kan en af en toe in ieder geval iets zelf kan doen. Ik ga ook geld in het bedrijf van Boris stoppen.'

Anna bleef die avond eten, iets wat ze al weken niet gedaan had, en ik ben zelfs een fles Moldavische wijn gaan kopen. Toen de avond ten einde liep, althans de onze, nam ze afscheid van ons om haar leeftijdgenoten weer op te zoeken. Ik voelde bijna zoiets als afgunst en ik raakte dat gevoel pas weer kwijt toen droefheid het ongevraagd van zijn plaats verdrong.

DE VOLGENDE DAG dronk ik eerst mijn koffie met Jekaterina. Ze beweerde dat er in onze kleine boekenkast, ze wist het nog precies, een boek van de Franse schrijver Julien Gracq stond, dat een vertaler zo'n tien jaar eerder voor haar had meegebracht. De titel luidde *Un balcon en forêt*. Ze wilde het herlezen vanwege de muzikaliteit van de woorden. Ik had dat boek nooit gezien. We hadden er niet genoeg om ze niet allemaal te kennen, maar dit boek zei me niets. Ik maakte me er ongerust over, vreesde dat haar herinneringen nu ook begonnen te slijten. Ik beloofde de flat ondersteboven te zullen keren. Toen grootmoeder arriveerde, als een dienstmeisje dat van zichzelf geen minuut te laat mocht komen, vertrokken beide vrouwen naar de slaapkamer en ik bleef alleen achter, ten volle genietend van mijn nietsdoen. Opeens kwam ik spontaan op het idee om Alexandra Alexandrovna een bezoekje te brengen, maar het was nog wat vroeg om bij een vrouw aan te kloppen. Ik ging voor het raam staan met de nieuwsgierigheid van een bejaarde, tuurde onderzoekend de omgeving af om te zien of ik ergens ongewone drukte zag. Niets bijzonders, de nacht gaf nog steeds niets toe aan de dag. Ik luisterde dus eerst nog wat muziek en klopte toen bij Alexandra Alexandrovna aan.

Ze droeg een peignoir en het maakte haar verlegen in die kleding overvallen te worden. Kiesheidshalve trok ze haar ceintuur strakker, waarbij ze onbedoeld haar boezem omhoog duwde. Haar verwarde haar gaf haar een jeugdiger voorkomen.

'Ik ben bang dat ik u stoor, Alexandra Alexandrovna, als u wilt, kan ik later wel terugkomen.'

'Welnee!' sprak ze ontkennend en met een brede glimlach gebaarde ze me binnen te treden.

Ik ging haar flat binnen alsof ik een kerk voor het eerst betrad, voortgedreven door een mengeling van nieuwsgierigheid en angst. Ze liet me plaatsnemen in de woonkamer, die niet erg groot was, terwijl ze koffie ging opwarmen. De inrichting was ouderwets. Het leek net of de tijd was blijven stilstaan. De meubels waren in Brezjnev-stijl en gemaakt van spaanplaat. Op een ervan stond een rij portretten van haar man. Je zag hem steeds afgebeeld met een officierspet van de marine. Verwarrend detail: ze had intussen de leeftijd om zijn moeder te kunnen zijn. Ze keerde terug uit haar keuken met koffie en een opgewekte uitdrukking.

'Bent u gekomen om me te vertellen dat u een oplossing voor het wc-probleem hebt of om een praatje met me te maken?'

'Als het om allebei die redenen was, is dat dan niet te veel voor een eerste dag?'

'Ik denk het niet', zei ze terwijl ze met een kinderlijke glimlach ging zitten.

Vervolgens zwegen we een poos, alsof we wachtten met praten tot de koffie afgekoeld was.

'Ik zal vandaag nog iemand laten komen voor het loodgietersprobleem en alle kosten zijn voor mijn rekening.'

'Dus het is zo ver, u bent rijk, Pavel Sergejevitsj.'

Haar blik dwaalde even af.

'Zijn er echt dingen aan het veranderen of gaat het om een uitzondering?'

'Ik ben eerder geneigd te denken dat het een uitzondering betreft, Alexandra.'

Er verscheen een spottend lachje op haar gezicht.

'Dat denk ik ook, in dit land verandert nooit iets. Ik zeg het niet om u ermee lastig te vallen, maar ik heb nog steeds mijn weduwepensioen niet ontvangen en ik wacht nu al drie maanden. Niets, geen roebel. Ik leef van de muzieklessen die ik kinderen van nieuwe rijken geef. Maar er zijn niet genoeg nieuwe rijken, of ze vinden muziekonderricht niet nodig voor hun kinderen, dus dat is nauwelijks voldoende om van rond te komen. Ik kan zelfs niet meer sparen, ik moet op mezelf bezuinigen. Ik doe niets wat me tot uitgeven dwingt, ik herlees steeds dezelfde boeken, ik luister naar dezelfde grammofoonplaten. Ik zet mezelf opzij. Maar ik beklaag me nergens meer over, ik heb trouwens ook niemand bij wie ik me zou kunnen beklagen. Ik wacht op betere tijden. Ik weet niet of die ooit zullen komen, toch wil ik mijn dromen niet opgeven. En eerlijk, Pavel, ik ben uit de grond van mijn hart blij voor jullie. Ik misgun het jullie niet en ik ben ook niet jaloers. Zulke gevoelens zijn onder deze omstandigheden misplaatst. Natuurlijk, ook ik zou het fijn gevonden hebben van mijn materiële zorgen verlost te zijn, ik wou dat ik van dit stuk van de wereld, dit Siberië van het Westen, weg mocht, want u weet dat ik niet van hier ben. Ik heb het u misschien nooit verteld in de tijd dat we de flat deelden. Ik moet zeggen dat het een bijzondere tijd was, je liet niet veel los, je wist niet met wie je van doen had. Ik heb mijn man in Sint-Petersburg leren kennen en we zijn hier naartoe gekomen vanwege zijn eerste aanstelling. En toen hij stierf, hebben ze me niet gevraagd erheen terug te keren. Ze hebben me gevraagd mijn flat in S. te verlaten onder het mom dat het een verboden stad was, dat ik er niets meer te zoeken had, en vervolgens hebben ze me hier ondergebracht, als een zak oud wasgoed, met een belachelijk weduwepensioen dat ze me niet eens kunnen betalen.'

'Als ik u vroeg hoe uw echtgenoot gestorven is, Alexandra, zou u me dat kwalijk nemen?'

Ze verstarde heel even, met de blik strak gericht op een portret van haar man, staande voor de bovenbouw van zijn onderzeeboot, en alsof ze ontwaakte, zei ze opeens: 'Welnee! Maar ik ken slechts de officiële lezing. Ze zaten niet ver hiervandaan op de Barentszzee. Ze keerden terug van een missie van drie maanden. Ze waren nog onder water toen er een explosie plaatsvond in de kernreactor. Er ontstond brand, maar ze wisten nog boven te komen. Tien zeelieden kwamen om bij de explosie en later stierven er nog zes als gevolg van straling. Zij die na de explosie nog in leven waren, werden vanuit een helikopter opgehesen. Maar er stond veel wind en omdat het winter was, was het zicht slecht. De zee was woelig. Terwijl ze mijn echtgenoot vanuit een helikopter ophesen, werd de reddingslijn door een windvlaag zo heftig in beweging gebracht dat hij eraf werd geschud. Volgens het rapport dat ik niet gelezen heb maar waarover ze me vertelden, maakte hij een val van drieëntwintig meter. Hij kwam terecht op de romp van de onderzeeboot. Omdat die rond was, gleed hij eraf en viel in zee. Het is ze niet gelukt zijn lichaam te bergen. Tijdens de begrafenisplechtigheid zei iemand van het ministerie of weet ik waarvandaan die nog nooit anders nat was geworden dan van de regen, letterlijk tegen me: "We hoeven nergens rouwig om te zijn, mevrouw, na zijn val was hij meteen dood, hij is niet verdronken en dus is hij gestorven zonder er weet van te hebben. Trouwens, hij was zo radioactief besmet dat, ook als de reddingslijn hem had opgehesen, hij een paar maanden later gekweld door afschuwelijke pijnen gestorven zou zijn." Ondanks mijn verdriet werd ik zo woedend dat ik schreeuwde: "Jullie kunnen helemaal geen onderzeeërs bouwen, het enige wat jullie kunnen bouwen zijn loden doodkisten." Meer weet ik er niet van, maar zoals ik u zei hebben ze vervolgens de officierengezinswoning die we hadden "ontruimd" en brachten ze me onder in uw gemeenschappelijke flat.'

Terwijl ze sprak, bekeek ik voor het eerst haar gezicht wat beter en ik vond haar werkelijk mooi. Ze was een beetje moe geworden van het vertellen van haar verhaal. Toch vervolgde ze: 'Ik vertel u dit alles graag, maar voel u niet verplicht om op uw beurt uw hart uit te storten. We hoeven immers niet tegen elkaar op te bieden. Bovendien liggen de zaken anders. Het is allemaal al zo lang geleden gebeurd. Ik heb gerouwd, de tijd die je nodig hebt om degenen die je liefhad te vergeten en jezelf ervan te overtuigen dat het allemaal niet waar kan zijn. Je moet je vastklampen aan kleine dagelijkse vreugden, zeggen ze, maar hoe krijg je dat voor elkaar als je nog geen honderd roebel hebt om uit te geven? Ik heb ook geen auto om de stad uit te gaan, dus zit ik opgesloten in deze garnizoenskazerne om ruim de helft van het jaar de nachten niet weer dag en de rest van de tijd de dagen niet weer nacht te zien worden. Soms neem ik het mijn overleden echtgenoot bijna kwalijk dat hij me in deze situatie heeft laten terechtkomen, dat hij niet in staat was me kinderen te schenken en me in de steek liet door "in het harnas te sterven". Als ik het kon overdoen, zou ik het zeker niet zo doen, ik zou zeggen: "Vassili, zoek maar een ander bij wie je over je uniform kunt zwijmelen en die je zeven maanden per jaar alleen kunt laten zitten terwijl de diepten van de zee je een grauwe huid bezorgen." Als ik kinderen had, had ik tenminste iets om voor te vechten, maar vechten voor je eigen armzalige leven, ik vraag me werkelijk af … Ik vraag me af hoe het kan dat mensen zo op zichzelf gericht zijn. Is dat bij u ook het geval, Pavel?'

'Ik heb het me ook weleens afgevraagd en omdat ik er nooit een bevestigend antwoord op heb kunnen geven, vermijd ik de vraag opnieuw te stellen.'

'Dan hebben we in ieder geval iets gemeen. Maar nu praat ik net als die jongeren die er alles aan doen om op elkaar te lijken.'

'Uiteindelijk zijn we onder het vergeelde omhulsel misschien geen haar veranderd.'

'Behalve dat ik me afvraag wat voor soort jongere wij geweest zijn, om in ganzenmars achter elkaar aan te lopen, ons nooit te verzetten, te leren anderen te wantrouwen, ons te schikken naar de duizendjarige wet van de oude mannen in dit land.'

'Weet u, Alexandra, ik heb vaak nagedacht over het Russische volk en over wat het uniek maakt in de wereld. Ik kwam tot de slotsom dat niemand ons vermogen heeft om ons voor te stellen wat we niet zijn. Wat we zijn, dat is een wantrouwig, haatdragend, heerszuchtig, bureaucratisch volk, dat geniet van zijn ongeluk en dat zelf zijn belangrijkste tegenstander is. En het gevolg van dat alles is dat het een uitzonderlijk vermogen heeft het ergste te verdragen gedurende perioden die elk voorstellingsvermogen te boven gaan. Neem bijvoorbeeld de laatste oorlog. Terwijl miljoenen Russen zich aan het front lieten doden, was de in het Kremlin huizende, vereerde menseneter bezig zijn eigen mensen te vermoorden alsof hij vreesde dat de oorlog hem in de schaduw zou stellen.'

'We zijn onverbeterlijk', voegde ze er glimlachend aan toe.

Toen het vervolgens leek of ze zich bewust werd van onze onmacht, ging ze op een ander onderwerp over: 'Hoe gaat het met Jekaterina Ivanovna? Ik ben helemaal in de war, ik had het u eerder moeten vragen …'

'Ze maakt het naar omstandigheden goed. Maar ik zie niet

veel vooruitgang. Een van mijn goede vrienden, die arts is, vertelde me dat dit soort stoornissen waarschijnlijk niet blijvend zijn.'

'Ze lijdt toch aan geheugenverlies, is het niet?'

'Ja, een vorm van gedeeltelijk geheugenverlies, dat bestaande herinneringen onaangetast laat, maar dat het niet mogelijk maakt een nieuwe gebeurtenis in haar geheugen op te slaan.'

'Ik heb het nooit aangedurfd bij haar op bezoek te gaan. Toen we nog in de gemeenschappelijke flat woonden, was onze relatie gespannen. Ze nam het me kwalijk dat ik het kon horen als jullie af en toe ruzie hadden. Ik wil niet zeggen dat ik meemaakte dat er geschreeuwd werd of zoiets, maar jullie hadden soms heel felle woordenwisselingen, ook al dempten jullie je toon. Heel eerlijk gezegd, het interesseerde me nooit ook maar iets, ik heb nooit de oren gespitst om te luisteren waar het over ging, maar ik had het kunnen doen en dat was volgens mij voldoende om bij haar een gevoel van wantrouwen jegens mij te doen ontstaan. Kort voor haar ongeluk overwoog ik haar eens op te zoeken en te proberen wat te praten, haar duidelijk te maken, ook al is het moeilijk zo'n onderwerp aan te snijden, dat ook ik niet gekozen had voor dat dicht op elkaar wonen dat me getuige liet zijn van de heibel die jullie privé hadden. Naar wat u me over haar ziekte vertelt, heeft het geen enkele zin nu bij haar op bezoek te gaan, want ze zal zich er niets van herinneren en bij haar vroegere vooroordeel blijven.'

'Ik ben bang dat u gelijk hebt.'

'Heeft ze er veel last van?'

'Ik denk het wel. Het ergste is dat ze heel erg in de war raakt wanneer ze merkt dat ze vergeten is wat ze besloten had te gaan doen. Ze heeft alle autonomie en toekomst verloren.'

Alexandra dook dieper weg in haar met goudgeel fluweel beklede leunstoel en trok nogmaals aan haar ceintuur. Zo, met het kledingstuk strak om zich heen, vervolgde ze: 'Het spijt me echt, Pavel, en ik vind het heel dapper van u dat u bij al die tragische gebeurtenissen overeind blijft.'

'Hebben we een keus?'

Daarna spraken we over koetjes en kalfjes. Ik vertelde over

het sparrenhouten hutje en de twee paarden die mijn vriend me onlangs aangeboden had. Ze luisterde verrukt naar me. Ik vroeg haar of ze het leuk zou vinden er een keer met mijn auto naartoe te gaan. Ze wilde meteen, om vervolgens haar woorden terug te nemen uit angst voor 'wat men ervan zou zeggen'.

'Als we gezien worden en de mensen praten erover zou dat veronderstellen dat ze contact met elkaar hebben', wierp ik tegen. 'In dit flatgebouw praten de mensen nooit met elkaar, ze ontlopen elkaar net als tijdens het vroegere regime, toen elk woord gewogen werd voor het uitgesproken werd. Bovendien, wat is het risico? Dat de roddels Jekaterina ter ore komen? Ze zal ze toch niet onthouden. Het is ook geen misbruik maken van haar toestand, want voor dat betreurenswaardige ongeluk hadden we al besloten uit elkaar te gaan.'

'Zelfs al waren de dingen duidelijk, zou u dan niet het gevoel hebben haar vertrouwen te beschamen, nu ze er zo op achteruitgegaan is?'

'Ze is er niet zo ver op achteruitgegaan dat ze haar haatgevoelens vergeten is. Haar respect voor mij is niet toegenomen en mijn respect voor haar is niet aan de orde.'

'Het gaat me niet aan, en het staat u vrij me al of niet antwoord te geven, maar wat had ze u nou te verwijten?'

Ik moest eerst weer even tot mezelf komen voor ik vervolgde: 'We zijn altijd geneigd onze daden en de situaties waarin we ons bevinden te rechtvaardigen. Maar soms bestaan dingen alleen maar uit een langdurig proces van afbrokkelen, een slijtage van de belangstelling die we voor de ander hebben en waar we niets aan kunnen doen. Maar als ik één oorzaak moest noemen, de aanleiding tot het sindsdien steeds slechter worden van onze relatie, even klein als een eencellig wezen in verhouding tot de Siberische mammoet die er later uit groeit, dan zou ik zeggen dat alles begon met iets wat volstrekt onbeduidend leek: mijn gebrek aan moed om te emigreren toen het nog kon. Maar het zou onjuist zijn dat als de enige oorzaak te beschouwen.'

Alexandra gaf nadenkend opnieuw een ruk aan haar ceintuur om die strakker te trekken, wat tot gevolg had dat ze haar borsten nog iets verder ontblootte en een al jaren sluimerend verlangen in mij wakker riep.

'Maar waarnaartoe emigreren?'

'Naar Israël.'

'Waarom, is Jekaterina Joods?'

'Welnee, helemaal niet, als je haar hoort is ze veeleer een groot-Russin. Het is een tamelijk lang verhaal. Ik zal het u vertellen als we elkaar weerzien, want we zien elkaar weer, nietwaar?'

Allebei voldaan gingen we uiteen na deze eerste ontmoeting, die op niets vooruitliep, behalve op wat minder eenzaamheid voor ieder. Maar ik bekeek haar al niet meer met dezelfde ogen. Je kijkt niet op dezelfde manier naar een in winterkleren weggedoken lijdzame buurvrouw als naar een vrouw met samenzweerderige blikken, in een peignoir die zo heerlijk om haar lichaam sloot dat mijn leven erdoor in een nieuw licht kwam te staan.

De volgende dag werd de poolcirkel getroffen door een koudegolf en daar konden alle gunstige invloeden van de Golfstroom niets tegen uitrichten. De thermometer gaf bijna vijfenveertig graden onder nul aan. Vanuit mijn raam sliep de stad de slaap van verdronkenen in ijskoud water. Bij maar weinig auto's lukte het starten. Toch ging ik naar de supermarkt, op zo'n honderd meter afstand van het flatgebouw. Ik keerde terug met boodschappen voor het eigen gezin, maar ook voor Alexandra. Ik had bedacht dat ze er niet op uit kon om haar muzieklessen te geven en dat deze periode, waarin ze het zonder die bron van inkomsten zou moeten stellen, weleens moeilijk voor haar kon worden, want de overheid betaalt pensioenen wanneer het koud is niet vlotter dan wanneer het mooi weer is. Ik was bang haar te kwetsen door haar levensmiddelen te geven alsof ik haar een aalmoes gaf, dus deed ik me voor als iemand die zichzelf voor de lunch uitnodigt, de etenswaren meebrengt en van plan is te gaan koken. Ze scheen niet echt verbaasd dat ik zo kort na onze vorige ontmoeting bij haar aanklopte. Ze leek blij me weer te zien. Ik had eraan gedacht een fles Russki Standard mee te nemen, wodka zonder uit aardolie gewonnen toevoegingen. Terwijl ik ossenwangen klaarmaakte, namen we er af en toe een slokje van. Ze zette muziek op, Björk, een IJslandse zangeres wier stem bij ons klimaat past. We dronken allebei meer dan we gewend waren. In tegenstelling tot Anna, die in opwinding verkeerde door het avontuur dat eraan kwam, voelde ik me schuldig. Terwijl ik het vuur onder de pannen regelde, probeerde ik me er stilletjes van te overtuigen dat ik alle recht had om me te laten gaan. Maar ik moest steeds weer denken aan de onbewuste verkeerde handeling, de val van Jekaterina, alsof ze me een boodschap had willen doorgeven, die ik maar niet kon ontcijferen. Het vervelendste was dat ik al voor er iets begonnen was de beperkingen van mijn relatie met Alexandra zag, vastgeklonken aan die vrouw zonder toekomst, de mijne, die zonder echt van me te houden een manier had gevonden om me eindeloos tot haar slaaf te maken. Maar Alexandra was totaal niet uit op zekerheid. Toen de maaltijd afgelopen was, bleven we in haar kleine woonkamer, waar ze ermee volstond de portretten van haar echtgenoot, de luitenant-ter-zee, onopvallend omgekeerd neer te leggen. Daarna ging alles snel alsof er een brand geblust moest worden. Ik kon me niet herinneren ooit zo in het lichaam van een vrouw weggezonken te zijn. Het ging bij allebei om dezelfde tomeloze levensdrift. We rolden van de canapé op het vaste tapijt dat als schuurpapier mijn gewrichten ontvelde, zoals de stoppels van mijn baard haar tere huid bewerkten. We waren stomverbaasd dat we leefden. Wanneer het dierlijke zo los komt, is dat om allerbeschaafdste liefdesverlangens te bevredigen. Toen de middag op zijn eind liep, vreesde ik de ledigheid van de verzadiging en de bijbehorende roes, maar hoewel het mijn trillende benen niet meer lukte me te dragen, raakte ik geenszins verstrikt in de netten van de vertwijfeling. We herinnerden ons een kort ogenblik dat we al een keer eerder samen de liefde hadden bedreven en ons gelach schalde door het gebouw. Ons leven had ineens een grotere intensiteit gekregen.

DE WEEK DAAROP steeg de temperatuur met zo'n dertig graden. De hemel maakte er gebruik van om zich te ontlasten en langzaam dwarrelde de sneeuw weer omlaag. Lichter geworden door deze nieuwe smetteloos witte laag zag de donzige stad er 's nachts nog opgewekter uit. Op een avond kwam Anna aanzetten met haar gezicht zoals dat stond op dagen dat alles tegenzat, wanneer haar kijk op de dingen in botsing kwam met de werkelijkheid van alledag. Ze was heel bezorgd, want bij de nationale televisie was alle aandacht gericht op een huiszoeking in de kantoren van haar grote baas in Moskou, de oligarch Alexander Davidovitsj. Een inval door gespierde politieagenten, in de media breed uitgemeten om te laten zien dat er sinds kort een nieuwe sterke man in het Kremlin huisde die had besloten de kaarten opnieuw te schudden. Anna was doodsbang dat met grote stappen de wereld van gisteren, de mijne, terug zou keren om tien jaar speels anarchisme uit te wissen.

'De president wil oligarchen alleen maar laten zien dat de macht van vandaag niet die van gisteren is en dat hij zich niet tevreden stelt met sullig toekijken bij het voor een habbekrats overdragen van rijkdommen aan hoge functionarissen van het oude regime, zoals Jeltsin deed. De mannen van de KGB hebben net tien jaar toegekeken hoe oligarchen zich verrijkten zoals een inboorling die in het hoge gras ligt stomverbaasd kijkt naar het voorbijrijden van de Trans-Siberië Express. Na dit nieuws gehoord te hebben, dacht ik: ze willen hun deel van de taart. Maar delen behoort niet tot onze cultuur. Ze zullen alles pakken, ze verjagen of ze een voor een vermoorden. Ze zullen zeker winnen, niet alleen omdat ze zelf macht hebben, maar omdat anderen, alle oligarchen die sinds de "perestrojka" de Russische economie ten eigen bate hebben geprivatiseerd, zo gewend zijn zonder strijd, alleen maar door middel van omkoping, te winnen, dat ze zich tegenover de nieuwe leider van het rijk geen moment staande zullen kunnen houden. Niet alleen heeft hij zelf macht, hij zal ook aansluiting zoeken bij de o zo fatsoenlijke burgerlui, mensen die bereid zijn alles te geloven, in het bijzonder in een opnieuw tot staatseigendom maken van de economie ten bate van het Russische volk, terwijl we op een dag zullen merken dat de werkelijkheid achter de schijn heel anders is, dat een nieuw soort roofdieren ermee heeft volstaan de huidige op te volgen. Jouw Davidovitsj en zijn vriendenschaar hebben de fout gemaakt te denken dat de president hun dankbaar zou zijn dat ze hem gebracht hebben waar hij nu zit. En hoe konden ze denken dat de uit zeventig jaar geheime dienst bestaande inktvis het geld eindeloos tussen zijn tentakels zou laten wegstromen? In het begin hadden ze geen andere keus. Wat kan een man van de KGB met een nationale onderneming, behalve hem voor eentiende van de waarde verpatsen? Nu oligarchen de economie structuur hebben gegeven, hoeven ze hun die maar uit handen te nemen in naam van het algemeen belang dat uit de mond van de nieuwe bewoners van het Kremlin klinkt als het woord "vergevingsgezindheid" uit die van een huurmoordenaar.'

'En denk je dat ze onze televisiezender zullen sluiten?'

'Zakendoen heeft geen publiciteit nodig, Anna. De president heeft er geen enkel belang bij tot in alle uithoeken van het rijk onafhankelijke televisiezenders te zien floreren. Als jullie ermee zouden volstaan uitzendingen samen te stellen met danspasjes makende zangers, zouden ze jullie ongemoeid laten, maar zodra jullie je met het verstrekken van informatie gaan bezighouden, ligt het anders.'

Haar handen waren niet meer om aan te zien, zo beet ze op haar nagels. Heel even vastbesloten er niet meer aan te komen kruiste ze haar armen en klemde ze haar handen onder haar oksels, waarna ze meedeelde dat de Franse journalist de volgende ochtend zou aankomen met een vlucht uit Moskou. Een materiële kleinigheid zat Anna dwars. Ze had geen auto. Ze had er wel een gevonden, een Volga uit de jaren zeventig, maar ze had niemand om hem te besturen, de eigenaar ervan moest het bed houden. Anna legde het me allemaal uit en nog voor ze het vroeg, verklaarde ik me bereid om als chauffeur op te treden, naast de taak om de gesprekken die ze gepland had gelijktijdig te vertalen. Uit principe deed ik wel of ik met tegenzin akkoord ging, maar eigenlijk ontroerde het me met Anna samen te zullen werken, al was het maar voor een paar dagen. Door me te onttrekken aan de verplichting om tegen Russische en buitenlandse journalisten over dat onderwerp te zwijgen, zou ik voor het eerst van mijn leven de autoriteiten tarten. Een heel klein risico eigenlijk, want het verbod dat families was opgelegd om over het onderwerp te praten, was zuiver formeel. Hoe kon de staat bang zijn voor onthullingen van mensen die niets wisten?

DE JOURNALIST ARRIVEERDE met de middagvlucht. Ik dacht dat hij bij het uitstappen wel ontstemd zou zijn na twee uur vliegen in een Toepolev met uitgezakte stoelen van de luchtvaartmaatschappij Aeroflot. Nog maar kort daarvoor had de maatschappij net zo goed Aerosol kunnen heten, want je moest twee vliegtuigen op de taxibaan helemaal uit elkaar halen om één toestel te krijgen dat in staat was te vliegen. Ik verwachtte vertraging, maar hij was op tijd. Ik bleef in de auto en liet de motor draaien voor het geval die op het idee kwam niet weer te willen starten, terwijl Anna de journalist ging opwachten bij de uitgang, die waar een bezadigde controleur kijkt of de bagage waarmee je vertrekt wel de jouwe is. Ze had een bordje gemaakt voor het geval dat zij hem niet zou herkennen. Maar hij was te goed toegerust om zich niet van Russen te onderscheiden. Het was een vrij lange man met een zowel vriendelijk als getekend gezicht. Toen Anna achter instapte om hem de stoel voorin te laten, ging hij spontaan naast haar zitten. Terwijl we van het vliegveld wegreden, legde Anna hem uit dat ik haar vader was, waarna hij zich ervoor verontschuldigde dat hij me voor een chauffeur gehouden had. Tijdens de rit zag ik in de achteruitkijkspiegel hoe hij naar mijn dochter keek. Het was voor het eerst dat ik haar door de ogen van een ander zag. Toen ik hem vroeg of hij dit stuk van zijn reis niet erg zwaar had gevonden, antwoordde hij dat hij het nog wel anders had meegemaakt, in het bijzonder in Afrika, wat ik niet vleiend vond voor onze binnenlandse luchtvaart. Hij probeerde door het raampje te kijken om iets op te vangen van de omgeving, maar het was pikdonker. Hij vroeg ons hoe laat de zon opkwam.

'Om negen uur 's morgens, maar pas over vier maanden', antwoordde ik.

Hij toonde zich enigszins bezorgd.

'Dan kan ik niet buiten filmen!'

'Tenzij u een schijnwerper bij u hebt, maar dat loopt wel erg in het oog. Gaat u een documentaire maken? Ik dacht dat u inlichtingen kwam inwinnen voor een krant.'

'Dat klopt. Maar als ik daarbij een documentaire met mijn kleine videocamera kan maken, is dat ook mooi.'

'Behalve dat de mensen die u zult ontmoeten voor de camera niet op dezelfde manier met u zullen praten, uit voorzichtigheid of door komedie te spelen, wat ze ertoe zal brengen hun verhaal wat meer aan te dikken dan nodig is. Of ook uit angst sporen achter te laten. De perioden in onze geschiedenis waarin wij vrijuit hebben kunnen spreken zijn in weken af te tellen.'

Anna maakte van de gelegenheid gebruik eraan toe te voegen: 'Mijn vader, Pavel Sergejevitsj, is geschiedenisleraar. Nou ja … dat was hij, want hij is net sinds een paar dagen met pensioen.'

'U lijkt me erg jong, om al gepensioneerd te zijn.'

'Je bent nooit te jong om een armoesalaris te verruilen voor een armoepensioen. Vooral omdat ik nooit echt les in geschiedenis heb gegeven.'

'Hoe dat zo?'

'Er bestaat in dit land geen geschiedenis in de zin van een geesteswetenschap, het enige wat we hebben, zijn af en toe onfatsoenlijke sprookjes voor kinderen.'

'Zoals?'

Ik dacht even na voor ik glimlachend sprak: 'Stalin. Dat was de menseneter die in de tuin van Eden jonge loten vertrapte. De tuin van Eden, dat is het communisme. Niemand komt op het idee dat het communisme, dat dat Stalin is, snapt u?'

'Dat snap ik heel goed, voor sommigen in het Westen geldt hetzelfde.'

Heel professioneel nam Anna met hem de bijzonderheden van het programma van zijn bezoek door, dat hem alleen 's nachts de tijd liet om adem te halen. Zonder er van tevoren met me over gesproken te hebben, opperde ze de mogelijkheid het wrak van dichtbij te bekijken vanaf een vissersboot waar een vriend van haar vader voor kon zorgen. Ik begreep welke vriend ze bedoelde. De journalist toonde zich zeer verbaasd over deze mogelijkheid, waarvan hij niet eens wist dat die bestond.

'En krijgen we dan geen problemen met de autoriteiten?'

'Alles is een kwestie van hoeveel geld. "Autoriteiten", dat is een nogal vaag begrip. Sommige mensen die ertoe behoren, weten inmiddels vrij goed wat het begrip handel inhoudt.'

'Denkt u dat het mogelijk is ook families te ontmoeten?'

Anna wendde het hoofd af en ik antwoordde: 'Ik ben bang van niet. Alle families hebben de streek verlaten of staan op het punt te vertrekken. En ze mogen geen contact hebben met journalisten, of het nu Russische of buitenlandse journalisten zijn.'

Toen ik zijn teleurgestelde gezicht zag, voegde ik eraan toe: 'Die families weten trouwens niets. Het enige wat u bij hen zult oogsten, zijn tranen, maar geen precieze gegevens. Als u echt geïnformeerd wilt raken, hebt u niets aan het ontmoeten van families, hun verdriet zal u geen steek verder helpen.'

'De media waarvoor ik werk willen vooral informeren en niet op het gevoel werken.'

'Dan denk ik dat we het eens zijn.'

Ik zette hen bij zijn hotel in het centrum af, vlak bij het station voor de treinen naar Sint-Petersburg. Het is een van die oude hotels waar vroeger belangrijke partijleden op dienstreis logeerden en dat sinds het door buitenlanders wordt bezocht gastvriendelijker en gerieflijker is geworden. Daar worden alle zaken in deze streek beklonken. Uit de auto gestapt, hief hij het hoofd op, aangenaam verrast dat hij was ondergebracht in een groot en druk hotelgebouw. Ik hielp hem bij het naar de lift brengen van zijn spullen, terwijl Anna zich met de formaliteiten bezighield. We gingen zonder hartelijkheid uiteen. Hij leek wat moe van de reis, uit zijn doen door de poolnacht en nog wat wantrouwig jegens ons. Ik denk dat hij zich afvroeg of deze reis hem wel de gelegenheid zou bieden informatie te vergaren waarvan het belang in verhouding stond tot het geld dat hij erin stak. Voor hij in de typische sovjetlift stapte, het soort dat niet zo vriendelijk is vaart te minderen voor hij stopt, vroeg hij of al een of meer andere Franse of westerse journalisten vóór hem onderzoek waren komen doen. Ik stelde hem gerust, er was niemand vóór hem geweest om serieus werk te verrichten, anders hadden we het wel geweten. We legden hem natuurlijk uit dat op het moment dat de gebeurtenissen plaatsvonden massa's journalisten waren toegesneld om erover te berichten, maar dat zeker niemand ter plaatse iets echt had onderzocht. En wat de documentaires betreft die door westerse zenders waren vertoond, die waren gemaakt met van Russische televisiezenders gekocht beeldmateriaal. Ik vertelde hem dat Anna genoeg geld binnen had gekregen om haar afdeling twee maanden te laten draaien alleen maar door de verkoop van beelden aan Japanse televisiestations, plaatjes van de Barentszzee, donkergroen als de ziel van een fles, zonder dat er een schip te zien was, noch constructies in de verte. 'Waarom gebruiken jullie geen foto's van de Stille Oceaan bij slecht weer?' had Anna hun gevraagd voor ze vernam hoeveel geld ze boden. Nee, ze wilden foto's met die vraatzuchtige zee echt erop. Als ze er maar niet hun hotel voor uit hoefden en aan boord van een schip hoefden te gaan om ze zelf te maken. In mijn geestdrift vertelde ik hem over de opwinding bij de internationale pers, die bereid was om het even welke foto of afbeelding te kopen die mogelijk iets van de sfeer rond die zaak weergaf. Miserabele en stoffige foto's kregen binnen een paar dagen onverwachte handelswaarde, als ze maar het verwachte beeld gaven van onze neergang.

'De zaak vanuit die gezichtshoek te laten zien is al een standpunt,' benadrukte ik, 'een oordeel vooraf, dat de werkelijkheid al bij het begin versluiert. Bovendien, toen alles afgelopen was gingen ze ervandoor als een zwerm mussen na een eerste knal, waarbij ze een deel van de bevolking achterlieten met zijn ellende en een ander deel met zijn winst als hotelhouder.'

Voor hij afscheid van ons nam, raadde ik hem plagerig aan op te passen voor de meisjes die, gewoonlijk met z'n tweeën, in de hotelbar rondhingen, toppunten van onopvallende elegantie, van een adembenemende schoonheid en in staat een onderhoudend gesprek te voeren over de grote Russische schrijvers. Vervolgens had ik er spijt van, deze jongeman had in zijn leven genoeg gereisd om te hebben geleerd hoe hij zich moest verweren tegen zulke veile vrouwen die weten dat ze, als ze zich bij hun optreden hoeden voor vulgariteit, al de helft van de weg hebben afgelegd die hen naar hun klanten voert.

Daarna keerden we, Anna en ik, naar huis terug. We spraken verder niet veel over de journalist. Hij was te moe om het ons mogelijk te maken te zeggen wat voor iemand het was. Ik raadde haar aan om meteen de volgende dag om geld te vragen om hem de laatste dag een vervelend gesprek te besparen, al leek het een eerlijke man. In de flat was grootmoeder er nog steeds. Ze wachtte op onze thuiskomst voor ze zelf naar huis kon. Ik beschouwde haar als de prijs die ik moest betalen voor mijn momenten van vrijheid. Ik mocht haar niet, maar ik bedacht dat het ergste wat die oude vrouw me kon aandoen was, dood te gaan. Ze was slim genoeg om dat door te hebben, vandaar dat ze me nadrukkelijk haar dikke lichaam toonde, het hoofd opgeheven, een mond die uitdrukte dat ze genoot van de situatie, en vandaar dat ze altijd wegging met het air van een gezelschapsdame die zich wentelt in de ontboezemingen van haar gebiedster.

Anna was wat zenuwachtig. Ze wilde de journalist helpen om zijn onderzoek tot een goed einde te brengen, maar betreurde het wel dat ze hem niet de hele waarheid mocht onthullen. Af en toe zijn er bepaalde belangen die boven alles gaan en daar moet je je naar schikken, deed ik mijn best er bij haar in te hameren.

We gingen bij zijn hotel langs en haalden hem tegen tien uur 's ochtends op om ons naar de eerste afspraak te begeven die Anna met hulp van haar hoofdredacteur had weten te regelen. De ontmoeting zou plaatsvinden in het gemeentehuis, op nog geen driehonderd meter afstand van het hotel, en ondanks de gierende noordenwind besloten we er te voet heen te gaan. Het openbare gebouw was een voorbeeld van de gebruikelijke sovjet-architectuur, het toonde een statigheid waarbij niet op een cent was gekeken, bedoeld om de gewone sterveling op zijn nietigheid te wijzen vergeleken bij de grootse ideeën die men gestalte aan het geven was. De sovjets hebben daarbij trouwens nooit iets zelf verzonnen, ze lieten zich leiden door de orthodoxen, die er hun slechte smaak meteen bij leverden. Het gebouw was te warm gestookt, eveneens een erfenis van de vroegere periode. Een irritante verflucht gaf aan dat er pas geschilderd was. Een bode wiens spierontwikkeling ten koste was gegaan van het hersenvolume, met een hoofd zo kaal als een knikker, wees ons, nadat we de naam van onze contactpersoon hadden genoemd, een eindeloos lange gang met nummers op de deuren die begonnen bij tienduizend, bedoeld om je wijs te maken dat er heel wat mensen in het gebouw werkzaam waren. Uiteindelijk vonden we kamer 11 171bis. We gingen naar binnen, waar twee mannen die tegenover elkaar stonden een heftige discussie voerden. De grootste van de twee begreep dat wij zijn bezoek waren. Hij opende een deur aan de zijkant voor ons en liet ons plaatsnemen, waarna hij het vertrek weer verliet om een laatste woord met zijn collega te spreken. Terwijl hij zich van zijn ambtgenoot afmaakte, raadde ik de Fransman aan niet als journalist te werk te gaan, geen rechtstreekse vragen over de zaak te stellen, zich veeleer als romanschrijver voor te doen.

Onze gesprekspartner keerde terug net toen ik mijn blik over zijn piepkleine bureau liet gaan, waarop een schaalmodel van een onderzeeboot stond. De man was van gemiddelde lengte. Een blauw jasje slaagde er niet in te verhullen dat hij de dikke buik had van iemand die het er als het zo uitkwam goed van nam. Zijn gezicht zei niets over hem, de dikke plooien die het te zien gaf, vormden een natuurlijke bescherming tegen de blik van de ander, terwijl de zijne werd verhuld door de langgerekte spleet waarachter zich zijn diepliggende ogen verscholen. Hij ging tegenover ons rijtje van drie zitten. De houding die hij vervolgens aannam, was er een die hij niet gewend leek te zijn. Zijn stijve optreden deed denken aan dat van een zelfgenoegzame bureaucraat die zich bewust is van het overwicht van degene op wie men een beroep komt doen.

'Ik luister', mompelde hij met een ernstige stem, zonder op te kijken, met de ogen strak gericht op het bureaublad voor hem.

Ik spoorde Anna aan ons aan elkaar voor te stellen.

'Deze meneer is een Franse schrijver die een boek wil schrijven over het drama dat u bekend is. Hij is zelf familie van een marineofficier en hij bereidt, hoe moet ik het zeggen ... een eerbetuiging voor. Hij doet geen onderzoek en ...'

Hij onderbrak haar, liet een glimlach op zijn gezicht verschijnen die het, ondanks het lapwerk van een militair tandarts, niet aan vriendelijkheid ontbrak.

'Ik onderhoud al heel lang contact met de Franse marine. Ik ben lid van een internationale organisatie en we zien elkaar bij gelegenheid. De tijd dat we vijanden waren is nu voorbij, dus ontmoeten we elkaar zo nu en dan en zonder militaire geheimen te verraden, wisselen we onderling ervaringen uit. Tussen bemanningsleden van onderzeeboten overal ter wereld bestaat een hechte verbondenheid, ook al hebben we elkaar een halve eeuw bespied. Op enkele honderden meters diepte speelden we kat en muis, en bij alle tragedies, dichtbij of ver weg, leefden we mee.'

'Mijn hoofdredactrice vertelde me dat u veel over de zaak weet en dat u een man met veel ervaring bent, daarom wilden we juist u spreken ...'

'Daar hebt u goed aan gedaan. Ik ben nu bijna vijf jaar geleden bij de marine met pensioen gegaan. Ze boden me dit werk op het gemeentehuis aan, maar ik verzeker u, dat is toch totaal anders. De mensen hier, dat zijn politici, bekrompen lui die niet in staat zijn helder te redeneren. Ze zijn voortdurend aan het schipperen. In onderzeeboten ging het anders toe, zeg ik u. Ik ben vijftien jaar gezagvoerder op onderzeeboten geweest en ik ken iedereen. Ik heb gevaren met de commandant van de Oskar, ik ben zelfs zijn instructeur en zijn baas geweest.'

Toen hij even pauzeerde, vroeg de journalist me een lange vraag te vertalen, die ik hem als volgt overbracht: 'Onze vriend is niet gekomen om de schipbreuk tot klaarheid te brengen, maar hij zegt dat in het Westen in vrij brede kring wordt uitgegaan van de veronderstelling dat de Oskar tot zinken zou zijn gebracht door twee Amerikaanse onderzeeboten. Hij denkt natuurlijk dat het een hypothese is die helemaal uit de lucht gegrepen is, maar hij legt haar aan u voor, waarbij hij het heel goed zou begrijpen als u niet wilt antwoorden.'

Met de blik nog steeds recht naar beneden, draaide onze man met zijn dikke, korte duimen.

'Ik wil het er best over hebben, maar vertelt u me eerst eens wat die theorie precies inhoudt.'

Dolblij met dit buitenkansje lichtte de journalist de veronderstelling toe die in de media in zijn land de ronde deed.

'Die veronderstelling houdt in dat er twee Amerikaanse verkenningsonderzeeboten waren in het Russische operatiegebied. Dat schijnt gebruikelijk te zijn.'

'Ja, wij doen hetzelfde. Ik kan u zeggen dat er ook een Engelse onderzeeboot was.'

'Er wordt eveneens gezegd dat de oefeningen die werden gehouden belangrijk waren omdat de Oskar een nieuwe generatie Sjkvaltorpedo's, geleide projectielen die zich met een snelheid van vijfhonderd kilometer per uur verplaatsen, aan het testen was in het bijzijn van hooggeplaatste Chinese militairen die de oefening bijwoonden.'

'Dat wordt inderdaad gezegd.'

'De Amerikaanse onderzeeboten zouden naar de Oskar toe zijn gegaan. Volgens onze informatie bracht de Oskar zich toen in positie om een torpedo af te schieten, roerloos, op periscoop-diepte. Precies op dat moment zou een van de Amerikaanse onderzeeboten er van voren tegenaan zijn gebotst en langs de romp omhoog zijn gekomen. De Oskar zou onmiddellijk gereageerd hebben door de klep voorin te openen en een torpedo in de buis te plaatsen. Nadat de andere Amerikaanse onderzeeboot via zijn sonarinstallatie het karakteristieke geluid had gehoord van het openen van de klep van de torpedolanceerbuizen, zou die, bang dat de Oskar de duikboot die er tegenaan was gebotst tot zinken zou brengen, een raket met verarmd uranium hebben afgevuurd die het compartiment met torpedo's zou zijn binnengedrongen, waardoor het voorste deel van het vaartuig zou zijn ontploft, wat zijn ondergang zou hebben veroorzaakt. Ik zeg nog eens, dat lijkt me nogal onwaarschijnlijk, maar ik zou graag uw mening horen.'

De oud-onderzeebootkapitein concentreerde zich even voor hij antwoordde: 'Voor wat er gebeurd is, heb ik een theorie die alleen voor mijn verantwoording is. Ik kan u echter zeggen dat geen enkele andere theorie steekhoudend is. Uw Franse theorie is die van de Russische autoriteiten in de eerste ogenblikken na de ramp, is die welke de Federale Veiligheidsdienst – onze geheime dienst – over de hele wereld heeft verspreid, dus daar weet ik alles van. Weet u, jongeman, ik ben over de zestig, ik heb op alle kernonderzeeërs van dit land dienstgedaan en ik heb niet de gewoonte om een blad voor de mond te nemen. Dat ik nu geen admiraal ben, komt doordat ik nooit iemand op mijn tenen heb laten trappen, of het nu mijn directe meerderen waren, de ratten van de staf of de lui van de rangen daaronder, de wezels van de geheime dienst. De dingen zijn niet precies zo gegaan. Ik stem op één punt in met de eerste officiële lezing, die sindsdien geheel is verworpen, namelijk dat een Amerikaanse onderzeeboot de ondergang heeft veroorzaakt. Die heeft echter geen torpedo afgeschoten. In de eerste plaats zou een Amerikaanse duikbootkapitein nooit een torpedo hebben afgevuurd zonder zich te wenden tot zijn hoogste leiding en ik kan me niet voorstellen dat het opperbevel van de marine hem toestemming zou hebben gegeven om op de

Oskar te schieten. Dat zou een regelrechte oorlogsverklaring zijn geweest. In de tweede plaats, zou zo'n beslissing toch genomen worden, dan luidt in het geval van een Russische onderzeeboot van dit type, waarvan de romp dikke dubbele wanden heeft, de instructie niet één maar twee torpedo's af te schieten. Dus daar geloof ik niet in. We zijn altijd bezig geweest, Russische en Amerikaanse duikboten, om elkaar zo dicht mogelijk op de huid te zitten, op alle zeeën ter wereld, maar nooit heeft iemand een botsing aangegrepen om een torpedo af te vuren, begrijpt u? En toch, dat kan ik u wel zeggen, waren we in de tijd van de Koude Oorlog allemaal erg lichtgeraakt. Maar het is niet aan mij om de redenen uit te leggen waarom de Federale Veiligheidsdienst helemaal aan het begin van de ramp deze theorie er bij de media heeft ingepompt, dat gaat me niet aan. Nu zal ik u vertellen wat er allemaal wel gebeurd is.'

Terwijl hij opstond om het schaalmodel van zijn onderzeeboot en een schoolliniaal te pakken, keken we elkaar alle drie aan, verbaasd dat hij zo gemakkelijk toehapte. Hij ging weer zitten en maakte zijn das los die tijdens de beweging tussen zijn buik en de rand van zijn bureau klem was komen te zitten. Terwijl ik hem gadesloeg, vroeg ik me heel even af of wij niet bezig waren hem zijn jeugd een tweede keer te laten beleven, wat hem ongevoelig maakte voor elk risico straf te zullen krijgen, of dat hij doodeenvoudig op het punt stond ons een rad voor ogen te draaien. Terwijl ik het geringste knipperen van zijn ogen bestudeerde, begon hij bedachtzaam aan zijn bewijsvoering, met in zijn ene hand de miniduikboot en in de andere de liniaal.

'Inderdaad bracht een Amerikaanse onderzeeboot de Oskar tot zinken. Die lag in het gebied ter verkenning, wat vrij gebruikelijk is bij oefeningen, zoals ik al zei. Hoewel hij niet zo kolossaal was als de Oskar, was de Amerikaanse onderzeeboot toch een heel groot schip, wat wij in ons jargon een klasse IV noemen, van het type Los Angeles, 24.000 ton. Dus kijk goed! De Los Angeles bevond zich vlak achter de Oskar. Ik denk dat de bemanning op zijn hoede was, want op die plek is de Barentszzee niet diep, ongeveer honderd meter, en de Oskar zelf was veertig meter hoog, begrijpt u. Bovendien zijn op die diepte zoals u waarschijnlijk weet de omstandigheden om via de sonar te luisteren slechter en daar komt nog bij dat er heel veel geluiden klinken doordat er aan de oppervlakte tientallen schepen varen. Zoals u weet, maakte de Oskar zich op voor een proefschot. Wat er gebeurd is, en dat kan ik u verzekeren, is dat hij om zich in schietpositie te manoeuvreren naar rechts draaide, tot periscoopdiepte opsteeg en toen tot stilstand kwam. De Los Angeles begreep niets van de manoeuvre en botste met een flinke vaart tegen de Oskar. Aangezien hij lager zat dan de Oskar, die net tot periscoopdiepte was opgestegen, reet zijn bovenbouw de romp open ter hoogte van de accubatterij onder de commandobrug. Dat was de eerste ontploffing die Noorse seismografen registreerden. Vervolgens stroomde er water het batterijcompartiment binnen en ontstond er brand met een temperatuur van over de duizend graden. Twee minuten later ontplofte het compartiment met torpedo's en zonk het vaartuig. Nu zult u zeggen dat bij de botsing waarschijnlijk de bovenbouw van de Los Angeles vernield was. Maar dan moet u weten dat deze onderzeeboten zijn gebouwd om in het noord- en zuidpoolgebied aan de oppervlakte te komen en dat hun boven-bouw is ontworpen en versterkt om het mogelijk te maken het ijs aan de oppervlakte te breken zonder dat daarbij ook maar enige schade ontstaat. Toch heb ik het bewijs dat de Amerikaanse on-derzeeboot schade had opgelopen, want zijn radiobesturing trad in werking en een paar minuten later zag onze luchtmacht een Amerikaanse onderzeeboot die op weg was naar Noorwegen, waar hij is gerepareerd, dat staat vast, we hebben er foto's van.'

Hij hield op met praten. Hij leek opgelucht. Hij haalde een zakdoek uit zijn zak en veegde van links naar rechts zorgvuldig zijn voorhoofd af. De journalist vroeg me een vraag te vertalen.

'De onderzeeboot is dus ten gevolge van de ontploffing die de voorkant wegsloeg naar de bodem op honderd meter diepte gezakt, zit het zo?'

'Zo zit het.'

'En denkt u dat bemanningsleden van de onderzeeboot de beide ontploffingen hebben overleefd?'

'We hadden honderdachttien man aan boord. Allen die zich in de eerste zes compartimenten bevonden kwamen bij de explosie om. Achterin bleven drieëntwintig man in leven doordat ze de waterdichte deuren sloten. Maar volgens mij niet langer dan een uur of acht, negen.'

'In de internationale pers was sprake van twee tot drie dagen.'

'Dat geloof ik niet. We hebben door deze zeelieden geschreven brieven gevonden die doen veronderstellen dat ze nog maar een paar uur hebben geleefd.'

'En niemand heeft geprobeerd ze te redden.'

'Natuurlijk wel, we hebben alles gedaan wat we konden. Maar toen ons reddingsmateriaal ter plaatse kwam, lukte het niet het vluchtluik open te krijgen dat zich achterin, vlak bij de overlevenden bevond. Door de ontploffing was het vast komen te zitten, de hele constructie was verbogen, de romp was vervormd en onze deskundigen konden niets uitrichten. Ik weet wat u denkt, het is een gruwelijke dood die deze jongens stierven die naar het achterschip waren gevlucht, hulp hoorden naderen, weer hoorden vertrekken en toen niets meer. Niemand weet beter dan ik wat zij gevoeld moeten hebben. Zeeschade, hoe vaak heb ik dat niet meegemaakt, snapt u. Ik ben zelfs op de K-19 geweest, die onderzeeboot waarvan de nucleaire installatie schade had opgelopen en waar ze een film met Harrison Ford over gemaakt hebben. Ik heb op die duikboot gevaren. Het ergste is brand aan boord. Een keer vond er in de diepte een ontploffing plaats die een aantal van mijn mannen het leven kostte. We legden aan bij een eiland, we gingen aan land met metalen staven, we groeven hun graven. Een andere keer bezorgden we gestorvenen een zeemansgraf door hun lichamen gehuld in een witte lijkwade op volle zee in het water te gooien.'

Hij hield op met praten, staarde met een lege blik voor zich uit en er verscheen een traan. Daarna vervolgde hij: 'En toch zou ik mijn leven met niemand willen ruilen. Hier heb ik het gevoel dat ik een museumstuk ben. De mensen die in dit gemeentehuis werken, dat stelt op de menselijke waardeschaal niets voor. Mijn zoon heeft geprobeerd me op te volgen, maar hij is afgewezen. Zijn vrouw is van hem gescheiden toen ze net een kind hadden. Hoe valt het te rijmen dat wij onder water moeten leven als veroordeelden terwijl aan wal de levensomstandigheden zo verbeteren dat het geld bijna voor het oprapen ligt? Ze hebben ons in de steek gelaten, allemaal, ze betaalden geen soldij meer, we moesten vechten om behoorlijk eten te krijgen, ze hebben op de bases gestationeerde bemanningen bijna laten verhongeren. Op sommige bases heb ik zelfs kinderen van bemanningsleden van onderzeeboten gezien die leden aan ondervoeding. Een keer trok ik in een confrontatie met een stafofficier die ons uithongerde mijn wapen, ik dacht dat ik hem zou vermoorden. Ik kreeg een berisping. Ik geloof dat het nu beter gaat, maar het zal nooit meer hetzelfde worden.'

De journalist keek onze gesprekspartner doordringend aan, onder de indruk van de menselijkheid waarvan hij in toenemende mate blijk gaf. Toen brak zijn weerstand helemaal en hief hij een lofzang aan op zijn broeders, mannen die jarenlang engtevrees trotseerden. Hij raakte maar niet uitgepraat over zijn beroepsgroep die, in tegenstelling tot jachtvliegers die individueel te werk gaan, uit een echte gemeenschap bestaat van mannen die afhankelijk van elkaar zijn, waarbij rang slechts telt als die wordt bepaald door bewezen bekwaamheid en pas als de meerdere minstens een keer heeft laten blijken dat zijn mannen hem ter harte gaan. Geen moment zette hij vraagtekens bij zijn rol of bij die van zijn kameraden, allen betrokken bij een macabere wedren die kon leiden tot de vernietiging van onze planeet. Misschien dacht hij dat, toevertrouwd aan zijn handen en aan die van zijn collega's, ons leven nooit beter beschermd was geweest en vereenzelvigde hij zich met ridders die een levend schild vormden tegen de barbarij van armzalige bureaucraten van allerlei slag. We merkten dat het contact met ons hem weer tot leven bracht en we zagen op tegen het moment waarop we afscheid van hem zouden moeten nemen. Geen moment vroeg hij om wraak voor de slachtoffers van de geramde onderzeeboot. Hij maakte er gewag van dat de admiraal die het bevel over de noordelijke vloot voerde dat wel had gedaan. Hij kende hem goed en ik zei maar niets over het gerucht dat de admiraal geprobeerd had een eind aan zijn leven te maken als reactie op een ramp waarbij zijn mannen op een diepte die heel goed bereikbaar was waren omgekomen. Ik overwoog dat hij een dergelijke opmerking vast niet leuk zou vinden. We namen ver na lunchtijd afscheid. Op de terugweg werd er nauwelijks op dit eerste gesprek ingegaan, het was te koud, de wind sloeg ons vinnig in het gelaat en we wisten niet hoe we ons ertegen moesten beschermen.

Binnen een paar minuten waren we bij het restaurant op de benedenverdieping van mijn flat. Eenmaal binnen via de dubbele deur viel de warmte op ons, een gevoel dat werd versterkt door de wandbetimmering die de muren bedekte. Ondanks het wat late tijdstip was het er afgeladen vol, het waren vooral jongeren, die, zo stel ik me voor, even ongedwongen en even zorgeloos aan tafel zaten als in elke willekeurige stad in het Westen. Ze leken me merkwaardig ver af te staan van wat ons bezighield. Toch was er niet een, druk in de weer met een glas in de hand en een sigaret in de mond, die geen weet had van de ramp. De meesten kenden rechtstreeks of via via een slachtoffer of een familielid van een slachtoffer, niemand die er niet persoonlijk bij betrokken was. En toch, hoeveel zouden proberen erachter te komen wat er werkelijk gebeurd was? Deze tragedie had aanleiding gegeven tot tranen, kortstondige beroering en vragen die met de omloopsnelheid van een consumptieartikel weer hadden plaatsgemaakt voor andere. De belangstelling voor deze tragedie was weggeëbd om onderdeel te worden van de geschiedenis van een oude natie die haar best deed haar jongeren snel te laten opgroeien door hen met drama's op te zadelen die je niet in de kouwe kleren gingen zitten.

De bazin was een donkerharige vrouw, klein en mollig, met een bril waarvan de spits toelopende glazen waren gevat in een zwart schildpadden brilmontuur, een vrouw die haar restaurant een Italiaanse naam had gegeven, ongetwijfeld een overblijfsel van haar eerste reis naar het Westen, in de tijd van de perestrojka. Zonder dat ze naar onze tafel hoefde te komen om te horen dat er Frans gesproken werd, verving ze de vaag Amerikaanse muziek die in het restaurant klonk door een verzamelbandje met heuse Franse variétéartiesten, van Dalida en Joe Dassin tot Patricia Kaas. Onze Fransman bedankte haar met een hoofdknikje, waarop ze meteen met een hoofdknikje van haar kant reageerde. Mijn dochter was dromerig. Het was moeilijk te bepalen wat haar bezighield, maar ik merkte dat wat er gebeurd was en waar ze niet op voorbereid was geweest, haar zeer aangegrepen had. Ze had zich erop geworpen alsof het om fictie ging, om gebeurtenissen waar zij buiten stond. Ik voelde me schuldig dat ik haar had aangemoedigd die Fransman te helpen.

'Ik had niet verwacht iemand tegen te komen die zo eerlijk is', zei deze laatste terwijl hij de in het Engels gestelde menukaart bekeek die een beeldschone blonde serveerster hem had aangereikt. 'Het kan gewoon niet dat die man liegt.'

'Dat hij liegt geloof ik ook niet,' antwoordde ik, 'maar tussen zeggen wat hij zei en de waarheid spreken zit nog wel verschil.'

'Wat bedoelt u?'

'Ik denk dat hij gelooft wat hij beweert. Nog maar een paar jaar geleden zou zijn tirade tegen de autoriteiten hem ongeloofwaardig hebben gemaakt. Alleen iemand die banden had met de KGB kon zo praten. Nu is dat anders, hoewel vrijheid van meningsuiting niet voor iedereen is weggelegd, vooral wanneer het om een officier gaat die zijn mening over een staatsaangelegenheid geeft. Deze man is er echter beslist niet op uit om ons om de tuin te leiden, of anders is hij een geweldige toneelspeler. Toch mogen we niet uitsluiten dat hij zelf om de tuin is geleid.'

'Hoe dan?'

'Hij staat niet open voor alle hypothesen. Voor één in het bijzonder sluit hij de ogen, vanwege zijn collegialiteit, namelijk dat een van zijn gelijken, de gezagvoerder van de onderzeeboot, een fout heeft gemaakt. Ook al had die net een lintje gekregen voor eersteklas spionagewerk, met hetzelfde schip, op de Middellandse Zee, waar hij naar wordt beweerd een groot aantal NAVO-schepen had geschaduwd zonder opgemerkt te worden, sluit niets uit dat hij iets fout heeft gedaan. Dit gezegd zijnde is zijn veronderstelling aannemelijk, op z'n minst evenzeer als alle andere. De feiten die hij noemt zijn geloofwaardig, behalve één feit, dat in tegenspraak is met de werkelijke gang van zaken. Aangezien dit feit niet klopt, wankelt het hele bouwwerk.'

'Waar doelt u precies op?'

'Op het vluchtluik. Hij beweert dat de kleine reddingsduikboot die naar de plaats des onheils was gestuurd niet in staat was het vluchtluik achter in het schip open te krijgen. Dat klopt, behalve dat hij dit onvermogen goedpraat door te stellen dat het schip door de ontploffing uit zijn voegen gerukt was, zodat deze nooduitgang geblokkeerd was. Maar toen er buitenlanders ter plaatse arriveerden, die later te hulp waren geroepen om het nog eens te proberen, troffen ze een vluchtluik aan dat perfect werkte en dat ze binnen een paar minuten openden. Nu blijkt gewoon, maar daar wilde hij niet over praten, dat de Russische bathyscaaf die werd gebruikt om naar het wrak toe te gaan een oud model uit de jaren zestig was, slecht onderhouden en bestuurd door een onervaren bemanning. Het lukte ze niet hun zuignap op het vluchtluik te plaatsen, zogenaamd omdat de deining te sterk was, terwijl het in werkelijkheid net kinderen leken die voor het eerst een auto bestuurden en die te korte benen hadden om tegelijkertijd bij de pedalen te kunnen en op de weg te letten. Die officier heeft dus een deel van de waarheid voor ons verborgen gehouden. Hoe kun je hem dan wat de rest betreft geloven?'

'U denkt dat de rest ook niet klopt?'

'Dat heb ik niet gezegd. Het is wel zo dat deze man een goede bekende zo niet een vriend is van admiraal Popovitsj, de baas van de noordelijke vloot met wie hij zijn hele loopbaan samen was en die een van de weinige mensen is die weten wat er echt is gebeurd. Nu wil het geval dat deze admiraal op een zijspoor is gezet, vervolgens hebben ze hem tot senator benoemd, in ruil voor zijn stilzwijgen. Popovitsj heeft steeds gezegd dat hij alles wist, maar dat hij pas over jaren zijn mond open zou doen. Ik kan me voorstellen dat hij geen zin heeft om zijn nieuwe baan te verliezen. Maar als deze admiraal die precies weet wat er gebeurd is niets zegt, hoe is dan te verklaren dat een van zijn vrienden ons zo spontaan wel alles vertelt?'

'Dat vraag ik me ook af.'

Ik onderbrak mezelf, verbaasd bij de gedachte dat ik aan dit onderzoek deelnam alsof ik geheel buiten het drama stond.

'Het gaat allemaal nog veel verder. U weet dat er een officiële lezing bestaat die heel anders luidt dan de aanvankelijke veronderstelling van de Federale Veiligheidsdienst die u hem hebt uiteengezet en waarvan hij precies op de hoogte is. Deze officiële lezing laat ons weten dat uitsluitend een defecte torpedo verantwoordelijk is voor de ramp. Die fameuze torpedo die in de buis werd geplaatst net op het moment dat de duikboot volgens onze vriend werd geramd door de Amerikaanse onderzeeboot. De echte vraag is dus waarom hij de officiële lezing niet onderschrijft.'

'En waarom doet hij dat niet?'

'Omdat deze hoge officier met pensioen is, omdat hij niets te verliezen heeft en een theorie heeft bedacht die het dichtst staat bij de ideale voorstelling van de marine waaraan hij zijn leven heeft gewijd.'

Anna was van plan geweest om Thomas, want zo luidde zijn voornaam, mee te nemen op een vissersboot van Boris' vloot voor een kijkje in het operatiegebied. Maar het gesprek met de gepensioneerde officier had te lang geduurd en de duisternis nam het weinige dat zij het daglicht gunde alweer terug. Ook de mist spreidde zijn deken uit. Toen we het restaurant verlieten, zei ik het tegen Thomas en wees op de straatlantaarns waarvan het licht als door watten leek te worden gedempt. Ik liep met hem mee naar het hotel waar Anna van plan was met hem de dossiers door te spitten die ze zorgvuldig had samengesteld.

Terwijl iedereen zich tijdens het lopen onhandig tegen de kou teweerstelde, fluisterde ik tegen de journalist: 'Ergens moet de waarheid te vinden zijn. Maar je kunt er evengoed zonder, kijk naar die officier. Nooit krijg je het laatste woord over die zaak te horen, maar je kunt besluiten er op de een of andere manier je eigen verhaal van te maken. Dat is al een vooruitgang, vergeleken bij het verhaal dat ze je proberen wijs te maken.'

Ik verheugde me op de vrije middag die voor me lag en hoopte dat Alexandra thuis zou zijn.

Eerst ging ik langs mijn huis. Jekaterina en haar moeder zaten voor de televisie. Ze deden niet anders dan televisie kijken. Ik vroeg me af of ze er ook naar keken als hij uit stond. De baboesjka zat te borduren, terwijl mijn vrouw met haar samengevouwen handen tussen haar opeengeklemde dijen naar het scherm staarde. Grootmoeder symboliseerde het geduld van het Russische volk. Ze vond die nieuwe traagheid die ons door de omstandigheden werd opgelegd aangenaam. Ze glimlachte tegen me op een manier waarbij ze haar spieren maar minimaal in beweging hoefde te brengen, terwijl Jekaterina niet eens van het toestel wegkeek. Deze vroeger zo ontwikkelde vrouw liet haar aandacht zonder dat ze het wilde in beslag nemen door bedroevend slechte programma's die bestonden uit zoete verhaaltjes over niks, ontleend aan een werkelijkheid die zo fris rook als een koeienstal. Ik deed de deur zachtjes weer dicht, verkleedde me alsof ik uit wilde gaan en klopte bij Alexandra op de deur, gespannen luisterend of ik geen voetstappen hoorde. Ik hoorde haar niet aankomen want ze was blootsvoets en ik had de hoop haar te zien al bijna opgegeven toen ze opeens voor me stond. Terwijl ik de deur met mijn hak dichtduwde, omhelsde ik haar hartstochtelijk. Het was het soort omhelzing dat elke relatie tussen twee mensen de moeite waard maakt, want ze doet je het gevoel van eenzaamheid dat je je hele leven probeert te bestrijden in een oogwenk vergeten. De vraag wat we zouden gaan doen hoefde niet eens gesteld te worden. Ze sleepte me mee haar slaapkamertje in en we kleedden ons uit met een haast alsof onze kleren in brand stonden. Ik drukte mijn mond op haar geslachtsdeel en haalde hem er pas weer weg om in haar te glijden. Het bed met zijn vermoeide springveren begon te piepen als wilde het de hele stad laten meeluisteren bij ons liefdesspel. Waarschijnlijk voor het eerst van ons leven schreeuwden we. Daarna vielen we weer neer als twee strootjes, elkaar omhelzend, buiten adem en vol hoop, want ons geluk hing alleen maar hiervan af en van het feit dat we altijd geleerd hadden de toekomst als een politieke vijand te beschouwen. Het was waarschijnlijk voorbeschikt dat we niet van plan waren om ook maar iets van verlangen over te laten, want we begonnen opnieuw, tot onze organen ons smeekten op te houden. Maar hoe intens ook, dit intermezzo had niet zo heel lang geduurd en we hadden nog tijd over.

Ik had haar het sparrenhouten hutje willen laten zien, maar dat was te ver weg. We hadden ook kunnen gaan winkelen, in winkels vol westerse merkproducten waar de hoofdweg beroemd om was, met kleren waarin je leek op nette Scandinavische burgermensen. Het was nog wat vroeg om ons samen te vertonen op plekken die werden bezocht door mensen die wij allebei kenden. Bovendien had zij geen geld en ik durfde het geld dat ik net had ontvangen niet uit te geven aan leuke dingen zonder dat die een toekomstperspectief boden. Gokken berustte op een ander principe. Je speelt niet met het idee dat je zult verliezen. In het ergste geval kom je weer thuis met het bedrag van de inzet, denk je. Het casino lag op een hoek in een straatje dat na een bocht naar rechts twee huizenblokken verder uitkwam op de hoofdstraat. Warm ingepakt als we waren, arm in arm, was de kans klein dat we door iemand herkend zouden worden en de toch al weinige wandelaars liepen met de blik gericht op de punten van hun schoenen om minder last te hebben van de striemende wind die tussen de gebouwen uit de Stalintijd door joeg, opgewonden als een klein kind dat naakt midden in de grote wereld rondloopt. Het casino zag er niet uit. Van buiten leek het op een wat onderkomen bordeel dat niettemin aan zichzelf verplicht was rode lampjes te laten knipperen om klanten binnen te lokken. Binnen hing er een geur die de ranzige hoop verried van slonzige mannen en vrouwen die in dit ellendig oord, de laatste halte vóór de definitieve ondergang, fortuin kwamen zoeken. We lieten ons niet ontmoedigen en zonder dat menselijk uitschot een blik waardig te keuren, stevenden we af op de roulette. Echte gokkers vormen meestal aangenaam gezelschap, want ze zijn niet gierig of inhalig. Ze proberen in het toeval een regelmaat te ontdekken die zich slechts met de schuchterheid van een maagd blootgeeft om als in een droom weer te verdwijnen. Degenen die dat soort mensen niet mogen, verwijten hun dat ze hun kleinburgerlijke ideaal niet delen, omdat ze in staat zijn in een handomdraai jarenlang hard werken teniet te doen. We waren de enigen aan de roulettetafel, anderen gaven de voorkeur aan de gokautomaten die de speler zelfs niet de illusie laten een strategie te kunnen ontwikkelen. We zetten kleine bedragen in en ik had voor mezelf als grens gesteld het bedrag dat de Fransman me schuldig was voor de eerste twee dagen die ik voor hem had gewerkt. Alexandra koos de cijfers en ik de kleur. Binnen een half uur hadden we ons geld terugverdiend en genoeg gewonnen om ons een goede fles wijn met wat kleine zoute lekkernijen erbij te kunnen veroorloven. Na onze winst opgestreken te hebben, verlieten we de speelzaal snel en naast wat we al van plan waren, kon ik zelfs nog een flinke fles wodka kopen. Voortgeblazen door de sneeuwstorm keerden we naar haar flat terug. We bedreven nogmaals de liefde, terwijl haar gasfornuis zijn best deed brood te roosteren. Maar ik had mijn vermogen om dit hernieuwde liefdesspel vlot af te ronden enigszins overschat, dus de toast verbrandde. We waren een poosje bezig het zwart eraf te krabben, vervolgens gingen we over tot een waardige viering van deze succesvolle dag. Als we minder gedronken hadden, hadden we misschien nooit dit gesprek gevoerd: 'Denk je dat dit een grote liefde gaat worden, Pavel', vroeg Alexandra terwijl ze verzadigd en regelrecht aangeschoten van de canapé gleed waar ze op zat.

'Vast niet', antwoordde ik. 'Ik heb – ik geloof dat het bij Freud was – gelezen dat hartstocht een vorm van onanisme is. Wij zijn niet zelfzuchtig genoeg om hartstochtelijk van elkaar te houden. Bij hartstocht doet de ander er totaal niet toe, het enige wat telt is de illusie iets absoluuts te beleven. Het is een beetje zoals met ideologie, dus dat is niet echt iets voor ons.'

Ze stond op en kuste me liefdevol. Ik keek naar haar terwijl ze zo rondliep, in haar onderbroek, met zware en pronte billen, ondanks dat ze boven aan de dijen last had van cellulitis. Ze ging achter een kleine piano zitten die ik tot dan toe niet had opgemerkt en ze speelde enkele vrij snelle stukjes, zomaar ergens uit het werk van Janáček. Daarna vlijde ze zich weer tegen mij aan, alsof ze geleden had onder de scheiding als gevolg van dat muzikaal intermezzo. En zo bleven we tegen elkaar aan zitten om weer nuchter te worden, trekkend aan sigaretten die een dikke blauwe rook verspreidden die moeizaam optrok. Ik dacht na. Op zulke momenten van welbehagen gaan gedachten een eigen leven leiden, ze voeren ons mee, en soms is zo'n hersenspinsel heilzaam. Ik had achtenveertig jaar zonder haar geleefd en ik kon me niet voorstellen dat dat de komende jaren eveneens het geval zou zijn. Ik kende haar nog niet goed, maar ik had het gevoel dat ik haar ook niet veel beter zou leren kennen en dat dit wel voldoende was. Ze gaf in korte tijd enorm veel van zichzelf, zonder enige berekening en zonder ook maar iets terug te vragen. Toen ze vroeg waar ik aan dacht, loog ik.

'Aan Stalin.'

Toch glimlachte ik om aan te geven dat ik overdrachtelijk sprak. Ze speelde het spelletje mee: 'En waar dacht je naar aanleiding van Stalin aan?'

Ik nam haar hand in de mijne en zei: 'Weet je dat ze op twee plekken in Rusland aanstalten maken om een standbeeld voor Stalin op te richten? En niemand zegt er iets van. Zouden de Duitsers dat voor Hitler doen, dan zou er wereldwijd luid geprotesteerd worden. Maar alles welbeschouwd, er wordt gezegd dat Stalin niet eens zo slecht was, hij heeft het land gered van de barbaren en als je dan toch kritiek op hem wilt hebben, kan de reden alleen maar zijn dat hij van het communisme, een edelmoedige ideologie, is afgeweken. Dus zeg ik: als Stalin niet meer dan een afwijking van het communisme is, dan was Hitler niet meer dan een afwijking van het antisemitisme.'

'Maar Pavel, waarom begin je in hemelsnaam over Stalin, hier, nu, terwijl we het zo fijn hebben?'

'Gewoon een dronkemansspraatje. Ik dacht aan jou en alleen aan jou, ik zweer het, en daarna moest ik aan mijn moeder denken die nooit ook maar enig geluk heeft gekend. Ik was bezig mijn geluk met jou aan haar op te dragen en vervolgens herinnerde ik me degene die haar elk geluk ontzegde, kameraad Stalin, want dat weet je waarschijnlijk niet, maar haar leven is vrij lang met het zijne verbonden geweest, ondanks haar jonge leeftijd, waardoor de rest van haar leven niet meer dan overleven was. Maar we hebben geen tijd meer om het daar ook nog allemaal over te hebben.'

Ik kleedde me weer aan, ze klampte zich aan mijn nek vast, haar beide handen grepen van achteren mijn hoofd zoals je een kind naar de doopvont draagt en ze gaf me een lange kus. We hadden opeens geen leeftijd meer, we waren bevrijd van de tijd en de eisen die die stelde. Aan de overkant op de gang was het tijd voor de avondmaaltijd, natuurlijk net als altijd klaargemaakt door kameraad grootmoeder en in de feeststemming waarin ik verkeerde, kwam ik er bijna toe haar te vragen die voor één keer met ons te delen.

Terwijl ik de deur van Alexandra's flat dichttrok en mijn kleren in orde bracht, werd ik betrapt door Anna. Als ik niet zo sterk de indruk had gewekt dat ik me in verlegenheid gebracht voelde, zou haar waarschijnlijk niets opgevallen zijn, maar alles gaf aan dat ik niet naar buiten kwam na iets wat alleen maar een beleefdheidsbezoek was geweest.

Omdat we nog niet in ons eigen huis waren, zei ze eerst niets. Daarna begon ze zacht, alsof iemand ons kon horen: 'Wat deed je hiernaast?'

Ik zou me niet erger gegeneerd hebben gevoeld als ze me had betrapt terwijl ik uit een bordeel was gekomen. Ik antwoordde vlak: 'Ik was op bezoek bij onze buurvrouw.'

'Een bezoek waarna je bij het weggaan je broekriem moet vastmaken?'

'Wat wou je suggereren?'

'Ik suggereer niets, je wekt de belachelijke indruk van iemand die op heterdaad is betrapt ...'

'Op samenzweren ten behoeve van mijn geluk', viel ik haar in de rede.

'Hoe kun je je geluk met ontrouw verenigen?'

'Wie heeft het over ontrouw?'

'Denk je soms dat ik al die jaren dat ze in de gemeenschappelijke flat woonde niet zag hoe ze naar je keek? Dus al sinds die tijd is ze je minnares. En ik die probeerde me in jullie onmin te schikken, ik begrijp nu pas waarom mijn moeder zich gekwetst, om niet te zeggen vernederd toonde.'

Ik antwoordde met stemverheffing: 'Anna, schei uit met je simpele oordelen over ingewikkelde zaken.'

'Vind je niet dat onze familie al genoeg getroffen is, dan moet jij er nodig nog een smet op werpen met je schijnheiligheid. Straks weet iedereen het, is dat wat je wilt?'

'Doen er dan praatjes de ronde?'

'Nee, praatjes niet, maar vind je niet dat het al moeilijk genoeg is te zien hoe mijn moeder achteruitgegaan is om er dan ook nog eens achter te komen dat, terwijl zij vecht tegen de vertwijfeling over haar toestand, jij de bloemetjes buiten zet met die vrouw.'

Ik slikte een opkomende woede in en probeerde de boel te sussen.

'Hier moet ik je tot staan brengen. Het is niet zoals je denkt. De beste manier om toestanden erger te maken, is ze tot het uiterste te vereenvoudigen door er een morele draai aan te geven. Je kunt een stel niet van buitenaf beoordelen, want ieder doet zich anders voor dan hij is, snap je? Alsjeblieft, we zullen later verder praten, maar bereid je erop voor dat je dan ook alles te horen zult krijgen.'

Opeens begon ze te huilen.

'Maar ik wil niets horen, niets, ik wil niets weten, ik wil alleen maar dat je mijn moeder respecteert.'

Die hartekreet kwam van zo diep dat ik niet wist wat ik moest antwoorden. Schuchter bracht ik naar voren: 'Maar wil je dan niet dat ik ook een beetje gelukkig ben?'

Opeens kwam ze in verzet en alsof er een zandstorm was opgestoken die haar in het gezicht woei, waren haar tranen in een oogwenk opgedroogd: 'Dat jij nog gelukkig kunt zijn na alles wat we meegemaakt hebben, nou, is dat wat je bezig bent tegen me te zeggen? Terwijl onze familie al maanden onafgebroken door het noodlot wordt achtervolgd, is mijn vader druk op zoek naar geluk, ben ik nou gek of hoe zit het?'

'Rustig maar, Anna, zo kunnen we niet helder praten, laten we even wachten voor we dit gesprek voortzetten.'

Ze barstte opnieuw in snikken uit.

'Ik die je zo bewonderde om de moed die je toonde om alle ellende het hoofd te bieden, jij die mijn enige troost was, hoe kan ik ooit aanvaarden dat ik je zie verloederen met de onwaardigheid van iemand die om geluk bedelt? Nee, dat kan ik niet … dat zal ik nooit kunnen …'

'Je zult je meisjesidealen toch ooit moeten opgeven om de wereld te aanvaarden zoals die is, dat is nou volwassen worden, Anna, en jij weigert je als volwassene te gedragen.'

We stonden nog steeds op de gang en toen de baboesjka opeens verscheen om te vertrekken, zorgde haar beschaafde verschijning bij ons voor een gevoel van bevrijding.

Anna kwam weer wat tot zichzelf en bang dat ik voor het avondeten alleen in het gezelschap van Anna zou blijven, drong ik er bij de oude vrouw op aan met ons mee te eten. Ze keek alsof ze het in Keulen hoorde donderen, daarna deed ze haar sjaal af, trok haar oude, versleten jas uit en liep, onwennig alsof ze te gast was, naar de zitkamer.

Dit familiediner beloofde niet bepaald gezellig te worden. Het had me uiterst onaangenaam getroffen om de achting die mijn dochter voor me had binnen een paar minuten te zien verdwijnen. Ze had haar achting nog maar net uitgesproken of ze nam haar woorden alweer terug. Zodra het me lukte enig begrip te doen ontstaan, kon ik er wellicht voor zorgen dat Anna's verstand de overhand kreeg boven haar gevoelens. Ze beet nog eens zo hard op haar nagels, terwijl ze onder tafel zenuwachtig haar rechterbeen liet wippen om haar ergernis de baas te blijven. Geroepen voor de avondmaaltijd, ging Jekaterina aan tafel zitten met een blik die geen enkele glans vertoonde en haar betreurenswaardige toestand, dat merkte ik wel, maakte de wrok van mijn dochter tegen die onbezonnen vader, die terwijl alles om hen heen instortte uitsluitend aan zichzelf dacht, alleen maar groter. Jekaterina at haar soep zonder een woord te zeggen, de baboesjka deed hetzelfde, maar met haar voorzichtige glimlach erbij en Anna werkte haar avondmaaltijd naar binnen omdat ze er zo gauw mogelijk vandoor wilde. Ik kon me niet herinneren ooit zo'n algemene neerslachtigheid te hebben meegemaakt, of het moest heel lang geleden zijn. Ten slotte stond Anna op om weer naar haar eigen vrienden te gaan, jongelui van haar leeftijd. Ik vreesde dat ze geen prijs meer zou stellen op mijn hulp bij het begeleiden van de journalist, maar haar professionalisme won het van haar verlangen mijn gezelschap te ontvluchten, en daarin zag ik een goed teken. Na haar vertrek en dat van de baboesjka bleef ik nietsdoend, terneergeslagen op de canapé zitten. Anna had een flitsend moment van helderziendheid gehad op basis van een minuscule aanwijzing, een broekriem die wordt vastgegespt voor de flat van een vrouw, en ik was zo overrompeld geweest dat ik niet in staat was iets te ontkennen. Jekaterina ging naar bed als een geestverschijning die naar haar honk terugkeert. Ik zette muziek op, zachtjes om haar niet te storen. Ik keek lang naar het gezicht van Sjostakovitsj op de platenhoes en vroeg me af hoe zulke muzikale klanken uit het hoofd van een notarisklerk konden komen. Ik herinnerde me Zjdanov, die Stalin juist om dát hoofd vroeg, met als reden dat je zijn muziek niet kon meeneuriën, wat aantoonde dat hij een volksvijand was.

Het geluid van de deurbel haalde me uit mijn verdoving. Ik ging opendoen, met buikpijn van angst dat Anna me opnieuw kwam terechtwijzen of dat de Federale Veiligheidsdienst voor de deur stond om me mee te nemen naar het bureau omdat ik me niet aan de afspraken had gehouden die ik met mijn regering gemaakt had. Ik was even gerustgesteld als verrast toen ik Jevgenja in de deuropening zag staan. Ze was nog donkerder dan het halfduister in het trappenhuis, warm ingepakt in meerdere laagjes kleding. Ze verontschuldigde zich al dat ze gekomen was en wilde meteen weer vertrekken en ik moest aandringen om haar ertoe te bewegen even haar jas uit te doen. Vroeger was ze een heel mooie vrouw geweest, maar het verdriet en de tijd hadden haar gezicht verwoest, waarvan alleen de zacht paarse ogen en de volmaakte neus nog van haar vroegere schoonheid getuigden.

'Ik zal je niet lang storen, Pavel.'

'Je stoort me niet, Jevgenja, jij stoort me in ieder geval minder dan dat mij de wroeging stoort over het feit dat ik tot nu toe niet meer naar je heb omgekeken. Ik weet dat Boris zich om je bekommert, een beetje namens ons allebei, maar ik moet je bekennen dat ik een beetje laf ben, Jevgenja. Anton was onze beste vriend, van Boris en mij, en ik herinner me zoveel aangename momenten met hem dat ik altijd met warmte aan hem zal blijven denken, zo lang ik leef, maar ik zou willen dat je begrijpt dat jouw verdriet zozeer met het mijne verband houdt, het stuurt zozeer mijn pogingen in de war om het te vergeten dat …'

'Dat begrijp ik heel goed, Pavel, ik verwijt je ook niets. Maar ik zal eerlijk tegen je zijn, misschien weet je dat het de afgelopen tijd niet zo goed ging tussen Anton en mij en ik vraag me af of jij me niet verwijt dat ik je zeer dierbare vriend niet al het geluk heb geschonken dat hij verdiende.'

'Welnee, Jevgenja! Zet dat idee uit je hoofd, ik wist er niet veel van en als ik van alles op de hoogte was geweest, zou ik nooit voor de een of voor de ander partij hebben gekozen. Huwelijksproblemen zijn voor degenen die erbuiten staan te ingewikkeld om eruit wijs te worden en onmogelijk te doorgronden, er ontstaat soms iets heel subtiels waar je met je verstand niet bij kunt en waarin je allemaal toch klaarheid zou willen brengen. Toe! Doe me een genoegen en ga zitten, we hebben alle tijd, Jekaterina slaapt en ik heb nog lang geen zin om te gaan slapen.'

Ik stond op om twee glazen uit het buffet te pakken en schonk ze tot de rand toe vol wodka.

'Ik heb veel verdriet, Pavel, en ik wilde je vertellen hoe de dingen die dag gegaan zijn. Boris is heel voorkomend, toch voelde ik me niet in staat het hem te vertellen, misschien omdat hij er minder bij betrokken is. In het kader van zijn voorlaatste missie, de laatste voor het drama, was Anton drie maanden aan één stuk weg. De dag dat hij terugkeerde, lag zijn onderzeeboot langs de wal en ik weet dat hij niet meteen naar huis kwam. Daar kwam ik achter omdat onze buurman in het woningcomplex officier was op hetzelfde schip als hij. Die dag hoorde ik voetstappen op de gang, ik vloog naar de voordeur, ik deed open en voor me stond die officier, die me vertelde dat ze een half uur daarvoor aangelegd hadden. Anton kwam pas een uur later thuis. En toen ik hem vroeg waarom, wilde hij geen antwoord geven, hij schonk wodka in, leegde de helft van de fles en zette de televisie aan. Nou, toen ontplofte ik, ik die na drie lange maanden nog eens anderhalf uur extra had moeten wachten. Terwijl hij zijn fles en zijn glas tegen zich aan drukte, sloeg ik in de zitkamer alles aan gruzelementen wat er aan gruzelementen te slaan viel. Ten slotte bedaarde ik, we zijn niet rijk genoeg om ons te kunnen veroorloven het beetje wat we bezitten te vernielen. Vervolgens gingen de weken voorbij zonder dat we erop terugkwamen. En de dag voor hij aan boord ging van de Oskar, zei ik dat ik van hem wilde scheiden. Ik kon niet weten, nietwaar, Pavel, ik kon niet weten dat hij de volgende dag de dienst op de Oskar toegewezen zou krijgen, want er waren twee bemanningen. En toen hij zijn uniform aantrok om naar de kade te gaan, kreeg ik spijt, wilde ik hem zeggen dat ik alleen maar gewild had dat hij met me zou praten, dat hij me zou uitleggen waarom hij me de vorige keer, na drie maanden op zee, niet gauw in de armen was komen sluiten, je begrijpt het toch, nietwaar, ik bestond niet meer. Wat is een vrouw nog, wanneer haar echtgenoot haar alleen heeft gelaten voor een verblijf van drie maanden op zee en hij bij terugkeer niet rechtstreeks naar huis gaat? Hoe kun je zoiets verdragen, hoeveel moet je over je kant laten gaan, snap je, Pavel?'

'Ik snap het, Jevgenja.'

'En toen we vervolgens vernamen dat de Oskar op de zeebodem lag, dacht ik steeds dat ik het nog met hem zou kunnen uitpraten, want ze zeiden dat ze hoorden dat er tegen de romp geslagen werd en dat was ook zo. Toen zich het gerucht verspreidde dat er in het voorste gedeelte van het schip een ontploffing was geweest maar dat er in het achterste gedeelte waarschijnlijk overlevenden zaten, zweer ik je ten overstaan van God dat ik ervan overtuigd was dat hij tot de overlevenden behoorde en dat hij naar boven gehaald kon worden omdat hij in een van de achterste compartimenten werkte, nou ja, neem me niet kwalijk, ik had je dit niet moeten zeggen, want nu weet ik … het spijt me, Pavel, mijn verdriet is vast niet groter dan dat van anderen, maar het is zo oneerlijk dat hij vertrokken is met de zekerheid dat ik hem zou verlaten, want wat ik van nu af aan ook doe, we zijn voorgoed gescheiden, en al is er een leven na de dood, ze zullen nooit goedvinden dat ik weer bij hem kom, snap je, ik ben verdoemd ...'

En ze barstte in huilen uit, het gezicht in de handen, de tranen stroomden uit haar ogen. Ik probeerde haar te troosten, maar niets hielp. Na een poosje herstelde ze zich en veegde ze haar ogen af, maar ze bleef even diep bedroefd. Om haar af te leiden begon ik weer te praten: 'Ik weet dat Anton zich zorgen maakte. Je weet hoe hij was, van ons drieën was hij degene die zich het minst uitte. Hij was een echte zeeman, hij toonde nooit veel van zijn gevoelens en schonk zijn vrienden alleen maar het beste van zichzelf, humor en lachen. Maar het kwetste hem diep dat hij elke dag dat hij niet op zee zat moest jagen en vissen omdat de marine al maanden geen soldij meer uitbetaalde. Als je wilt weten wat ik denk, dan is het dat hij er niet meer in geloofde, al zijn idealen gingen een voor een verloren. Het was niet alleen maar dat er geen geld kwam. Ik denk dat hij ontdekt had, al praatte hij er nooit heel openlijk over, zeker niet tegen mij, dat er op de basis vreemde dingen gebeurden ...'

'Vreemde dingen?'

'Ja, zwarte handel. Sommige lui van de staf hadden een handeltje in losse onderdelen opgezet. Ze verkochten onderdelen die van technologische waarde waren of waardevolle bestanddelen bevatten. Het waren net daklozen die een hele container met vuilnis omkeren om er één fles met statiegeld uit te halen. Ik heb de indruk dat Anton bewijzen had voor die diefstallen en voor de hele zwarte handel die er omheen was ontstaan. Anton is nooit een verklikker geweest, vandaar zijn aarzeling om zijn meerderen in te lichten, temeer omdat hij niet precies wist wie erbij betrokken waren. Alles wat ik je vertel, weet ik van Boris, want om mij niet ongerust te maken heeft Anton mij nooit willen zeggen hoe ernstig het was wat hij had ontdekt. Voor hem was het niet het ergste dat die lui zich verrijkten met publiek eigendom, maar dat zij, met een luizenbaan bij de staf, het leven van zeevarenden op het spel zetten, omdat het onderhoud van de schepen eronder leed, onderzeeboten werden alleen maar opgelapt in plaats van dat ze echt werden gerepareerd. En aangezien het om nucleaire voortstuwing ging, wat zijn specialiteit was, dan weet je wat dat wil zeggen. Hij zat de afgelopen tijd echt in een depressie, een heel diep gat waar je niet meer uit komt omdat je je zelfrespect kwijt bent. Anton rekende zichzelf de schande van een hele instelling aan. Hij was bereid heel veel te aanvaarden, zoals die maandelijkse voedselrantsoenen, waarbij je voor drie of vier maaltijden moest zien uit te komen terwijl er voor niet meer dan twee aan voedingsmiddelen voorhanden was, of zoals een achterstand van zes maanden of meer in de uitbetaling van soldij. Toch kon hij zich absoluut niet neerleggen bij die verloedering van de marine en aanvaarden dat achter het uniform van een officier een zwarthandelaar schuilging die zich verrijkte door het leven van zijn kameraden op het spel te zetten. Anton wist niet hoe hij deze vijand moest bestrijden. En je weet hoe dat in zulke gevallen gaat, je ziet overal tentakels van de inktvis, je verdenkt iedereen, je gaat aan achtervolgingswaanzin lijden. En dat hij na zijn laatste missie voor het drama niet meteen terug naar huis ging, kwam doordat ze wat technische problemen moesten oplossen die zijn vrees bevestigden. Hij schaamde zich voor de marine, hij schaamde zich voor zichzelf omdat hij niets tegen die verloedering kon uitrichten en hij schaamde zich tegenover jou omdat hij geen achting meer voor zichzelf had. Snap je, Jevgenja, over sommige dingen kan ik het niet met je hebben omdat ze als ze bekend worden mensenlevens in gevaar kunnen brengen, maar wat ik je wel kan zeggen, is dat Anton zich bij deze ramp als een held heeft gedragen, als held in de zin van iemand die zijn leven geeft voor algemeen geldende principes.'

'Hoe weet je dat?'

'Ooit zal ik het je vertellen.'

Mijn woorden waren bedoeld om haar gerust te stellen, maar ik ben bang dat ze haar schuldgevoel alleen maar groter maakten. Vervolgens begon Jevgenja over de nationale en internationale inzameling die op touw was gezet ten bate van de families van de opvarenden van de Oskar. Volgens een hardnekkig gerucht was de helft van het ingezamelde geld verdwenen. Ze was bereid te vechten om haar deel binnen te krijgen en vroeg me of ik haar daarbij wilde helpen. Ik beloofde het zonder overtuiging. Het was een strijd van stervelingen tegen de eeuwigheid. Als ooit de helft die over was bij de slachtoffers terecht zou komen, zou dat al een grote overwinning zijn op de gebruikelijke ambtsontrouw. We dronken nog een glas wodka, deze keer zonder veel te praten, en nog vóór middernacht vertrok Jevgenja weer.

Ik DRONK IN m'n eentje verder, om alle emoties waar ik de hele avond mee geconfronteerd was eens rustig te verwerken, een beetje verongelijkt ook, alsof Anna en Jevgenja afgesproken hadden me met hun leed op te zadelen. Bij het aanbreken van de dag kwam ik overeind, omringd door de stank van een ongewassen lichaam en sterkedrank. Ik vervloekte dat door drankmisbruik slappe lijf, de kater die mijn hoofd teisterde als straf voor het leegdrinken van de fles die bij het vertrek van Jevgenja nog maar net aangebroken was. Anna stond op tijd voor de ingang van haar flat. Ze stapte in de auto zonder iets te zeggen, met niet meer eerbied voor me dan als ik na een seksueel misdrijf uit de gevangenis was gekomen. Ze ging recht in haar stoel zitten om zich een houding te geven, als een vakvrouw die zich heilig heeft voorgenomen strenge scheidingen in haar leven te maken, zoals Amerikaanse vrouwen in televisieseries doen, die vastbesloten zijn te tonen dat ze meer dan mannen zijn, die onbeschaafde beesten. Het beest nam dus het initiatief om de stilte te verbreken: 'En wie ontmoeten we vanochtend?'

'Een journaliste.'

'Waarvandaan?'

'Uit Moskou.'

'Die werkt voor wie?'

'Als correspondente voor buitenlandse kranten.'

'Is ze speciaal voor hem gekomen?'

'Nee, ze is hier om Duitsers te helpen bij het maken van een documentaire over koningskrabben.'

'Er zijn hier ook altijd maar drie onderwerpen mogelijk. Koningskrabben, de ondergang van de Oskar en het nucleair kerkhof.'

'Dat is niet eens zo slecht.'

'Ik ben het met je eens. En wat heeft ze met ons onderzoek te maken?'

'Ze kan ons wat informatie geven. Ze kent mijn hoofdredactrice, die ervoor heeft gezorgd dat ze ons wil ontmoeten.'

Anna had met haar afgesproken in de bar van het hotel waar Thomas logeerde. Er zaten een heleboel zakenmannen aan tafels te ontbijten, Scandinaviërs, maar ook Russen en Kaukasiërs. Ik vroeg me af wat hen naar deze stad voerde, want niet een zag ernaar uit dat hij belangstelling had voor koningskrabben, de Oskar of het nucleair kerkhof. Achter ons trad een heel kleine vrouw van Centraal-Aziatische afkomst binnen. Ze had een ovaal gezicht met beweeglijke spleetogen en was gekleed met de eenvoud van een vrouw die gewend was op te gaan in de massa. De journalist verscheen op het afgesproken tijdstip, zichtbaar vermoeid – waarvan? dat was moeilijk te bepalen. Hij was in één nacht vijf jaar ouder geworden. We bestelden een kan koffie om van onze gezamenlijke dufheid af te komen.

Je bent weleens op een plek terwijl je het liefst ergens anders zou willen zijn. Ik had graag gewild dat het voorjaar was, wanneer de natuur nog moet herstellen van de winter, de lucht vol geuren is, de kou plaatsmaakt voor koelte. Ik zag mezelf op forel vissen, op ganzen jagen, in het zadel stijgen om me zo ver mogelijk te verwijderen van wat me aan mensen deed denken, ver weg van deze beschaving, voor het verdwijnen waarvan ik alles gegeven zou hebben om er met Alexandra vandoor te gaan. Er zijn van die dagen dat je in een merkwaardige stemming verkeert. Je vraagt je af waar je nou eigenlijk mee bezig bent, om je leven zo te vergallen. Andere dagen zou je je wel willen aansluiten bij al die dieren die ermee volstaan een onveranderlijk instinct te volgen. Wij zijn de enige soort bij wie een geesteszieke die zijn oog op het stukje grond van zijn buurman heeft laten vallen of die opeens op een niet uitgewerkte gedachte komt, miljoenen mensen achter zich aan krijgt die het prachtig vinden dat hun een worst wordt voorgehouden. Ik voelde de behoefte om in de natuur op te gaan, mijn leven toe te vertrouwen aan een onpartijdige scheidsrechter die eenvoudige regels stelt, me te onttrekken aan de invloed van al die bedriegers die beweren dat ze het allemaal zo goed weten voor anderen. Die ochtend had ik er gewoon geen zin in om nog meer te horen over de ondergang van de Oskar. Het liefst was ik die menselijke nederlaag vergeten die kon worden toegevoegd aan de lijst met talloze voorbeelden van ondernemingen waarvan we allang de zin niet meer weten en die ons meeslepen in drama's die wij herdenken zoals alle nederlagen die niets veranderen.

En die journalist tegenover me, die zijn suikerklontje in tweeën brak voor hij het in zijn kopje gooide, waar kwam die zich in deze hele zaak mee bemoeien? Die man was op zijn manier een jager en hij kon het zich niet veroorloven met lege handen naar zijn land terug te keren. Waarschijnlijk had hij iemand beloofd dat hij met de waarheid terug zou komen. Die waarheid was een kleine onderneming geworden. Hij had geld in deze reis gestopt en als hij met de waarheid terugkwam, kon hij die verkopen en er wat winst uit slaan. Ik zeg niet dat hem dat door het hoofd speelde, maar wat hij deed sloot aan bij de logica van een systeem waartoe hij behoorde, zelfs al gingen de bedoelingen van de man verder, daar twijfelde ik niet aan. Degenen die zijn waarheid zouden kopen, zouden daar ook weer een handeltje van maken. Ze zouden haar spoedig doorverkopen aan adverteerders, met de woorden: 'Deze waarheid omtrent de Oskar, die vinden onze lezers interessant, want door verstikking sterven op de bodem van de zee, dat is iets wat hen echt bang maakt, maar wat hun tegelijkertijd niet gauw zal overkomen. Met een beetje medelijden vanwege het verlies van een echtgenoot of zoon, voeg je aan de angst ontroering toe en daar is ons publiek dol op, temeer omdat het westers is, omdat het leven van de mensen die tot dat publiek behoren niet dagelijks wordt bedreigd en omdat het leven verliezen echt als een ernstig feit wordt beschouwd. Dus zullen we veel lezers of televisiekijkers krijgen die deze waarheid omtrent de Oskar zeer zal boeien, vooral als die waarheid wijst op een heus complot, gesmeed door boze krachten die de gewone burger niet kent. En als we halverwege dat onderzoek een advertentiepagina ertussen zetten voor jullie mobieltje, trekken jullie er eveneens voordeel van en is iedereen blij en gelukkig ...' We stonden dus aan het begin van een hele reeks gelukkige mensen die van plan waren dat ook te blijven, op voorwaarde dat wij die waarheid uit het hol haalden waarin zij verstopt zat. Maar ik was niet in de stemming om het hol uit te roken om de vos eruit te jagen.

Het vrouwtje tegenover ons zat erbij als een soldaat van de Vietminh. Ze had verslag gedaan van beide oorlogen in Tsjetsjenië. Haar strijd om de waarheid te laten winnen van de verzinsels die door de machthebbers werden geproduceerd, over de zin daarvan hoefde je bij haar niet met vragen aan te komen. Ze was zo duidelijk de waarheid toegedaan, zoals anderen het geloof zijn toegedaan, een roeping die niet uitsloot dat je er ergens langs de weg het leven bij liet. Dat risico leek geen indruk op haar te maken.

'Over de Oskar weet ik waarschijnlijk minder dan u,' begon ze terwijl ze zich nederig tot de journalist wendde, 'toch kan ik het een en ander voor u verhelderen op basis van mijn ervaringen in Tsjetsjenië. De dag dat de Oskar verging waren er twee mannen uit Dagestan en een Tsjetsjeen aan boord. Dagestan is een republiek in de Kaukasus die grenst aan Tsjetsjenië. Net als die laatste behoort zij tot de Russische Federatie. Het staat vast dat zich in Dagestan fabrieken bevinden die wapens produceren, dat er in het bijzonder torpedo's voor onderzeeboten worden gemaakt. Ik weet ook dat de Oskar van een aantal van deze torpedo's was voorzien, die onlangs waren verbeterd, is me verteld, reden waarom er de dag dat de oefeningen plaatsvonden twee ingenieurs van die fabriek in Dagestan aan boord waren. Wat de Tsjetsjeen betreft, dat kunt u controleren, dat was een gewone zeeman. We hebben niet veel tijd, want u gaat vanochtend een boottocht maken, toch wilde ik u enkele gegevens verstrekken die uw onderzoek in een groter verband plaatsen. Allereerst moet u weten dat Tsjetsjenen niet primair fanatieke strevers naar onafhankelijkheid zijn. Het zijn Kaukasiërs, moslims, levensgenieters, met heel oude tradities. Toen het communisme viel en de zaken goed begonnen te lopen, traden velen van hen in dienst bij oligarchen, nieuwe rijken, als lijfwacht of als handlanger in Moskou, waar ze ook hun eigen maffiapraktijken uitbouwden, maar zonder ooit een bedreiging te vormen voor de grote zakenjongens. Terwijl de oligarchen gemene zaak maakten met de mannen in het Kremlin en in Rusland de hand legden op gas, aardolie, de staal- en auto-industrie, eigenden de Tsjetsjenen zich de gebruikelijke maffia-business van gokken, meisjes en restaurants toe. En iedereen kon zich heel goed vinden in dat samenwonen op duidelijk afgebakende terreinen. In Tsjetsjenië liepen de dingen wat anders. U moet weten dat het zakenleven daarginds in die tijd steunde op twee sectoren: aardolie en wapenhandel. De oliereserves waren niet heel omvangrijk maar gemakkelijk toegankelijk. Wat de wapens betreft, die werden, vaak met medeweten van hoge officieren, gestolen van het Russische leger en in grote hoeveelheden het land uit gesmokkeld om tegen concurrerende prijzen te worden vervoerd naar oorlogsgebieden zoals bijvoorbeeld ex-Joegoslavië. Maar in 1994 begonnen Russische generaals protest aan te tekenen tegen de verdeelsleutels met betrekking tot de zwarte handel in wapens, ze vonden dat ze te weinig kregen. Ze uitten dreigende taal tegen de Tsjetsjenen, die reageerden met het kenbaar maken van hun wens tot onafhankelijkheid. Maar voor het op een openlijk conflict te laten aankomen, bedacht hun leider, in de sovjetperiode generaal bij de luchtmacht, dat men een oorlog gemakkelijk kon voorkomen. Hij vroeg om een ontmoeting met Jeltsin, maar de generaals deden er alles aan om zo'n ontmoeting te voorkomen, want die zou tot een onthulling van hun praktijken hebben geleid, die ze hoe dan ook onder tafel wilden houden. U weet waarschijnlijk niet hoe zoiets in ons land gaat. Als u het goed vindt, maak ik even een zijsprongetje om de situatie te verduidelijken. Onlangs werden er door financiële autoriteiten in een Europees land vragen gesteld aan het ministerie van Financiën in Moskou naar aanleiding van het verzoek van een hoge functionaris op dit ministerie om een rekening te openen. Ze wilden zich ervan vergewissen of het geld dat op deze rekening was gezet niet van verdachte herkomst was en dat het niet zoiets als witwassen betrof. De Russische functionarissen lieten de collega in kwestie bij zich komen en zeiden tegen hem: "Zeg eens, collega, ze vertelden ons dat je een half miljoen euro op een rekening in het buitenland wilt zetten. En als je een half miljoen wegzet, betekent dat dat er nog veel meer geld gaat komen, want je bent een voorzichtig man en het ligt niet in jouw lijn een aantal miljoenen ineens weg te zetten, dus wij concluderen dat je maar een klein bedrag hebt overgemaakt om de boel in gang te zetten. Daar leiden we uit af dat je die rekening de komende jaren gaat spekken – met hoeveel? Laten we zeggen met vier miljoen euro. Alleen zullen sommige mensen zich afvragen waar die bedragen vandaan komen en ze zouden ze kunnen blokkeren, behalve als wij hun vertellen dat ze de opbrengst zijn van eerlijke handel. Dat zullen we natuurlijk doen, maar dan zul je ons vijftig procent moeten geven. Als tegenprestatie zal niemand je vragen waar dat geld vandaan komt." Tot zover mijn zijsprong, die alleen maar tot doel had te zorgen dat u de angst begrijpt van de generaals om tegenover medewerkers van de president of tegenover de president zelf opheldering te moeten geven over een handel waar ze vanaf het begin profijt van trokken. Dus kwam het nooit tot een ontmoeting tussen de Tsjetsjeense leider en de president. En de generaals bedachten dat deze oorlog nog een ander groot voordeel opleverde. Aangezien de Tsjetsjenen zwarte handel in wapens dreven, hadden ze er zelf niet genoeg om oorlog te voeren. Als ze het op een conflict lieten aankomen, zouden ze die moeten kopen en ze zouden snel doorkrijgen dat de wapens die het goedkoopst en het gemakkelijkst te verkrijgen waren, de wapens waren die hun alleen door die Russische generaals verkocht zouden kunnen worden. Het Russische machtsvertoon liet niet lang op zich wachten. En de Tsjetsjenen lieten zien dat je een volk niet zomaar van de kaart veegt, waarbij bedacht dient te worden dat de Russen, dat zult u hebben begrepen, door de vijand te doden hun eigen klant doodden, dus ze richtten wel een bloedbad aan, maar ze roeiden ze niet uit. Tsjetsjenië telde vele welgestelde families die weldra werden afgeperst door Russische officieren die hun kinderen ontvoerden of dreigden hun dorp met de grond gelijk te maken. Het lukte de Russen niet om de Tsjetsjenen eronder te krijgen, we weten nu waarom, dat zou de zaken van sommigen kapotgemaakt hebben, terwijl Jeltsin zich er bezorgd over maakte dat er maar geen eind aan deze oorlog kwam, want hij was bang dat het conflict net als in Afghanistan eindeloos zou gaan duren en zijn herverkiezing in gevaar zou brengen. Uiteindelijk werd de vrede getekend en de president herkozen. Er werd geld gestuurd voor de wederopbouw van Tsjetsjenië. Daarvan werd de helft bij de bron in Moskou verduisterd en de andere helft ter plaatse. Hetgeen bij sommige onafhankelijkheidsstrijders, die het gevoel hadden zonder tegenprestatie hun idealen op te geven, voor de begrijpelijke verbittering zorgde. Daartoe aangespoord door mensen in Moskou die belang hadden bij hervatting van de vijandelijkheden, viel een groep strijders het buurland Dagestan, nou ja een paar dorpen daar, binnen om de opvolger van Jeltsin te tarten. Die vroeg zich af of een nieuw conflict niet een manier was om het land te prikkelen zodat Rusland zijn eigen kruistocht tegen het terrorisme kon ondernemen. Zo zit het, het spijt me dat ik wat snel ben gegaan, maar één ding staat vast, de Tsjetsjenen hebben de verantwoordelijkheid opgeëist voor het saboteren van de Oskar om de centrale macht in Moskou te vernederen, die niet in staat is gebleken het pronkstuk van haar leger, de kernonderzeeboten, te beschermen. De theorie die je nu het meest hoort, is dat tijdens de oefening een oude torpedo is ontploft toen die in zijn buis werd geplaatst. Maar die torpedo's, die inderdaad oud waren, waren net in Dagestan opgeknapt en misschien is de boel daar wel gesaboteerd. Ik zeg absoluut niet dat ik in deze theorie geloof, maar ze is misschien niet ongerijmder dan de andere. Of waren de beide ingenieurs aan boord wellicht lid van een zelfmoordcommando? Dat lijkt me minder aannemelijk, maar in dit land is alles mogelijk, kapotmaken zit ingebakken in de cultuur, en we zijn best in staat er een dergelijke euveldaad aan toe te voegen. Alles wat in elk ander beschaafd land ondenkbaar is, dat kan hier gebeuren. Trouwens, u was toch van plan aan boord van een vissersboot over zee omhoog langs de bases te varen? Ik denk dat als u de kustwacht honderd dollar betaalt, u zichzelf op een bezoek kunt trakteren aan een van de grootste concentraties oorlogsschepen ter wereld, zoals wanneer u in een Japanse tuin een bonsaikwekerij zou bezoeken. Wanneer corruptie een levensstijl wordt, is niets onmogelijk, zodra zich een gelegenheid voordoet is het woord onwaarschijnlijk nog slechts een loos begrip. In de tijd van de Sovjetunie was corruptie folklore, nu is het een kanker. Een woekering van eenvoudige mensen die omkoopbaar zijn, want ze zien hoe hun leiders zich verrijken en ze zijn het beu om op hun armzalige salaris te moeten wachten, dat vaak maanden te laat komt. Bovendien, wat riskeren ze uiteindelijk? Indertijd was het de goelag of de dood, nu is het ergste wat hun kan overkomen dat ze moeten delen. Voor we afscheid nemen, zal ik u zeggen hoe ik erover denk. U probeert inzicht te krijgen in de toedracht van deze zaak. En u hebt begrepen dat het eigenlijk twee zaken in één zijn. De eerste betreft de vraag waarom deze onderzeeboot, zo groot als een voetbalstadion, zo hoog als een flat van zes, zeven verdiepingen, is gezonken. De tweede is dramatischer, want we weten allemaal dat er achter in het schip, in de achterste drie compartimenten, als ik me goed herinner ruim twintig overlevenden zaten, van wie men aanneemt dat het tussen de negen uur en drie dagen heeft geduurd voor ze dood waren terwijl het vluchtluik bereikbaar was, dat het schip naar honderd meter diepte gezonken was, een diepte waarop je het wereldrecord vrijduiken kunt halen, dat wil zeggen, het was heel goed mogelijk om die mensen te redden. De eerste reactie van onze leiders was de verantwoordelijkheid voor het drama op buitenlanders te schuiven door te beweren dat deze onzinkbare duikboot niet anders dan door een Amerikaanse raket naar de zeebodem gestuurd kon zijn. Daarna trokken ze hun woorden in, waarop de voordelen om buitenlanders de schuld in de schoenen te schuiven veranderden in een nadeel omdat ze zich moesten verantwoorden voor het uitblijven van een tegenaanval, het niet vernietigen van de agressor of wat ze nog meer nagelaten hadden. De meest neutrale lezing bestond dus uit de verklaring dat in het voorste gedeelte van het schip een oude torpedo was ontploft. Ze verspreidden dit gerucht nog voor ze wisten of dit de echte oorzaak was geweest, wat uiteindelijk heel goed zo had kunnen zijn. Maar ze wilden hoe dan ook niet dat uit de onthullingen van de overlevenden het tegenovergestelde zou blijken. Deze mannen moesten sterven zodat de twijfel in het voordeel van de macht zou blijven werken, zodat het nooit zou kunnen gebeuren dat ze de waarheid in het gezicht geworpen kregen. Alles welbeschouwd, wat zijn drieëntwintig mensenlevens vergeleken bij een staatsgeheim dat je op hetzelfde moment verzint? Niets. En dat heeft niets aanstootgevends. Juist het tegenovergestelde zou verbazing hebben gewekt. In een land waarin een mensenleven niets waard is en de dood lange tijd een verlossing was, hoe kun je je daar indenken dat eeuwenlange geheime machtsuitoefening opeens zou worden verruild voor drieëntwintig levens van mannen die ervoor hadden gekozen soldaat te worden? Het tegenovergestelde zou op zich al een revolutie betekend hebben. En zoiets als revolutie hebben we in dit land nog nooit meegemaakt.'

ANNA VERLOSTE ME. Ze drong niet aan om met hen mee te gaan op die zeetocht omhoog die ik al honderd keer gemaakt had. De journalist zou de gelegenheid krijgen zich te vergewissen van de vuurkracht van het rijk, met al die schepen die over een afstand van kilometers op een rij lagen. Hij zou ook zien hoe wij de uit de gunst geraakte, verouderde schepen behandelden, waarbij we de roest haar verwoestende werk lieten doen. Er bestond weinig kans dat we in de buurt van het wrak van de Oskar zouden kunnen komen. Hoe dan ook, alvorens het schip te lichten hadden ze zorgvuldig de door de ontploffing opengereten voorsteven eraf gezaagd, zodat niemand iets zou kunnen opmaken uit de overblijfselen, die warboel van verbogen en gescheurd plaatstaal die aan een deskundig oog zijn geheim zou kunnen prijsgeven.

Ik deed verder geen werk meer voor de journalist tot hij naar Frankrijk terugkeerde. Ik dacht dat de vier maanden die het lichten van de onderzeeboot scheidden van zijn komst naar de poolcirkel lang genoeg zouden zijn om het me mogelijk te maken rustig over die hele zaak te praten. Maar ik kreeg er al eerder dan ik had gedacht genoeg van om alles weer op te rakelen. Ik verontschuldigde me tegenover hem dat ik niet meer bij nieuwe gesprekken aanwezig zou zijn. Hij ontmoette veel andere bij deze zaak betrokken kopstukken. Een van hen bood hem zelfs sensationele onthullingen te koop aan die uiteindelijk niet meer bleken in te houden dan de door de machthebbers gedicteerde officiële lezing van justitie.

Wel wilde ik hem nog graag naar het vliegveld brengen. In de auto toonde hij zich voorzichtig over het resultaat van zijn onderzoek. Hij vertrok met meer twijfels dan zekerheden en met nog minder vaststaande gegevens met betrekking tot de ware toedracht dan hij had voor hij op pad was gegaan. Ik vond dat alles veeleer een goed teken, maar hij antwoordde me vinnig dat hij het zich financieel niet kon veroorloven geen keuze te maken voor één theorie, want een werkstuk dat alle lezingen de revue zou laten passeren, zou voor zijn opdrachtgevers niet erg interessant zijn. Het speet me werkelijk te merken hoe teleurgesteld hij was dat hij niet de waarheid omtrent de ondergang van de Oskar had ontdekt.

'De waarheid is een theoretisch doel', zei ik. 'Zij die ervoor strijden doen dat dikwijls met gevaar voor eigen leven om haar onder de aandacht te brengen van mensen die er niet veel mee hebben. Zet bijvoorbeeld de belangrijkste specialisten van de belangrijkste universiteiten ter wereld bij elkaar en vraag hun u uit te leggen hoe een idee, het communisme, dat het beste met de mensheid voor leek te hebben, heeft geleid tot beëindiging van het leven van ruim twintig miljoen mannen en vrouwen. Ze zullen met bakken vol verklaringen aankomen, met mooie wetenschappelijke woorden als deviationisme, persoonsverheerlijking en weet ik wat nog meer. Maar niemand zal het u echt duidelijk kunnen maken, omdat het onmogelijk valt duidelijk te maken. Het irrationele van de mens is een onderwerp dat hij per definitie niet met zijn verstand kan bevatten. Waarom denkt u dat wij zo veel energie steken in het bestuderen van dieren? Om ze te begrijpen? Nonsens, door ze te observeren hopen we dat we ten slotte ooit zullen begrijpen wat er bij ons niet klopt. Wij zijn de minst aangewezen personen om over onszelf te spreken.'

Toen we in de buurt van het vliegveld kwamen, zei ik nog tot besluit: 'Als de waarheid u echt interesseert: die zit niet in de feiten, die alleen maar het zichtbare deel zijn. Ze zit ook niet in de rapporten van de machthebbers die ons door een minderheid worden opgedrongen. Zij zit in het begrijpen van de redenen die ons ertoe brengen ze te aanvaarden, en om dat uit te zoeken, heb je langer dan drie dagen nodig.'

Nadat we hem weggebracht hadden, begon ik op de terugweg over de journalist, om Anna op de kast te jagen. Ik vroeg haar zonder al te veel fijngevoeligheid of er niets tussen hen gebeurd was, wat jammer zou zijn, want die jongen was de moeite waard, en bovendien had hij een mooi paspoort, een Frans paspoort,

Frankrijk heette een heerlijk land te zijn waar het leven goed was … Anna toonde zich gekwetst en sloot zich als een oester die in haar levend vlees geprikt was. Vervolgens maakte ze van de situatie dat we met z'n tweeën opgesloten zaten gebruik om me met verwijten te overladen. Ze wreef me onder de neus dat haar relaties met mannen, alle mannen, op een mislukking uitdraaiden omdat ik er zonder dat ik het wist tussen stond.

'Goeie god, waar tussen?' vroeg ik terwijl ik mijn armen ten hemel strekte.

'Ertussen', was het enige wat ze antwoordde.

En toen sprongen de tranen me opeens in de ogen. Nadat het even geduurd had drong tot me door wat voor leven ze eigenlijk had, met een moeder die aan anterograde amnesie leed, een gestorven broer en met mij die ze diep in haar binnenste een beetje bewonderde maar die haar ook heel erg teleurstelde. Ik had het niet meer, maar Anna was zich nergens van bewust en profiterend van het feit dat we in de auto geen kant op konden, kwam ze terug op ons gesprek dat was afgebroken vlak voor de komst van de Fransman.

'En hoe zit het nou met de buurvrouw, daar moet je me toch iets over te vertellen hebben?'

'Ik kan me niet herinneren dat we het daarover zouden hebben, maar het zij zo.'

'Mag ik aannemen dat het alleen maar seksueel is?'

'Hoe kun je zoiets zeggen?'

'Ik spreek toch geen oordeel uit. Maar jullie zijn dus al begonnen toen ze nog in onze gemeenschappelijke flat woonde en Vania en ik nog kinderen waren.'

'Absoluut niet.'

'Je gaat me toch niet vertellen dat die vrouw niet al die tijd je minnares was?'

'Toch wel.'

'Durf je me op het hoofd van Vania te zweren dat je nooit een verhouding met haar hebt gehad in de tijd dat ze de gemeenschappelijke flat met ons deelde?'

Ik kon niet zweren, dus verrichtte ik een onbewuste verkeerde handeling. Bij lage snelheid miste ik een bocht en we belandden in de sneeuw tegen een muur. Zonder schade. Na de auto losge- duwd te hebben, reden we weer verder, het gesprek was echter stilgevallen en we kwamen niet meer op het onderwerp terug. Er was in één klap een einde aan Anna's aanmatigende houding gekomen, ze sprak niet langer met stemverheffing, haar stem was weer die van een meisje van haar tijd geworden.

TWEE VRIENDEN

'Ruim tien jaar later neemt hij het me nog steeds kwalijk, niet-waar?'

De generaal veegde zijn gezicht af met de hemelsblauwe handdoek die hij vasthield. Terwijl hij dat deed, ontblootte hij schaamteloos zijn treurige lid. De kolonel besteedde er geen enkele aandacht aan. Zo naakt, van opzij, boden hun vetrollen dezelfde aanblik. Het wit van hun bovenlichamen stak af tegen het helderrood van hun gezichten. De generaal deed zijn best te verbergen dat hij hijgde.

'Als scherpzinnig man heeft hij je al lang vergeven, Pjotr, maar hij voelt zich gegriefd. Hij zal je nooit kwaad doen, daar ben ik van overtuigd. Hij volstaat ermee je te negeren. We zijn nu allebei gepensioneerd. Voor hem zijn we twee officieren uit een andere tijd, toen hij nog een kleurloze jongeman was.'

'Toch is hij contact met je blijven houden, hij heeft je een aantal keren om raad gevraagd, hij is zich bewust van je invloed, maar jij bent dan ook generaal.'

'Nee, zoals alle mannen die onverhoopt op een bepaald niveau komen, wil hij alle momenten vergeten waarop hij niet op z'n best was. Hij weet dat het idee om hem in de DDR te testen van mij afkomstig was. Als goed vakman respecteert hij dat. Maar toen voelde hij het als een afgang. Die vernedering, daar was jij getuige van, ik niet. Hij wil je gewoon vergeten.'

De kolonel stond op en gaf het vertreksein. Beide mannen pakten een grote handdoek en verlieten naakt de houten hut waarin ze hun stoombad namen. Ze liepen zonder haast in de richting van de rivierarm die langs het landgoed kronkelde. Nu deze winter ten einde liep, was het ijs dat tegen de oever stootte doorzich-tiger geworden. Met een tik van zijn voet brak de kolonel het, zodat er een kleine opening ontstond waardoor ze zich allebei tot hun haarwortels in het water konden laten zakken. Ze kwamen er zonder haast weer uit en omdat een licht briesje hun lichaam geselde, wreven ze krachtig hun ledematen droog. Daarna knoopten ze de handdoek om hun middel en liepen ze met kleine stappen naar de datsja, die op zo'n twintig meter afstand van het badhok lag.

Nadat ze zich ieder in hun eigen slaapkamer aangekleed hadden, namen ze plaats in de diepe leunstoelen die voor de open haard stonden. De kolonel pakte een fles wodka uit een hoekkastje en schonk twee glazen vol voor hij zich met een lange zucht weer in zijn stoel liet vallen.

'Ik weet dat jij ermee te maken hebt, Gennadi, dus misschien kun jij me vertellen hoe het hem gelukt is het zover te brengen.'

De mondhoeken van de generaal vertrokken zich tot een glimlach die aangaf dat hij het wel wist.

'Taaie volharding, Pjotr, samen met gunstige omstandigheden. Hij stond op de tweesprong van zijn leven. Voeg daarbij het hele netwerk van relaties dat hij te danken heeft aan zijn trouw aan sommige mensen en dat allemaal bij elkaar heeft hem gemaakt tot de getalenteerdste der middelmatigen. Meer wordt er niet gevraagd van een politicus, als men wil dat hij op langere termijn geloofwaardig is. De massa moet niets van hoogbegaafden hebben. En als de mensen honger hebben, zijn ze bereid nog langer met een lege maag rond te lopen als je het maar over grootheid hebt. Was hij begaafd geweest, dan zou hij niet half zo ver gekomen zijn als nu. Hij deed wat in de politieke geschiedenis veel eerzuchtigen van zijn kaliber deden: hij wist zich op een verhoging te hijsen van waaraf hij de zwakheden van zijn concurrenten kon zien. Hij diende zich aan als een vanzelfsprekendheid. Ik heb hem net als veel anderen geholpen omdat hij een van de onzen was en zoals hij niet van een in het oog springend niveau was, zo werd hij ook niet negatief gekenmerkt door een zeer hinderlijke tekortkoming. Als president heeft hij beslist niet de zwier van zijn voorganger, maar het is het moment niet meer voor zwier, het is het moment voor normalisering. De oude drankverslaafde zette je zonder veel inspanning aan het dromen. Stalin was de man die als geroepen kwam om te stoppen met de NEP. En dit,

dit is de man van de verbinding tussen de werkelijkheid en onze ware capaciteiten. Hij neemt de plaats in die is opengelaten door briljante mannen die het te druk hadden met hun eigen belangen om zo vriendelijk te zijn zich te interesseren voor de belangen van het land. Ze hebben er al spijt van, maar het is te laat. Een vrouw die te lang aan haar lot wordt overgelaten door een rijke apollo stelt zich uiteindelijk tevreden met haar tuinman om in haar meest elementaire behoeften te voorzien. Snap je, Pjotr, ik heb hem gesteund omdat we niets meer te verliezen hadden. Een kleine Andropov binnen de muren van het Kremlin, dat is genoeg om ons zelfrespect terug te krijgen. Bovendien, dat kan ik tegen jou wel zeggen, ben ik er trots op hem onder bepaalde omstandigheden geadviseerd, om niet te zeggen beïnvloed te hebben. Het is geen gering genoegen deel uit te maken van dat kleine team ambachtslieden dat hem in slechts tien jaar tijd heeft vervaardigd en in elkaar gezet. Onze Pinokkio redt zich nu heel goed zelf. Alleen jammer dat zijn neus niet langer wordt als hij liegt, anders zouden we eroverheen kunnen lopen om de Moskva over te steken. Zo gaat het in onze geschiedenis, als we niet een vijand buiten het eigen land meer hoeven te bevechten, worden de vijanden binnen het eigen land weer sterk. Hij is het meest geschikt voor deze strijd.'

Toen hij merkte dat het glas van zijn vriend leeg was, pakte de kolonel de fles om het weer te vullen. Daarna legde hij nieuw hout in de haard, dat hij uit een grote mand nam.

Hij bekeek de houtblokken zorgvuldig.

'Ik vrees dat de bewaker weer harsig hout heeft gezaagd. Die jongelui weten helemaal niets. Ze zijn even ongeletterd als hun ouders, en daar komt nog bij dat ze niets van hun leefomgeving weten. Dat is heel gevaarlijk, harsig hout brengt veel plantensap voort. Dat hecht zich aan de schoorsteenpijp en vat ten slotte vlam, waarbij de brand de rest van de datsja in de ondergang meesleurt. Dat is op nog geen drie kilometer hiervandaan gebeurd, midden in de nacht, niemand heeft het overleefd.'

Hij kreeg een dromerige uitdrukking, vervolgde toen aarzelend: 'Vertel me eens, Gennadi, ik vind het vervelend het je te vragen, maar de staat biedt me deze datsja die ik al dertig jaar bewoon te koop aan. Hier zal ik mijn dagen eindigen. Sinds de dood van mijn vrouw ben ik er niet meer weg geweest. Maar omdat ik geen andere inkomsten heb dan mijn pensioen van hoge officier bij de KGB, kan ik de prijs die ze vragen niet betalen. Jij kent hem goed, vraag hem iets te regelen, alsjeblieft. Het is geen grote gunst.'

'Ik zal ervoor zorgen, Pjotr, maak je niet ongerust, ze zullen je niet op straat zetten. Ik heb nog het een en ander van hem tegoed. Weet je, toen hij uit de DDR terugkeerde, kwam hij in Moskou aanzetten. Ik heb hem ontvangen. Het uiteenvallen van het rijk maakte de omgang minder vormelijk. Hij ontstak in woede, zoals bij hem gebruikelijk was, en hij zei tegen me: "Wat is dat hier voor een klerezooi, er is niets veranderd, je hebt nog steeds rantsoenbonnen nodig om te eten en de straten zijn nog steeds even vuil. Wat de KGB betreft, ik zie het belang er niet van in een organisatie van inlichtingen te voorzien die het nut van deze inlichtingen niet begrijpt. Ik neem ontslag, generaal." Op dat moment stond zijn hele loopbaan al vast en dat weet hij nog heel goed: "Iemand gaat nooit weg bij de KGB, Vladimir Vladimirovitsj," antwoordde ik hem, "althans zo'n scheiding als resultaat van een bewuste stap van uw kant is onmogelijk. U kunt hooguit afstand nemen en werk in de burgermaatschappij zoeken, maar u blijft officier binnen de centrale organisatie. Snapt u, op dit moment is het dringend gewenst geen beslissingen te nemen, maar meegaand te zijn. Grote loopbanen, die zie je bij mensen met heel veel geduld. U bent afkomstig uit Sint-Petersburg, ga terug, kijk er wat rond, wacht tot de rust is weergekeerd, voor langetermijnzaken komt het niet aan op een dag. En we blijven contact houden. Ik ben niet ver meer van mijn pensioen af, maar dat begrip heeft in ons land een andere inhoud. Zelfs een priester die is uitgetreden blijft een priester, er zijn eden die je maar moeilijk ongedaan kunt maken."

Vandaar is hij naar zijn stad teruggekeerd, waar hij een fantastisch luizenbaantje vond, de volmaakte functie om de boel in de gaten te houden, nutteloos voor de maatschappij, maar aangenaam voor degene die hem bekleedt. De universiteit waar hij gestudeerd had benoemde hem tot functionaris voor de internationale betrekkingen. Maar de echte band tussen ons ontstond toen de burgemeester van de stad besloot hem met dezelfde taak te belasten. Vladimir Vladimirovitsj belde me: "Generaal, ik heb de indruk dat dat stadhuis vol bedriegers zit." "Des te beter," antwoordde ik hem, "dat is een soort mensen dat waardering verdient, want het plant zich sneller voort dan stadsratten. Zo zult u de werking van het huidige systeem gaan begrijpen, dat uit vrij ondernemerschap in zijn oorspronkelijke vorm bestaat, waarbij het individuele verlangen tot inbezitneming geen grenzen kent."'

De generaal wilde verdergaan, maar de kolonel kreeg onverwacht een hevige hoestbui. Toen hij uitgehoest was, zag hij paars: 'Ik heb te veel gerookt', zei hij om zich te verontschuldigen. 'Jarenlang slechte kwaliteit tabak roken heeft me emfyseem bezorgd. De dokter zegt dat het aan de ene kant niet al te slecht met me gaat, maar dat ik aan de andere kant net zo goed van de ene op de andere dag kan creperen. Het vooruitzicht van de dood maakt me niet erg bang. Wat ik het meest betreur, is dat ik zo weinig van het leven begrepen heb.'

'Dat valt ook niet te begrijpen, Pjotr, totaal niet. Het heeft geen enkele zin, behalve de zin die je er zelf aan belieft te geven.'

'Daarvoor ontbrak het me aan overtuiging, Gennadi. Nu ik oud ben, besef ik dat ik alleen maar met de stroom ben meegegaan. Eigenlijk ben ik een goed soldaat. Ik ben nooit erg scherpzinnig geweest, ik dacht dat Plotov net zo'n soort type was als ik, maar ik heb me vergist.'

'Ja, maar Plotov was veel jonger dan jij. Op het moment van de putsch van '91 tegen Gorbatsjov had hij door dat dat het echte keerpunt in onze nieuwe geschiedenis was. Hij zag dat er achter de schijn een andere werkelijkheid schuilging en ik moet zeggen dat ik hem goed geholpen heb. Dat is vooral de reden dat hij me belde. "Geheel in tegenstelling tot mijn eerdere advies, Vladimir Vladimirovitsj, zou ik als ik in uw schoenen stond meteen ontslag bij de KGB nemen. Zelf zit ik te dicht bij mijn pensionering om het te doen. Denk goed na. Dit is geen putsch. Het is een speciale operatie van het oudste soort. Door zich te laten ontvoeren en opsluiten, slaat Gorby twee vliegen in één klap. Hij keert zich als slachtoffer en kampioen van de vrijheid tegen Jeltsin en geeft de conservatieven die het oude systeem terug willen de genadeslag. In alle gevallen ruikt deze operatie zowel naar zwavel als naar naftaleen. Je verspilt geen patronen aan een beest dat ligt te zieltogen. Ook is het heel waarschijnlijk dat de KGB voor deze staatsgreep verantwoordelijk wordt gesteld, met de beschuldiging dat ze zowel de ene als de andere partij gemanipuleerd heeft. En dat is grotendeels juist." Jij kijkt anders tegen de gebeurtenissen aan, Pjotr. Ik weet dat je me altijd geloofd hebt, maar diep van binnen zit er bij jou een onwankelbare trouw aan het communisme. Je bent niet in staat je een ander systeem voor te stellen. Je aansluiting bij de putschisten, onjuist of juist, zou je veel duurder te staan zijn gekomen dan ambtshalve op pensioen gesteld te worden.'

De generaal kwam dichter bij het haardvuur en wreef zijn handen om weer warm te worden. Daarna vervolgde hij: 'Om eerlijk te zijn dacht ik in die tijd niet dat er voor Plotov een grote toekomst weggelegd was. Ik steunde hem zoals je met een verre neef zou doen. Maar hij gaf geruststellende blijken van intelligentie, in de zin van een aanpassingsvermogen dat je gezien zijn wat stugge karakter niet vermoed zou hebben. Naarmate de maanden verstreken, werd hij even soepel als leer van goede kwaliteit. De verkrampte man die we hadden leren kennen, werd op opmerkelijke wijze steeds socialer, zozeer dat hij met iedereen goed overweg leek te kunnen. Hij wist niets van zaken, maar hij verdiepte zich zonder dralen in de nieuwe economie. Als verantwoordelijk persoon voor de internationale aangelegenheden met betrekking tot de stad, wees hij buitenlandse ondernemingen terreinen toe zodat ze ter plaatse konden produceren. Tijdens de hongersnood van '93 legde hij zijn hele ziel in het project "grondstoffen voor voedsel", dat een vreselijke mislukking werd, niet door zijn optreden, maar doordat oplichters het heft in handen namen. Hij liet zich eveneens misbruiken door privépersonen in de stad die een belang hadden in de casino's. Hij had niet begrepen dat je het beheer van contant geld niet moet overlaten aan mensen die ermee frauderen. De kracht van Plotov is dat hij geen grote vreugden en geen groot verdriet kent, dus dat hij niet erg kwetsbaar is. Bovendien denk ik dat hij na wat hij in de DDR had meegemaakt besefte dat je een rechtschapen iemand in de val kon lokken. Dat herinnerde hij zich weer toen alle avonturiers die om hem heen draaiden probeerden hem in opspraak te brengen. Toen de burgemeester in '96 de verkiezingen verloor, bleef hij solidair met hem. Hij pakte zijn koffers om naar Moskou te vertrekken. Net toen hij weg wilde gaan, vloog zijn huis in brand. Het begon bij de sauna, vervolgens vatte alles vlam. Sommigen grepen de kans aan om te suggereren dat hij schoon schip wilde maken door de sporen uit te wissen van het smeergeld dat hij in onroerend goed had gestoken. Het zijn vaak de mensen die het meest corrupt zijn die het hardst roepen dat corruptie verwerpelijk is. Volgens mij houdt Plotov te veel van de macht om die op het spel te zetten door verwikkelingen rond oneerlijk verdiend geld. Of als hij ergens geld heeft opgestreken, dan was dat alleen maar om reserves te kweken en zijn onafhankelijkheid zeker te stellen. Hij weet dat er niet één voorbeeld bestaat van politieke eerzucht waarbij niet op enig moment grote sommen geld nodig zijn. In dit geval denk ik dat hij slim genoeg is om te zorgen dat er niets over het werven van fondsen in de openbaarheid komt.'

'Zag je hem geregeld in Moskou?'

'In het begin ontmoetten we elkaar vaak. Hij wachtte tot hem een behoorlijke baan zou worden aangeboden en dat duurde een tijdje. We lunchten dikwijls samen en in die periode raakte ik ervan overtuigd dat hij van nationaal belang was. Ik ontdekte dat hij had geleerd over zichzelf te praten zonder iemand iets wezenlijks over zichzelf prijs te geven. In tegenstelling tot de tijd dat hij bij de KGB zat, vermeed hij dat er stiltes vielen, dat inhoud de overhand zou krijgen op weloverwogen geklets. En hoe meer hij praatte, hoe ongrijpbaarder hij werd. Echt een van olie druipende biljartbal. Ondanks onze duidelijk geheime verstandhouding merkte ik dat hij jegens mij evenveel vertrouwen als wantrouwen aan de dag legde. Zijn pogingen zich te gedragen als een tot hoge regeringskringen behorend politicus, waren niet voldoende om te verdoezelen dat hij veel liever als een man van de daad optrad. Ik herinnerde hem er een keer aan hoe Stalin over Trotski dacht: "Een man van de daad. Hij is voortdurend aan het rennen, altijd druk, hij ontvlucht de politiek en haar glibberigheid. Eigenlijk behoorde hij tot de categorie prooidieren, aan wier doen en laten plotseling een eind wordt gemaakt door een roofdier, met één klap van zijn poot." En ik voegde eraan toe: "Ik denk dat Stalin Trotski nooit beschouwd heeft als een opponent van zijn eigen kaliber." Toen het hem ten slotte lukte hem in Mexico te laten vermoorden, toonde hij geen enkele voldoening over het einde van een tegenstander voor wie hij nauwelijks achting had. Maar wanneer Plotov en ik samen lunchten, toonde hij geen politieke eerzucht in eigenlijke zin, hij wilde handelen, de staat dienen, zijn bijdrage leveren aan de veranderingen die gaande waren. Zijn vrienden in Sint-Petersburg bevalen hem aan voor een baan in de directe omgeving van de president. Hij bleek een capabel medewerker. Toen hij met domeinen werd belast, stelde hij voor zichzelf een aardig partijtje dossiers samen over handelsovereenkomsten op preferentiële voorwaarden, over begunstigingen en andere voortrekkerij van deze of gene en voor het eerst maakte hij er een ruilmiddel van. Zijn gunstige dossier bij de KGB heeft zijn benoeming tot hoofd van de Federale Veiligheidsdienst vergemakkelijkt, dat weet ik zeker. Hij wilde er niets van weten, hij had genoeg van de intriges in de wereld van de inlichtingen, de dagelijkse verplichting tot geheimhouding, maar ook daar duurde het niet lang of hij besefte welke vooruitzichten deze baan hem bood. Ze zetten hem als een roofvogel op stok in een kooi vol praatzieke vogels. Op dat moment dacht hij dat ze hem al zijn maarschalksstaf aanboden. Zo'n maarschalk die beschreven wordt als een functionaris met een uiterlijk dat even grimmig is als van een mijnwerker, die binnen een paar jaar het hoogtepunt van zijn kunnen heeft bereikt. Boven hem wordt een toneeluitvoering gegeven van de onmacht van de politiek en niet één toneelspeler voelt zich nog geloofwaardig genoeg om iets van eerzucht te tonen zonder lachwekkend te zijn. In deze periode is de trouw van politieke marionetten aan de nietsontziende kapitalistische belangen absoluut. Het land dat het communisme had bedacht, is op dezelfde orthodoxe wijze kapitalistisch geworden als het in het begin communistisch wilde worden. Het publieke bezit wordt gestolen, mensen die het raderwerk van de staat laten draaien, worden vertroeteld als jonge planten in een droog jaar, conflicten worden opgelost door middel van moord. We zijn domweg Amerika achterna gegaan. Het Amerika van het begin van de negentiende eeuw, toen mensen die via oneerlijk verlopen verkiezingen waren gekozen privébelangen gingen dienen, voornamelijk in het voordeel van een minderheid van miljardairs. Bij ons hebben ze privatiseren in de zin van beroven bedacht. Zo zei Plotov een keer zacht tegen me: "Wij hebben niet hetzelfde kapitalisme als de Europeanen in het Westen. Bij ons rammen ze het er in zijn meest meedogenloze vorm in één keer in."'

De generaal geeuwde.

'En toen Plotov, dankzij de aanbevelingen van een zeker aantal van ons, tot hoofd van de Federale Veiligheidsdienst werd benoemd, had hij niet echt politieke ambitie. Niemand merkte zijn succesvolle carrière op. Hij was nog steeds even grauw als de muren, maar niemand zag dat hij er niet langer langs schuifelde. De reusachtige wanorde aan het hoofd van de staat werd zorgvuldig in stand gehouden. Een president die niet meer in staat is een voet voor de andere te zetten, wordt omringd door hovelingen die er slechts zijn om hem ervan te weerhouden ook maar iets te doen en om de staat tot zijn dood verder uiteen te laten vallen.'

De generaal hield op met praten en geeuwde nog eens voor hij besloot: 'Morgen zal ik je de rest vertellen, Pjotr, het stoombad, de avondmaaltijd en de wodka hebben me eronder gekregen.'

'Mij ook. Maar ik beklaag me niet, het is alles wat ik nog heb. Voor jou ligt het anders, jij maakt nog deel uit van de macht.'

'Schei uit …'

'Ontken het maar niet, Gennadi, je had en hebt nog steeds een vinger in de pap. Het moet voldoening geven de gang van zaken te beïnvloeden. Er zijn maar weinig mensen op deze planeet die zich daarop kunnen laten voorstaan.'

'Ik maak me geen enkele illusie over het belang van mijn rol en ik verwacht ook geen enkele dankbaarheid. Morgen praten we verder.'

Al heel vroeg in de ochtend trokken beide mannen door het gebied, met gevoerde laarzen aan die tot hun knieën kwamen. Ze hadden eenzelfde tsjapka op van zilvervos, die ze tot over hun wenkbrauwen hadden getrokken. De winter liep weliswaar ten einde, maar het was nog steeds bitter koud. De hemel was bleekblauw en af en toe kwamen er wat sneeuwvlokken naar beneden. Pjotr droeg een dubbelloopsgeweer waarvan de kolf was bewerkt tot een elandskop. Drie honden liepen met hen mee en treuzelden bij elke nieuwe geur, drentelden om de plek heen om elke nuance ervan te doorgronden. De eerste was een herdershond uit Centraal-Azië, een bakbeest van een halve centenaar met gecoupeerde oren. De beide andere waren grote ruigharige jachthonden. De kolonel, met een gezicht vol gesprongen adertjes, toonde zijn vreugde over het feit dat hij met zijn vriend in deze opwekkende natuur was. Vervolgens stuurde hij de teleurgestelde honden terug naar de datsja.

'Ik had een drijfjacht kunnen organiseren, maar ik hou er niet van op die manier te jagen. Ik zit liever op een loerplaats, dat is rustiger en je bent meer afhankelijk van het toeval.'

Het kostte beide mannen ruim een half uur lopen door een naaldbos voor ze een met takken afgedekte hut bereikten die aan een route lag waar groot wild langskwam. Hun enige verbinding met de buitenwereld was een kleine opening om de loop van hun geweer doorheen te steken. Twee vouwstoelen en een tafel van rondhout vormden het meubilair. Om te beginnen haalden ze een fles wodka uit de weitas van de kolonel en twee stukken gerookt vlees dat zo zout was dat ze er moeite mee hadden de fles half vol te laten.

De generaal schoof een lange .222 kogel in de loop van zijn karabijn. Terwijl hij het wapen weer sloot, mompelde de kolonel somber terwijl hij bezig was de beide hanen van zijn geweer te controleren: 'Het is nu een jaar geleden dat mijn vrouw stierf.'

Omdat hij niet verderging, vroeg de generaal spontaan: 'Nou en?'

'Nou ja, ik mis haar niet echt. Ik denk dat ik alleen maar met haar getrouwd ben om een goede indruk te maken bij de KGB. Als ik vrijgezel was geweest, zouden ze me nooit buiten het eigen grondgebied hebben laten werken.'

'Dat is waarschijnlijk.'

Op dat moment duwde de grote herder de deur van de schuilplaats open. Hij had er niet in berust zijn baas alleen te laten. Hij liep kwispelend met zijn staart naar binnen. De kolonel beval hem in een hoek te gaan liggen.

'Weet je wat Victor Hugo heeft gezegd?' mompelde de generaal.

De kolonel schudde van nee, stak zijn geweer door de kleine opening en richtte.

'Hij zei dat honden glimlachen met hun staart.'

Nadenkend ging hij verder: 'Er is nog zo'n uitspraak, ik weet niet meer van wie. Hij zei dat honden op ons gesteld zijn omdat honden ons allemaal voor Napoleon houden. Wat vriendschap aangaat, Pjotr, beschouw ik je nu al bijna dertig jaar als een vriend.'

'Je kunt rustig zeggen vijfendertig jaar.'

'En onlangs vroeg ik me af of je in staat geweest zou zijn mij te verraden.'

De kolonel keek enkele tellen naar de grond, vervolgens sloeg hij de ogen op.

'Jou verraden? Natuurlijk. Als het nodig geweest was of als ze het me gevraagd hadden, zou ik je zonder aarzelen verraden hebben. Ik was vóór alles in dienst van de staat. Maar ik zou je nooit bedrogen hebben om mijn eigen belang te dienen, dat nooit. Om eerlijk te zijn, je hebt me altijd ongerust gemaakt met je vrijdenkersopvattingen. Een aantal keren heb ik gedacht dat je nog eens in de goelag zou eindigen.'

'Ondanks dat blijf je met me omgaan en me blijken van vriendschap geven.'

'Zolang ik geen bevel heb gekregen het tegenovergestelde te doen.'

'In dat geval zou je niet aarzelen?'

'Geen tel.'

Nadat ze ieder op een vouwstoel hadden plaatsgenomen, vervolgde de generaal het gesprek naar zijn oordeel zacht genoeg om niet door grote dieren gehoord te worden.

'Zie je, Plotov heeft een eigenschap die de aandacht trok van de mensen rond "Boris de spons", de eerste president van alle Ruslanden. Die eigenschap betreft het belang dat hij hecht aan een gegeven woord. Op een avond gebruikten Plotov en ik in Moskou de avondmaaltijd, terwijl zijn vrouw naar Sint-Petersburg was vertrokken. Die avond had hij een hoofd als van een opgejaagd dier: "De president vroeg me de taak van eerste minister op me te nemen." "Nogal vleiend", antwoordde ik. Maar toch lukte het hem niet zich te ontspannen. Ten slotte zei hij: "Hij voegde eraan toe dat ik me, als alles goed ging, als zijn opvolger kon beschouwen." Opeens was het echt een KGB-man die tegenover me zat, boordevol wantrouwen en achterdocht. "Of die taak is niet meer waard dan een kopeke die is geplet onder de hoef van een trekpaard, of ze willen me in een val lokken." "De tijd van hoe of wat komt nog, Vladimir Vladimirovitsj, die komt nog. Alles wat u op dit ogenblik bij uzelf zou moeten nagaan, is of u zin hebt in macht. En hebt u die, vraag u dan af wat u van plan bent met die macht te doen." Hij nam zijn hoofd in zijn handen alsof hij verlichting zocht voor een zware migraineaanval. Daarna keek hij me met zijn fletsblauwe ogen doordringend aan. "Als ik de macht die ze me willen geven niet pak, Gennadi Alexandrovitsj, zal er een tijd komen dat die hun uit handen gerukt moet worden. Wat er in Tsjetsjenië aan de hand is, is een van de ernstigste gebeurtenissen in onze geschiedenis. De USSR zijn we al kwijt. Als we Tsjetsjenië kwijtraken, zal Dagestan volgen, daarna Ingoesjetië, daarna … is het afgelopen met Rusland. Ik heb maling aan de wettige aanspraken van hun bevolking, ik zal ze in bloed smoren. De huidige ploeg heeft onze economie versjacherd, we mogen ze niet ook nog onze grenzen omver laten halen. Wat ze voorbereiden, is een tweede Joegoslavië. We zijn de risee van de hele wereld die alleen maar wacht op deze laatste verzwakkende klap. Dus als ik toehap, wat staat daar dan tegenover?" "Ik heb niet het flauwste idee, Vladimir Vladimirovitsj, maar ik kan me er wel een voorstelling van maken. Ten eerste de belofte dat u de president nooit zult vervolgen voor zijn verduisteringspraktijken en die van zijn dochter. Ten tweede dat u tot overeenstemming moet zien te komen met de oligarchen om hem heen. Volgens mijn informatie denkt hij dat de oligarchen u heel gunstig gezind zijn. Zij rekenen erop zeggenschap over de economie te zullen houden en zijn van plan de rest aan u over te laten. Hun billen zijn vuiler dan die van een pasgeboren kalf en ze willen maar één ding: dat alles bij het oude blijft." Er verscheen een grijns op het gezicht van Plotov die geen twijfel liet bestaan aan zijn vastbeslotenheid: "De overgrote meerderheid van de oligarchen zijn Joden. Ik zal er als de tijd daar is geen enkel probleem mee hebben het antisemitisme weer onder het volk te doen opleven. Ik zal ze eerst in slaap sussen en ze vervolgens mijn voorwaarden stellen: geen politieke ambitie, jullie staan de eigendom van strategisch belangrijke ondernemingen helemaal of voor een deel weer af of jullie verlaten het land. Voor degenen die het land niet verlaten betekent het de goelag vlak bij een uraniummijn, waar ze zullen eindigen met kloten zo groot als die van de overlevenden van Tsjernobyl, zodat ze erop kunnen zitten als ze moe zijn. Wat de Tsjetsjenen betreft, die zullen we als het moet achternazitten tot op de plee, maar ik zal niemand ooit nog ook maar een hapje van ons grondgebied of van onze industrie laten opslokken." "Ik veroorloof me een opmerking, Vladimir Vladimirovitsj. Af en toe komt het voor dat je een heel goede conclusie trekt uit een foute hypothese. Zoiets zult u zich waarschijnlijk niet meer kunnen veroorloven mocht u, met Gods wil, doordringen tot het hoogste ambt. Oligarchie is geen typisch Joods verschijnsel. Dat Joden het snelst erbij waren om zich in het zakenleven te storten, is een feit. Dat heeft te maken met een hoger opleidingsniveau en een meer openstaan voor zakendoen dan Russisch-orthodoxen. Voeg daarbij een internationaal netwerk dat in veel gevallen toenadering heeft vergemakkelijkt.

Maar in oligarchische kringen is in geen enkel opzicht sprake van een Joodse kongsi, en haatgevoelens worden door het behoren tot eenzelfde gemeenschap bepaald niet getemperd. Orthodoxen zouden het net zo goed gedaan willen hebben. Dat is velen ook gelukt, maar een aantal van hen was domweg niet vlot genoeg. Nu is het duidelijk dat het Russische antisemitisme natuurlijk nooit een wapen is om te veronachtzamen. Persoonlijk denk ik niet dat u het nodig zult hebben." Dit gesprek hadden we de allerlaatste keer dat we elkaar ontmoetten. Sindsdien heb ik hem maar één keer aan de telefoon gehad, een paar maanden voor zijn verkiezing. Hij maakte zich ongerust over zijn gebrek aan populariteit. Ik vond het moeilijk hem te antwoorden dat zijn gebrek aan uitstraling overduidelijk was. Het maakte hem razend dat hij het hele politieke kamp en de hele zakenwereld achter zich had, maar dat hij domweg zou struikelen over wat het volk zou stemmen. "Nu alles in kannen en kruiken is, ontbreekt het er alleen nog maar aan dat die klootzakken niet op me stemmen." "U zou ervoor moeten zorgen dat u de orde belichaamt," antwoordde ik hem, "maar daarvoor is een beetje wanorde nodig." "Waar denkt u aan, Gennadi Alexandrovitsj?" "Ik denk dat u zou moeten proberen twee vliegen in één klap te slaan: het volk motiveren voor een stevig nieuw offensief in Tsjetsjenië en ervoor zorgen dat u gekozen wordt. Het volk interesseert zich alleen maar voor dingen waar het zich nauw bij betrokken voelt. Zijn oordeel wordt slechts ingegeven door eigen leed." Aan de andere kant van de lijn viel een lange stilte en Plotov nam het woord weer: "U zinspeelt toch niet op aanslagen in Moskou, is het wel?" "U kwetst me, Vladimir Vladimirovitsj, die gedachte zij verre van mij. In het onderhavige geval houd ik mijn mond. Ik stel vast dat u nog steeds de baas van de Federale Veiligheidsdienst bent. Ik wijs er eveneens op dat Tsjetsjenen aanslagen voorbereiden om de mensen schrik aan te jagen. U kunt hen ervan weerhouden, u kunt hun voorbereidingen met uw optreden versnellen en u kunt strikte neutraliteit in acht nemen. Als deze aanslagen het mogelijk maken de oorlog te hervatten en te winnen, wat zullen die verloren gegane levens dan zijn vergeleken bij de levens die u spaart? Ik weet vanaf het begin dat u een gelovig man bent, Vladimir Vladimirovitsj, en ik zou u nooit met uw geloof in conflict willen brengen.' Hij nodigde me uit voor de inhuldigingsplechtigheid, maar we hebben elkaar sindsdien niet meer gesproken. Natuurlijk werden er in Moskou gebouwen door ontploffingen verwoest. Maar er is geen enkel bewijs dat onze geheime dienst bij deze bloedbaden betrokken was.'

De generaal snoot zijn neus. Zijn neus liep. Hij zweeg een poos, staarde in de verte, naar het punt waar de tra overging in de groen-grauwe massa bomen. Hij was de eerste die de stilte verbrak: 'Opvoeding en cultuur zijn wezenlijk. Alleen daarmee wordt het de mens mogelijk in te zien wat hem slecht maakt. Jammer genoeg leert de ervaring dat een mens die in staat is het schaamteloze gedrag van zijn soort te doorgronden daardoor niet beter wordt.'

De kolonel reageerde niet. Hoewel beide mannen het vanaf de plek waar ze zich verstopt hadden niet konden zien, was de lucht met grote witte wolken bedekt waaruit natte sneeuw begon te vallen, zoals aan het eind van de winter gebruikelijk was. Opeens verscheen er een grote ree op de tra. Haar zwarte snuit glansde. Ze bleef op de strook staan. Haar kop draaide op haar hals als bij een vogel die met zijn ogen zoekt naar de plek waar hij geluid vandaan hoort komen.

'Ze is voor jou', fluisterde de kolonel.

De generaal, die zich er niet van kon weerhouden iets terug te zeggen, antwoordde zacht: 'Schoonheid tegenover bruut geweld, dat is de korte samenvatting van onze geschiedenis.'

Toen haalde hij de trekker over. Het dier bleef roerloos staan, dodelijk getroffen door het metalen insect dat haar het leven ontnam voor ze besefte dat ze dat kwijtraakte.

Daarna wonden ze een touw om de poten van het dier, en bonden ze samen tot één bundel. Zo sleepten ze het naar de datsja, de ogen strak en dof, de tong uit de bek, de kop hobbelend over het oneffen terrein.

Onderweg zette de generaal zijn tsjapka af omdat hij het te warm kreeg. Hij leek in gedachten verzonken.

'Ik zal zien dat ik het eigendomsbewijs van je datsja in handen krijg, Pjotr. Hoe meer ik eraan denk, hoe minder ik me kan voorstellen dat Plotov me die dienst zal weigeren. Iedereen in dit land bedient zichzelf al negen jaar, dan moet er voor mannen zoals wij toch ook iets afvallen. Wij hebben nooit geleerd om zelf iets van de aardse goederen op te eisen, maar daarom hoeven we onszelf toch niet tekort te doen.'

Het kostte beide mannen de nodige moeite het dode dier voort te trekken, waarbij de dunne laag natte sneeuw op de grond het glijden niet bepaald vergemakkelijkte. Buiten adem door de inspanning en ook omdat de leeftijd meetelde, pauzeerden ze even. De kolonel maakte van de gelegenheid gebruik het dier van zijn ingewanden te ontdoen. De tros darmen werd de honden toegeworpen en hun ogen schitterden bij de aanblik van zo'n feestmaal. De generaal week niet van zijn zijde en keek onderzoekend rond.

'Ik weet niet waarom ik eraan denk, maar aan het begin van de heerschappij van Zijne sponzige Majesteit Boris de Eerste, werd ik in Moskou uitgenodigd voor een avondje bij een of andere oligarch. Nou ja, een van die lui die bliksemsnel fortuin hebben gemaakt door trucjes te gebruiken bij de aanbestedingen van overheidsbedrijven of door te speculeren met waardepapieren bij de privatisering van ondernemingen. Zelfs een Amerikaanse miljardair zou niet zo'n slechte smaak hebben gehad een huis te laten bouwen zoals deze figuur had gedaan. Hij voelde zich bedreigd en wist niet hoe hij het moest aanpakken om zich te beschermen. Hij had me uitgenodigd om me te vragen hem tegen een fabelachtige vergoeding te beveiligen, wat ik afwees. Hij wilde dat ik bij de Federale Veiligheidsdienst bleef en vanuit die positie zijn beveiliging regelde met mannen die onder mijn leiding stonden. In die tijd wees je uitnodigingen niet af omdat je niet wist met wie je te maken had. Miljonairs van dat soort konden onverwacht veel invloed hebben. Ik zal me mijn hele leven de schok herinneren die ik kreeg toen ik zijn datsja binnentrad. Op de benedenverdieping bevond zich een reusachtig grote ontvangstruimte met zo'n acht lage tafels waarop flessen, glazen en borrelhapjes stonden. Geloof me of niet, maar die tafels bestonden uit levende mensen. Naakte vrouwen, op handen en voeten op de grond en met een glasplaat op de rug, de hele avond stijf in deze houding. Door het glas werd ons niets van hun vormen of hun geslachtsdeel bespaard. De gasten deden of ze het niet zagen. Onze gastheer, die mijn bevreemding opmerkte, gaf me een knipoog en zei: "Deze meisjes krijgen voor zulke avonden het salaris van een staffunctionaris van een multinational. Ze zouden het me heel erg kwalijk nemen als ik echte tafels van Indonesisch teakhout liet komen." De week daarop werd hij met opengesneden buik aangetroffen in een straat in de buurt van een nachtclub die in Moskou in de mode was. Ze hadden hem met een dolk bewerkt. Dat hij stierf vonden ze nog niet genoeg, ze wilden hem ook vernederen door hem open en bloot zijn ingewanden te laten tonen. Als ik er weer aan denk, kan ik me voorstellen dat het hem pijn gedaan zal hebben, maar wat die vernedering betreft snap ik er echt niets van, of je moet ervan uitgaan dat een dode in staat is naar zichzelf te kijken. Het was een heel gewelddadige tijd. Nog niet vertrouwd met het systeem, konden onze ondernemers de gedachte aan concurrentie niet verdragen, ze gaven de voorkeur aan fysieke uitschakeling. Op elk niveau in het zakenleven werd gemoord. Je hoefde alleen maar een Tsjetsjeen te kunnen betalen, en in die tijd waren Tsjetsjenen werkelijk niet duur.'

VERKOOLD

Het donkere grijs van de betonnen kades licht op onder een bleke zon, die een landelijk aanzien geeft aan het dikke waterige schuim dat de steile flanken van de lange havendam bedekt. De ankerplaats lijkt op een zieke die zijn best doet te glimlachen en zijn littekens uitrekt om ze onzichtbaar te maken in de plooien van zijn huid. Het weer is deze augustusmaand nauwelijks zacht te noemen. Het kan elk moment omslaan in een voor het jaargetijde onaangename kou.

Vania Altman voelt een soort tinteling in zijn vingertoppen. Zo uit zijn angst zich, onopvallend en ingehouden. Hij stapt de lokalen van het smaldeel binnen. Een kleine blauwlinnen tas op zijn schouder bevat het minimum voor drie dagen: een tandenborstel, een kleine tube tandpasta, ondergoed voor één verschoning. Geen boek, hij zou er toch niet aan toekomen, de missie is van te korte duur en te inspannend. Alleen maar een notitieboekje, voor het geval er iets nuttigs op te schrijven valt. Dat de angst zich niet duidelijker uit, komt door het veel sterkere gevoel van trots. Vania weet niet waarom hij hier is, hij weet alleen maar dat hij nooit ergens anders had willen zijn. Als je hem ziet, sta je verbaasd over zijn vriendelijke gezicht, breed en fijnbesneden. Diepblauwe ogen. Kortgeknipt blond haar dat schuilgaat onder zijn pet met een klep die naar voren steekt als het dek van een vliegdekschip. Zonder er speciaal aan te denken, weet hij dat dit de verwezenlijking is van een droom, namelijk te midden van anderen zijn mannetje staan.

Het bevel kwam vroeg in de ochtend. Een gelukje, er werken twee bemanningen op het schip en die waartoe hij behoort, gaat voor drie dagen op oefening. Hij was liever met een langere missie begonnen, voor drie maanden weggegaan, zodat hij meer tijd had gehad om zichzelf te bewijzen. Dat komt dan de volgende keer wel, over vijf weken. De onderzeeboot is net terug van een alom geprezen lange missie op de Middellandse Zee om de strijd-krachten van de NAVO uit te dagen. De commandant kreeg in het Kremlin een hoge onderscheiding voor dit nog nooit ver-toonde wapenfeit. Hij gaf de vijand van nu, die misschien ook nog de vijand van morgen is, een lesje. Iedereen op de basis had het erover, en scheep gaan onder bevel van Ljoesjin is voor een onervaren luitenant-ter-zee een eer. Deze manoeuvres zijn meer dan een oefening, ze moeten de kracht aantonen van de noorde-lijke vloot. Op de basis is de koortsachtigheid van de officieren, die almaar heen en weer rennen, het teken dat het om iets zeer belangrijks gaat dat de bedrijvigheid zo heeft doen losbarsten. De Russische marine moet zowel zichzelf als spionerende buiten-landse waarnemers bewijzen dat zij niets aan zelfverzekerdheid heeft ingeboet, dat ze nog steeds in staat is angst in te boezemen, net als in de tijd van de Koude Oorlog, dat het geldgebrek waar zij onder de nieuwe omstandigheden mee kampt geen verande-ring heeft gebracht in het ontzag dat ze wekt.

Vania weet het sinds de cadettenschool en zijn keuze was niet onschuldig, de Russen moesten niets meer van hun leger hebben, in het gunstigste geval liet het hun onverschillig, in het ongun-stigste geval spuugden ze erop. De zich uitbreidende afkeer van de landmacht strekte zich nog niet tot de marine uit en nog min-der tot bemanningsleden van onderzeeboten. Nu moet gezegd worden dat die noch in Afghanistan noch in Tsjetsjenië opereer-den en dat geruchten die de ronde doen altijd zandhazen en nooit de mannen in het zwart betreffen. Bij ons is niet één voorbeeld bekend van een marineofficier die de diensten van zijn mannen tegen klinkende munt verhuurt aan ondernemers. Bij beman-ningsleden van onderzeeboten worden geen jonge rekruten ver-kracht. Ze worden niet naar hun familie teruggestuurd in grenen kisten samen met hun minst kostbare persoonlijke bezittingen omdat hun ringen en horloges al in wodka zijn omgezet. In hun legeronderdeel heeft zich nog nooit een schandaal voorgedaan. Ook al hadden ze te lijden van ontberingen in hun kwartieren in het poolgebied, waar velen van hen het leven verloren, niemand werd ooit zijn waardigheid ontnomen.

Vania maakt zich er een beetje zorgen over als nieuweling bij een belangrijke oefening te zijn. Als Anton niet had aangedrongen zou hij er waarschijnlijk niet aan hebben deelgenomen. Anton is zijn leidsman, al vanaf zijn kindertijd. Zijn vader en hij zijn als twee broers, er gaat geen dag voorbij zonder dat de een informeert naar de ander. Wanneer de dagen lengen, trekken ze samen naar buiten en ook al is de belangrijkste reden dat ze voedsel willen zien te bemachtigen, ze weten allebei hun uitstapjes met edeler motieven op te smukken, zoals dat ze zich sterk verbonden voelen met die armzalige maar rustgevende natuur. Zijn vader zou nooit op het idee gekomen zijn zijn zoon naar de cadettenschool in Sint-Petersburg te sturen, op een leeftijd dat anderen nog aan de rokken van hun moeder hingen. In de loop van hun tochten door het uitgestrekte, stille gebied had Anton hem echter overreed door er steeds weer op terug te komen. Anton had zich er al gauw rekenschap van gegeven dat Vania nooit iemand zou worden die in staat was degene die hij ging doden in de ogen te kijken, de pesterijen van zijn door sterkedrank ondermijnde meerderen te verdragen en ook niet om het ongezonde op elkaar geperst zitten in stinkende slaapzalen te doorstaan. Hij had niets wat hem geschikt maakte om bij de zandhazen te dienen. De luchtmacht was uitgesloten omdat hij last had van vliegangst. De varende marine stond hem eveneens tegen. Geen boottocht met zijn vader, Anton en Boris, of hij hing over de reling om zijn maaginhoud in zee te spugen. 'Als je zoals jij last hebt van landziekte, luchtziekte en zeeziekte, blijft alleen maar het beste over: onderzeeërs', had Anton tegen hem gezegd. 'Je bent altijd maar twee, drie uur aan de oppervlakte voor je duikt. Een onderzeeboot is zo weinig geschikt om op het water te varen, omdat hij geen kiel heeft, dat hij voor zijn opvarenden meedogenloos slingert en deint. Daarom wordt op volle zee niemand gespaard en leegt de bemanning eendrachtig zijn maag. Iedereen smeekt erom de duisternis te laten intreden en pas wanneer de onderzeeboot als een grote walvis wegzakt om zich in de diepte te nestelen, keert voor ons de rust weer alsof we in een nachttrein reisden.'

Anton is luitenant-ter-zee eerste klas, nummer drie na God. Niets in zijn manier van doen verraadt hoe intelligent hij is, alsof hij zijn best doet er niets van naar buiten te laten komen. Toch hoeft er in het binnenste van de duizenden tonnen wegende onderzeeboot maar iets bijzonders te gebeuren of hij merkt het, ziet het of hoort het. Niets van het binnenwerk is hem onbekend, elke klep, elk ventiel, elke hoofd- of hulpmotor is hem vertrouwd. In het schip is hij de man die over het water, de lucht, de kernenergie en de olie gaat. Alle spanningen die er optreden en die af en toe tot honderden atmosferen oplopen, brengt hij kalm tot hun normale peil terug. Voor de rest van de bemanning is het volstrekt niet nodig om de tientallen controlelampjes in de gaten te houden die aangeven hoe het er met de techniek voor staat, de stand van de wenkbrauwen van Anton is voldoende om de mensen gerust te stellen. Het lijkt vaak of zijn gezicht uitdrukkingsloos is, zo staat het hem tegen om op moeilijke momenten ook maar iets van negatieve gevoelens te laten blijken, uit angst er anderen mee te besmetten. Nu er al een paar jaar losse onderdelen ontbreken en het onderhoud door gebrek aan geld te wensen overlaat, raken de mannen aan boord sneller in paniek, de officieren inbegrepen, die merken dat er vaker dingen kapot zijn en die vrezen elk moment op zijn gezicht te lezen dat hun doodvonnis getekend is. Sommigen proberen zich aan te passen aan wat er niet in orde is en wat hun leven in gevaar brengt. Maar Anton beheerst de boel, relativeert, want volgens hem is bij het ontwerpen van alles rekening gehouden met het ergste. Dat men vertrouwen in hem stelt komt doordat hij, ondanks de slechte staat van de vloot, zijn geloof heeft behouden in de ontwerpers, die het toeval hebben achtervolgd en voor dood achtergelaten. En mocht het toch de kop opsteken, dan rekent hij op zijn intellectuele vermogens om het de genadeklap te geven. In die termen spraken andere officieren tegen Vania over Anton, waarbij ze benadrukten hoe hij bofte minstens twee jaar aan zijn zijde kennis en ervaring op te kunnen doen, voor de navelstreng die hem met de vriend van zijn vader verbond zou worden doorgesneden.

Vania betrapt zich af en toe op het gevoel meer bewondering

voor Anton te hebben dan voor zijn eigen vader en wanneer hij aan die laatste denkt, ziet hij hem als iemand die graag redeneert, die bedreven is in nadenken, maar niet bij machte om te handelen. Hij herinnert zich een keer dat hij voor de vakantie van de cadettenschool in Sint-Petersburg thuiskwam. Zijn vader, met wie hij af en toe een gesprek onder vier ogen had, had hem apart genomen om hem te vragen hoe hij zich op school voelde, of het ver van huis zijn hem niet te zwaar viel, of de militaire discipline hem niet benauwde, of het op elkaars lip zitten hem niet hinderde. Aangezien Vania al zijn vragen ontkennend beantwoordde, werd zijn vader ten slotte boos. Heel even, maar met een verbazingwekkende felheid voor deze man die door niets echt geraakt leek te worden, druk als hij was om het beeld te laten voortbestaan van iemand die zich op zijn gemak voelde en ontoegankelijk was voor anderen, die zich erop toelegde alle dingen te relativeren om ze op een afstand te houden. 'Het lijkt wel of er een oude man tegenover me zit. Je bent de jongste oude man die ik ooit ontmoet heb. In jouw leven is alles al een uitgemaakte zaak, ik merk bij jou nooit ook maar iets van opstandigheid, het is een en al gezapige instemming. Je stelt jezelf geen enkele vraag over de wereld om je heen, je gaat er onopvallend en slaafs in op en je merkt niet dat alle mensen die jij bewondert en die jou aansporen mensen van gisteren zijn. We hebben ook geen vijanden meer, Vania, en was dat wel het geval, dan zou men zich moeten afvragen voor welke waarden we bereid zijn te sterven, voor welke wereldbeschouwing wij ons dan wel opofferen als ons daartoe het bevel gegeven wordt. Degenen die ons gisteren bedreigden, staan op het punt ons op te nemen, ons in de armen te sluiten om ons beter te kunnen invoegen in hun reusachtige handel. De oorlog is verloren en dat is des te beter, en mochten we er een willen winnen, van wie zou dat moeten zijn? Alles wat ik van mijn zoon kan zeggen, is dat hij een goede Rus van het eeuwige Rusland is, een ijverige dienaar van een vaderland dat alle dekmantels heeft gebruikt om zich staande te houden als belangrijke imperialistische natie.'

Daarna draaide hij zich om naar het raam in de kamer waar

het gesprek werd gevoerd en vouwde hij zijn handen op zijn rug, vervolgens nam hij zijn zoon opnieuw in zijn armen om hem te omhelzen en mompelde hij met tranen in zijn ogen: 'Ondanks dat alles ben ik trots op je. Ik zou alleen niet willen dat je je geweten verkoopt aan mensen die het niet waard zijn.' Vania had niets weten te antwoorden. Hij had alleen maar zijn hand op de rug van zijn vader gelegd om hem gerust te stellen. Hij kende de tegenstrijdigheden van zijn vader, oorzaak van zijn herhaaldelijk doorslaan en de verwijten die hij uiteindelijk zichzelf maakte, omdat hij niet in staat was zijn leven zin te geven, want voor hem was de tijd om in verzet te komen voorbij (hij had trouwens nooit iets van verzet getoond) en die van berusting was nog niet aangebroken. Hij nam het zichzelf kwalijk niets te zijn, of niets anders dan een onbeduidend leraartje dat lesgaf in een belachelijke geschiedenis, de ongelukkige docent van een vak dat door leugens inhoudloos was geworden, die een hongerbestaan leidde door de minachting van de bureaucraten in Moskou, die hem natuurlijk slechts als een nutteloos wezen beschouwden.

Vania herinnerde zich niet, door zijn moeder aangemoedigd te zijn. Welke verstandige moeder ziet het kind dat uit haar buik is gekomen graag soldaat worden? Ze wist dat, ook in vredestijd, het Russische leger nooit een veilige plek was. Je sterft er vaak als slachtoffer van een interne vijand, die bestaat uit het samengaan van onbekwaamheid, nalatigheid en onverschilligheid. Onvermijdelijke beslechting van geschillen tussen soldaten onderling, uitrusting, geheimhouding, zulke zaken zijn altijd ten nadele van de beste krachten in dat leger dat zijn mannen kwijtraakt zoals een oud carter olie lekt. Ze heeft zich nooit tegen zijn keus verzet en ten overstaan van deze noodlottigheid boog ze het hoofd, meegaand met een beweging die sterker was dan zij, zich verlatend op de Voorzienigheid om haar zoon in leven te houden. Diep in haar binnenste bedacht ze dat de kans dat ze hem als gevolg van militaire operaties kwijt zou raken kleiner was dan die dat hij zelf een eind aan zijn leven zou maken, zoals veel jongeren van zijn generatie die in de periode na het communisme niet konden leven met de gedachte niets te zijn. Deze generatie was ervan overtuigd dat er voor haar geen plaats meer was in de wereld van de overwinnaars noch in die van de verliezers, dat de vrijheid, vooral omdat ze die niet had hoeven te veroveren, niet opwoog tegen de ellende. De recente vrijheid van meningsuiting ontbrak het aan bekoring omdat ze niet het resultaat was van strijd, maar slechts van een ineenstorting. Welke steun kun je verwachten van een oude muur die is ingestort doordat de voegen door sijpelend water zijn uitgesleten?

Er kon niet gesproken worden over een heldhaftige ontsnapping uit een versterkte ideologische gevangenis. De deuren ervan stonden open om de eenvoudige reden dat de bewaker de sleutels aan de binnenkant had laten zitten voor hij er zelf vandoor was gegaan. De moeder van Vania had zich zonder verzet aangesloten bij de ambitie van haar zoon. Mettertijd had zijn baan bij haar zelfs tot een gevoel geleid dat ergens tussen trots en ijdelheid lag.

Zodra Vania de officiersmess binnenstapt, voelt hij zich thuis. Meer dan in het kleine onderkomen dat hem in de verboden stad, op iets minder dan een kilometer afstand van de basis, was toegewezen, bij mooi weer een te warm gestookte flat, ijskoud wanneer de centrale verwarming defect is. Het is een verwaarloosd gebouw, al jaren worden er herstelwerkzaamheden beloofd, maar er gebeurt niets. Het wonen is er even beroerd als in de flat van zijn ouders, die alleen met elkaar praten als het nodig is, terwijl zijn oudere zuster de moderne vrouw speelt en hem verwijt dat hij een vak uit de oude doos gekozen heeft, alsof ze hun vader napraatte. Vania gaat gebukt onder de verstandhouding die er tussen hen ontstaan is in de loop van al die jaren dat hij in Sint-Petersburg op de militaire academie zat. Hij voelt dat zijn moeder alleen staat, alsof zich ongemerkt een blok tegen haar had gevormd. Al voor haar ongeluk zocht ze weinig toenadering tot haar zoon, tegenover wie ze net als bij anderen slechts haar gebruikelijke koelheid tentoonspreidde. Ze was kordaat in het oplossen van materiële problemen, waarmee een volwassene door dagelijks geldgebrek lelijk in zijn maag kan zitten. Maar hoe ouder Vania wordt, hoe meer hij beseft dat ze het heel moeilijk heeft met haar gevoelens. Waardoor dat komt, hij zou het niet weten, maar hij herinnert zich dat ze zich voortdurend gedroeg alsof ze bang was dat haar gevoelens met haar op de loop zouden gaan.

Zodra hij de mess binnentreedt, laat hij een wereld achter zich waarin onachtzaamheid en onvolmaaktheid regel zijn, waar de grens tussen menselijke beschaving en dierenrijk voortdurend lijkt te worden aangevallen. Eenmaal over de drempel, komt hij zijn vrienden weer tegen. Raakt hij weer in de greep van een niet onder woorden te brengen ideaal dat alleen in schijn iets met vaderland en oorlog te maken heeft. De wereld van bemannings-leden van onderzeeboten, is hem al heel vaak gezegd, behoort alleen hun toe, hun, die kleine gemeenschap die besloten heeft afgesloten van de buitenlucht haar eigen leven te leiden. De hele wereld wordt bevolkt door individuen die ervan dromen alleen te zijn in grote ruimtes met frisse lucht, zonder verplichtingen. Bemanningen van onderzeeboten vinden het fijn om op elkaar geperst te zitten in afgesloten ruimtes waar iedereen alleen nog maar leeft voor zijn evennaasten. Zeelui varen op de zee. Beman-ningen van onderzeeboten worden omgeven door de zee. Die hen vermorzelt als ze er te diep in afdalen. Hun wereld is een uitda-ging aan het adres van de door de natuur gevestigde orde en zij ontzegt zich niet hen daaraan te herinneren door hen zelfs met vuur te bestrijden, als water of zuurstofgebrek niet voldoende zijn om hen te vernietigen. Dat ze zich daarvan bewust zijn, draagt veel bij tot hun nederige saamhorigheid.

Vania groet alle officieren met meer eerbied dan ze verlangen. Anton is er ook en wenkt hem. Hij is een glas aan het drinken met de eerste officier van het schip. Bijna verlegen voegt Vania zich bij hen, maar ze stellen hem op zijn gemak. Het gesprek gaat over de soldij die niet aangekomen is. Het gerucht gaat dat het geld onderweg is om de bemanningen uit te betalen. Het gerucht is zo hardnekkig dat de kapitein aan de officier van de financiële administratie heeft gevraagd op de basis te blijven om de belan-gen van zijn mannen te behartigen, in plaats van aan boord te gaan met het oog op de oefeningen. Vervolgens bevraagt de eerste officier Anton om erachter te komen of hij dezelfde informatie heeft als hij over de verboden handel in losse onderdelen waarvan luie lummels bij de staf schijnen te profiteren. Anton bevestigt dat en voegt er zachtjes nog iets aan toe. De eerste officier drinkt zijn glas leeg en slaat Anton op zijn schouder ten teken dat hij vertrekt om zich te verkleden voor hij aan boord gaat. Anton en Vania blijven alleen achter. Ook zij zullen er spoedig vandoor gaan. Anton glimlacht tegen Vania, meevoelend met zijn angst voor deze eerste duik.

'Je zult het zien, het is tijdens een oefening afwisselender dan wanneer je lang voor een missie onderweg bent. Het is echt een strategisch spel met de vliegtuigen die de duikboten moeten bestrijden en de schepen op het water. Het zal druk worden op de Barentszzee. Ik denk ook dat er flink met scherp gaat worden geschoten. We zullen niet veel aan slapen toekomen, ik hoop dat je goed uitgerust bent. En hoe is het met je vader?'

'Ik geloof dat het goed met hem gaat, ik had hem twee dagen geleden aan de telefoon, maar ik heb er niet aan gedacht mijn ouders te bellen om hun te zeggen dat ik met jou zou uitvaren. Ik bel ze wel als ik terug ben.'

'Je vader, Boris en ik zijn precies twee weken geleden op zalm wezen vissen. Ik weet niet of het door de straling komt, maar ik heb die beesten nog nooit zo levendig gezien, terwijl ze nadat ze kuit geschoten hebben maar een paar dagen van hun dood verwijderd zijn. En sindsdien heb ik ook geen tijd meer gehad om hem te bellen, op de basis was een hoop administratief werk te doen en in de flat was er een hoop te klussen. Hoe is de flat die ze jou gegeven hebben?'

'Het gaat.'

'Heb je water, elektriciteit, doet de verwarming het?'

'Ja.'

'Dan heb je het voornaamste, als de plee tenminste in orde is.'

'Die is in orde.'

'Dan bof je. Ik denk dat die klootzakken op het ministerie in Moskou bang zijn dat we straks geen zin meer hebben om uit te varen. Daarom laten ze ons verhongeren, verjagen ze ons met stank door middel van verstopte afvoeren van plees, schakelen ze nu en dan de verwarming uit en maken ze ons wijs dat de vent die voor het onderhoud moet zorgen stomdronken met zijn hoofd naar beneden in de ketel is gevallen. Ze willen dat we als we eenmaal door de valreep zijn een zucht van verlichting slaken, alsof we terug in het paradijs zijn. Soms vraag ik me zelfs af of de meeste vrouwen van bemanningsleden van onderzeeboten niet eigenlijk agenten van de Federale Veiligheidsdienst zijn, die ze ermee hebben belast ons het leven zo onmogelijk te maken dat we onze onderzeeboten niet meer willen verlaten, alsof ze een toevluchtsoord zijn voor al onze ellende, een remedie tegen al onze teleurstellingen.'

Het gezicht van Anton begint te stralen.

'Het klopt dat je in een onderzeeboot in het paradijs bent. Je zult het zien, als we op honderd meter diepte zitten, helemaal onder elkaar, en de hofmeester ons een glaasje ijskoude wodka inschenkt, zal de hele wereld onbewust jaloers op ons zijn. Ze denken dat we onder water zitten, maar niet wij, zij zitten ondergedompeld, echter niet in water maar in de onbeduidendheid van hun zorgelijk bestaan. En over twee jaar pensioen. Als dat net zo betaald wordt als nu de soldij, wordt dat echt een probleem, maar als de geldstroom weer op gang komt, kan ik elke dag gaan vissen of jagen. En intussen zal je vader nog steeds bezig zijn zijn slaperige leerlingen te onderwijzen dat Stalin aan een herwaardering toe is.'

Het gezicht van Vania vertoont de glimlach die hem onweerstaanbaar maakt, want hij is zich niet alleen bewust van wat hij is, maar ook van wat hij gaat worden.

Daarna gaan beide mannen zich in het kantoor van Anton omkleden. Daar verwisselen ze hun zwarte uniform voor een werkpak. Anton pakt een tasje met niet meer dan het minimale voor drie dagen, hij bekent dat er geen verschoning bij zit, tijdens een oefening heb je toch geen tijd om te douchen, je kunt net even je tanden poetsen. Wanneer ze het kantoor van Anton verlaten, komen ze een officier tegen die twee burgers begeleidt in werkpakken zonder onderscheidingstekens en met twee tasjes in de hand.

'Dit zijn de twee torpedospecialisten die met u meegaan, wilt u ze naar het schip brengen, commandant?'

'Ik neem ze mee.'

Nadat ze zich aan elkaar voorgesteld hebben, lopen de vier mannen naar de Oskar, die aan de kade ligt vastgemeerd. Het is een enorm schip, al bevindt een groot deel van de romp zich onder de waterlijn. Het deel dat boven water uitsteekt is zo lang als een voetbalveld en, de opbouw meegerekend, zo hoog als de administratiekantoren van vier verdiepingen aan de overkant. Het lijkt net een verdwaalde orka. Na een tourniquet passeren ze een laatste controlepost. De torpedospecialisten hebben niet de goede pasjes. Het is de wraak van de wacht die nooit op zee is geweest en die zijn gesprekspartners met minachting bekijkt, want hij staat buiten hun hiërarchie. Anton pleegt twee telefoontjes. Een paar minuten later komt een man aanrennen, hij spreekt de wacht toe, die een andere kant op kijkt en hun ten slotte, teleurgesteld dat hij hen niet wat meer heeft kunnen dwarszitten, een teken geeft dat ze kunnen doorlopen. Op het dek is het druk. Een duiker in duikerpak, flessen op de rug, staat klaar om iedereen op te vissen die in deze fase van de voorbereidingen in het water zou vallen. Anton komt de scheepskok tegen. Hij maakt een vragende beweging met zijn hoofd.

'Het zal wel lukken, commandant, de ouwe was al zenuwachtig, we krijgen de gewenste hoeveelheid en kwaliteit, ik hou het in de gaten.'

'Als je ons twee keer hetzelfde voorzet of die rottige gekookte ossentong van je, dumpen we je op driehonderd meter diepte.'

De scheepskok glimlacht.

'Geen angst, commandant.'

Ze gaan het vaartuig binnen via het toegangsluik en laten de beide ingenieurs over aan een officier die werkzaam is in het voorschip. Dan begint een lange afdaling langs ladders en nog eens ladders, daarna van waterdichte deur naar waterdichte deur om op de post te komen van de ploeg die voor de besturing en voortstuwing zorgt, ver weg, onder in het schip. Hier wordt geen militaire groet meer gebracht maar volstaat een hoofdknik, waarmee wordt voorkomen dat je met je elleboog tegen scherpe metalen randen stoot die overal uitsteken. Er is hoe dan ook niet genoeg ruimte om met je hakken te klakken. De officier die verantwoordelijk is voor de veiligheid tijdens het duiken komt rapport uitbrengen. Anton stelt hem snel aan Vania voor. Hij heeft een donkere, alerte blik, een kleine mond en een ronde, korte kin.

'Alles is in orde, commandant, op een probleem met het zoete water na dat we proberen op te lossen, waarschijnlijk mag er niet gedoucht worden, we werken eraan, op z'n laatst over twee uur kunnen we bij u terug zijn met een rapport.'

'We waren toch al niet van plan ons te douchen en het zou me verbazen als we er de tijd voor krijgen, het zijn de grootste oefeningen van onze vloot sinds tijden, die gaan we niet in de badkamer doorbrengen. Het wonder van de diepzee is dat, zolang je niet in de openlucht bent, geen enkel vies luchtje het waagt de neus te belagen, nietwaar?'

'Beslist, commandant.'

'De mannen?'

'Iedereen op z'n post, appèl zonder problemen.'

Vania kijkt vanuit zijn ooghoeken naar Anton. Het is niet meer dezelfde man. In ieder geval geen enkele gelijkenis met de man die hij thuis bij zijn ouders heeft gezien, met zijn gedachten elders en bijna hijgend als een vis die alleen onder water genoeg lucht krijgt. Niet zijn rang geeft hem die zelfverzekerdheid, hij is gewoon thuis, op een plek die geen enkel geheim voor hem heeft, met mannen op wie hij volledig kan rekenen. Anton zet zijn kleine rondgang met Vania voort. Ze gaan naar de hulpcentrale, waar de voortstuwing geregeld wordt, vlak achter de kernreactor, die helemaal weggestopt zit. Er komt een onderofficier naar Vania toe en haakt een dosismeter aan zijn borstzak 'om de radioactieve straling die je te verduren krijgt te meten, die wordt naar de wal overgebracht en gaat vervolgens ergens naar mensen toe die er geen donder mee doen'.

'Het zal hier warm worden als we eenmaal vertrokken zijn', laat Anton weten. 'En hoe warmer de zee is, hoe meer de temperatuur stijgt. Ik heb in de Indische Oceaan meegemaakt dat het binnen bijna vijftig graden was. Bij ons zal het nog wel meevallen, we blijven op de Barentszzee. Kom, dan gaan we naar de centrale!'

Ze gaan weer naar het voorschip, het krioelt er van de mensen, althans zo lijkt het en hoe kan het ook anders als je bedenkt dat aan boord elke vierkante meter wordt bezet door iets meer dan één bemanningslid. In de walegangen drukt iedereen zijn rug tegen de wanden om de ander te laten passeren. Ze gaan naar boven, naar de centrale, waar alle mededelingen en noodseinen binnenkomen. De kapitein is nog niet aangekomen, maar de eerste officier is al druk in de weer. Anton gaat naar zijn controlepaneel toe dat aangeeft hoe het staat met alle vloeistoffen in het schip, of overal de druk goed is en of er buizen lekken. Daar worden alle noodseinen opgevangen als er iets mis is met de techniek, daar weerklinkt ook het brandalarm, waar men het meest bang voor is, want in de Russische duikbootgeschiedenis zijn er meer mensen door brand dan door verdrinking omgekomen. Naast zijn grote paneel bevinden zich de stuurinrichting en zijn beide afstandsbedieningen. Daar is een andere officier verantwoordelijk voor, en mannen lossen er elkaar af om het schip op koers te houden, het naar de gewenste diepte te laten duiken en om voor een stabiele ligging te zorgen. Hij is ook degene die de orders met betrekking tot de snelheid doorgeeft aan de ondergeschikten die gegroepeerd zijn in het achterschip. Twee periscopen, een voor observatie en een voor de aanval, die gebruikt worden wanneer het schip net onder het wateroppervlak op periscoopdiepte ligt, vormen een afscheiding in de commandocentrale. Kunnen deze laatsten niet gebruikt worden, bijvoorbeeld wanneer het schip naar donkere diepten is gedoken, dan is er geen steek te zien. Met kaarten wordt de eigen positie bepaald, en die van anderen met behulp van sonar. Hier ook worden de bevelen voor het afvuren van torpedo's gegeven, die worden doorgestuurd naar het compartiment, meer naar voren en lager in het schip, waar de dodelijke projectielen op stellingen liggen. Aan de zijkanten bevindt zich de opslag voor raketten, die langer zijn.

De kapitein komt binnen. Met zijn ongeveer vijfenveertig jaar is hij de oudste van ons allemaal. Hij heeft een regelmatig, iets opgezet gezicht, een hoofd zo groot dat er geen standaardmodel pet op past en helderblauwe ogen. Hij komt in gedachten verzonken naderbij, maar al zijn zorgen bij elkaar zijn niet voldoende om hem een geërgerde uitdrukking te geven. De eerste officier brengt rapport uit. Wanneer hij hem meedeelt dat de afvaart over twee uur is, toont de ouwe zich voldaan. Dan wendt hij zich tot Anton, de man die hem bijstaat als zich problemen voordoen die zo ernstig zijn dat ze het schip in gevaar brengen. Beide mannen kennen elkaar al heel lang, het vertrouwen is wederzijds. Ze plegen samen overleg over de problemen die Anton aan de orde stelt, daarna laat deze hem kennismaken met Vania. De gezagvoerder heet hem welkom en belooft hem voor het einde van de oefeningen een vuurdoop die deze naam waardig is, daarna vervolgen Anton en de kapitein het gesprek als twee oude vrienden. De band die hen aaneensmeedt, is bijna tastbaar. Als Vania naar ze kijkt lijkt het alsof hij een oud stel voor zich ziet. Ze zijn in voor- en tegenspoed met elkaar verbonden. In voorspoed, dat is wanneer alles goed gaat, een geluk dat alleen begrepen wordt door degenen die ervaring hebben met de roes waarin je raakt wanneer je diep onder water bent. In tegenspoed, dat is wanneer het schip de gevangene blijft van de donkere diepten. Op dat moment kun je elkaar alles vertellen wat je op je hart hebt, want wat je ook doet, aan het eind wacht de dood. Tussen die twee, niets. Dat niets verbindt hen. Want het is dat niets dat anderen elkaar betwisten en waarbij zuurstof er niet toe doet. Daarna begeeft de kapitein zich naar de kaartentafel en vraagt hij om het weerbericht. Anton neemt Vania mee naar het achterschip. Ze lopen de officiersmess door. Vania heeft nog geen kooi toegewezen gekregen, hij is niet meegeteld. Anton lost het probleem op, hoog in een vertrek vinden ze een slaapplaats voor hem die hem doet denken aan de couchettes in de nachttrein naar Sint-Petersburg, hangmatten, tot het plafond boven elkaar, waar je met metalen ladders naartoe klimt. Hij zet zijn tasje in een bergvak. De twee uren die volgen blijft hij bij Anton, die stap voor stap de controleprocedure afwikkelt. Na dat karwei toont hij zich enigszins bezorgd, en wanneer Vania hem daarop aanspreekt, ontkent hij aanvankelijk, om vervolgens buiten gehoorsafstand van anderen toe te geven dat niet zozeer technische problemen hem zorgen baren als wel de reactie van zijn onervaren en niet echt goed opgeleide onderofficieren wanneer zich ernstiger problemen zouden voordoen. Daarna geeft hij Vania met een gebaar te kennen dat hij er het beste van hoopt en zet die beweging kracht bij met een glimlach om aan te geven dat het allemaal wel meevalt.

Twee sleepboten brengen het schip van 18.000 ton in beweging voor ze zich er ver van de kade van losmaken. Het begin van twee uur varen aan de oppervlakte, de tijd om na te gaan of alles normaal functioneert. Vania wijkt niet van de zijde van Anton, die weer naar de centrale is gegaan. Zolang het schip aan de oppervlakte vaart, komen de bevelen van de commandobrug daarboven, waar de gezagvoerder en zijn eerste officier zich in de openlucht bevinden. De ouwe laat het sturen aan zijn eerste officier over, dat wil zeggen dat ze door de zeearm varen tot waar die uitmondt in de Barentszzee, daarna verwijderen ze zich nog een uur van de kust, dan gaan ze duiken. Een onderofficier van de marine staat in contact met de bovenbouw. Hij herhaalt hardop de bevelen die hij via zijn koptelefoon doorkrijgt. Snelheid en koers worden gestabiliseerd. Elke man van de eerste wacht is op zijn post, sommigen zijn aan het werk, anderen bereiden zich erop voor als atleten die hun spieren losmaken. De gesprekken die niets met de dienst te maken hadden zijn verstomd, de bemanning concentreert zich op het gezamenlijk doel. Vania werpt de mannen die in de centrale bijeenzijn een voor een een onderzoekende blik toe en let op dat hij hen bij het zenuwachtige heen-en-weergeloop niet hindert. De zijdelingse bewegingen worden steeds sterker voelbaar en beslaan door de omvang van het schip een flinke afstand. Het slingeren neemt steeds meer toe. Toen ze de kade verlieten, was het boven mooi weer, maar nu ze aan het eind van de zeearm zijn, jaagt de wind de golven hoog op. Vania vecht tegen zijn opkomende misselijkheid. Hij is niet de enige. Een officier bevestigt dat iedereen zich beroerd voelt en haast zich naar de wc vlak naast de deur van de centrale. Dat hij doortrekt geeft aan dat hij overgegeven heeft, het reglement verbiedt doortrekken na plassen, zo wordt er water bespaard. Hij komt terug alsof er niets aan de hand was. Na hem gaan er nog twee man. Vania biedt weerstand, probeert mee te bewegen met het slingeren om zo het gevoel van onpasselijkheid te onderdrukken. De tijd gaat ongemerkt voorbij. De kapitein, zijn eerste officier en nog twee officieren verlaten de bovenbouw en gaan naar de centrale. Ze trekken hun oliejassen uit om ze aan de hofmeester te geven, die ze opbergt. Vervolgens komt deze terug, geeft Vania een tikje op zijn rug en neemt hem mee iets verder naar achteren om hem zijn zuurstofmasker te geven. Hij legt hem kort uit hoe het werkt, wijst hem de aansluitingen in geval van crisissituaties op deze verdieping en roept hem bemoedigend op zich te verlaten op de anderen in de rest van het schip. Vania is op tijd in de post terug om het waarschuwingssignaal te horen, vervolgens het bevel om naar een periscoopdiepte van twintig meter te duiken. Het sluiten van de luiken is klaar. Dat is zojuist meegedeeld. De stuurlui duwen de knuppel naar voren. De tijd tussen bevel en uitvoering zorgt ervoor dat de schuine stand even op zich laat wachten. Doordat het schip voorover begint te hellen maken de paar voorwerpen die niet goed zijn vastgemaakt een smak en rollen met veel kabaal over de grond. Eenmaal op periscoopdiepte komt het schip weer horizontaal te liggen. Het beweegt al minder. Men is druk in de weer met de periscopen. Een luid geraas van samengeperste lucht die ontsnapt geeft aan dat ze omhoog worden gebracht. De kapitein voert de 'berendans' uit. Hij gaat achter de periscoop zitten op een stoel die de bewegingen ervan volgt en pakt met twee handen de grepen vast. Terwijl hij een rondje van 360° maakt, tuurt hij de horizon af. Hij komt van de stoel en laat een officier zijn plaats innemen, gaat bij de radio zitten en spreekt met het admiraalsschip, dat de tactische leiding van de oefening heeft en in verbinding staat met de onderzeeboten, de schepen aan de oppervlakte en de duikbootjagers, om hun bezigheden op elkaar af te stemmen. Er wordt nog eens aan de spelregels herinnerd en aan de verzamelpunten. Dan begint er een miniatuuroorlog over afstanden van verscheidene honderden kilometers, in ondiep water, op een reusachtig scheepskerkhof daterend van de Tweede Wereldoorlog en de daarop volgende Koude Oorlog. De rest van de wereld zal niet ver weg zijn. De kapitein herhaalt het nog eens tegen zijn officieren tijdens een briefing in zijn kwartieren: 'We zitten op geringe diepte en de gevoeligheid van de sonar zal worden gehinderd door schepen aan de oppervlakte. Wees waakzaam, de Amerikanen, Engelsen en Noren zullen niets van de vlootschouw willen missen en zo dichtbij mogelijk komen om ons te ergeren. Ze zullen van de gelegenheid gebruikmaken om onder echte omstandigheden zelf ook te oefenen. We zullen ons niet laten imponeren, maar het blijft erg gevaarlijk, de bedoeling van deze oefeningen is ook niet elkaar tot zinken te brengen. Dus hou de oren open en geen stommiteiten met de sonarinstallatie, degene die het lawaai van een Los Angeles verwart met de staartbewegingen van een vier maanden zwangere vrouwtjesbeloega gooien we in zijn slipje in het zuiveringsbuizenstelsel. Bij de geringste twijfel doen we niets, begrepen?'

Alle mannen stemmen ermee in. De spanning is weliswaar niet op z'n toppunt maar wel gestegen. Grote missies rond de aardbol gaan maar zelden met zoveel drukte gepaard. Wanneer je voor drie maanden in je eentje vertrekt gaat alles rustig in z'n werk en behalve enkele specifieke oefeningen, hebben de mannen de tijd aan zichzelf.

Ze varen verder op periscoopdiepte. De zeebodem is zo dichtbij dat er niet dieper gedoken kan worden. De controles op lekkages worden gestaakt. In deze tijd van het jaar is het zicht goed. 's Zomers wordt het daglicht op deze breedtegraad zwakker, maar het wordt nooit helemaal donker.

Het is op een merkwaardige manier prettig tussen het wateroppervlak en de zeebodem, ook al deint het schip nog een beetje. Wanneer de tijd voor het avondeten nadert, wordt de snelheid van het schip teruggebracht tot drie knopen. Er wordt op orders van het admiraalsschip gewacht. Een officier die aan de observatieperiscoop zit, houdt de zee tot over een afstand van bijna vijftien kilometer in de gaten. Mensen met gouden oren beluisteren de watermassa. Ze zijn in staat het geringste geluid van de zeezoogdieren waar te nemen en zelfs het malen van de kaken van koningskrabben. In deze stille wereld lukt het ze elk willekeurig oorlogs- of koopvaardijschip te herkennen aan het geluid en het trillen van zijn schroef. Ze zijn in een onderzeeboot wat neuzen zijn bij parfumeurs, ze onderscheiden verfijningen die gewone stervelingen ontgaan. Hun oren hebben meer weg van die van speurhonden dan van mensen, maar in plaats van gebruik te maken van de geluiden van het bos, luisteren zij naar die van de zee. Een plotselinge afwezigheid van lawaai kan even verontrustend blijken te zijn als afwijkend lawaai. De kapitein verkneukelt zich zonder kwade bedoelingen over de verwarring die op het admiraalsschip heerst. Hij kent de admiraal van de noordelijke vloot goed en al heel lang. Hij heeft waardering voor hem, maar benijdt hem niet. Hij verkiest zijn dagelijkse besognes boven die van een man die zich slinks in bochten moet wringen, die moet smeken om mannen en materieel bij bureaucraten die de opdracht hebben alleen maar nee te verkopen en die in Moskou een positie hebben waaraan ze een beetje macht ontlenen terwijl ze denken dat ze alles voor het zeggen hebben. Hij benijdt hem niet en kijkt wel uit hem alle problemen van de laatste tijd voor de voeten te gooien, alsof nu opeens de gevolgen van jarenlange verwaarlozing en slechte voorbereiding aan het licht komen.

Het is tijd om in de longroom aan tafel te gaan. We nemen met z'n achten op de bankjes plaats. Omdat we niet veel tijd hebben, besluit de kapitein Vania het inwijdingsritueel te laten ondergaan. Ze brengen hem een groot glas zeewater. Hij drinkt het zonder zijn gezicht te vertrekken in één teug leeg en om de zoute smaak weg te spoelen, geven ze hem een even groot glas wodka. De tafel applaudisseert, de kapitein toost met de nieuweling, vraagt hem zijn metgezellen onder alle omstandigheden waardig te zijn en deelt hem mee dat hij geluk heeft dat hij officier is, want als hij onderofficier geweest was, had hij hetzelfde glas zeewater moeten drinken, maar dan ook nog eens vermengd met schaamhaar van zijn maatjes. De hofmeester legt een tafelkleed neer. Een smetteloos tafelkleed. De borden hebben een gouden rand en in het midden is een blauw marineanker te zien. Het bestek is van goede makelij, zij het niet van zilver. Vania kijkt naar de hofmeester. Hij is net zo jong als hijzelf, lang en voornaam, het gezicht van een tiener. Hij komt wat gemaakt over. Vania vindt hem wel iets vrouwelijks hebben. Het enige vrouwelijke element dat in deze kleine mannenwereld heeft weten binnen te dringen. Hij wordt zeer geacht, niemand drijft de spot met hem, hij is een soort geluksbrenger die over de bemanning waakt, handig, doeltreffend en toegewijd. Hij schenkt een Moldavische wijn. Elke aanwezige officier heeft zijn eigen servetring met zijn naam erop. Het eten komt dampend op tafel. Rundvlees dat er prima uitziet, in een goed op smaak gebrachte saus. De kapitein kijkt naar Vania, die met zijn ogen rolt bij het zien van dat onverwachte gerecht.

'Je had hier moeten zijn in de tijd van de Sovjetunie, toen was het eten aan boord nog veel beter. De partij stelde er een eer in de bemanningen van onze onderzeeboten te behandelen als prinsen. Nou ja, dat is wat minder geworden. Nu gaat het uitvaren van onderzeeboten af en toe niet door omdat ze niet in staat zijn de bemanning genoeg voedsel voor een hele missie te leveren. Toch hebben ze goed begrepen dat wat aan de wal misschien getolereerd wordt, op onze schepen absoluut niet kan. Daar is geen plaats voor vernederende situaties, die zouden gewoon niet gepikt worden. Het is hier zoals je begrepen zult hebben een andere wereld: je leeft als heer of je sterft als held, maar met de kleingeestigheid van landrotten moet je op het schip niet aankomen, dat is een principe. Deze keer hebben ze hun best gedaan. Je weet het nooit, de nieuwe president had wel op het idee kunnen komen onverwacht bij het inschepen aanwezig te zijn. Maar ik heb hem niet gezien.'

'Hoe is hij, commandant, u die hem hebt ontmoet toen hij u een lintje gaf?'

'Totaal anders dan zijn voorganger, die ik overigens nooit heb ontmoet. Hij is, hoe zal ik het zeggen, een wezel. Twee slimme oogjes. Een zuiver product van de KGB en daarna de Federale Inlichtingendienst. Iemand die het zo druk heeft met het in de gaten houden van anderen dat hij vergat dat hij zelf nog bestond, tot ze hem kwamen halen. Ik denk niet dat het voor ons de beste man is. Hij is vooral druk om de verloren tijd in te halen voor al zijn vrienden bij de geheime dienst die de poen aan hun neus voorbij hebben zien gaan. Wat geen goed teken is voor het leger. Volgens mij zal hij niets voor ons doen, behalve als zijn prestige wordt bedreigd of als hij plannen heeft voor een oorlog die hem meer aanzien geeft. Dat aanzien zal hij nodig hebben, wil hij een man van formaat worden, hij is zo klein. Nou ja, we zullen zien … Ik weet ook niet of hij er wel van op de hoogte is dat we maanden, om niet te zeggen jaren salarisachterstand hebben. Zelfs al mocht hij er wel van op de hoogte zijn, dan nog denk ik dat hij niet veel zal doen. Weet u, sinds 1918 heeft ons leger, hoe de omstandigheden ook waren, anderen op hun donder gegeven. Omdat die anderen dachten: Hoe kan het dat een leger waar zo slecht voor gezorgd wordt, waar op bevel van Stalin de hoofden rolden zoals de koppen van tamme ganzen, in staat was Hitler eerst het hoofd te bieden en hem vervolgens terug te drijven? Het antwoord is dat wij begrepen hebben dat oorlog iets beestachtigs is, dus gedragen we ons beestachtig. En zelfs met verroest materieel, met soldaten die meer op blaren dan op laarzen lopen, jagen we de westerlingen de schrik op het lijf. Zelfs op dit moment, nu we bijna op dezelfde lijn zitten, doen ze het in hun broek alleen al bij het idee dat ze ons op een oceaan tegenkomen.'

Hij houdt op met praten, glimlacht even en vervolgt dan: 'Eeuwenlang lieten onze leiders, wie het ook waren, een toestand voortbestaan waarin de dood een verlossing was. Er bestaat geen gevaarlijker soldaat dan een soldaat die denkt dat de dood je bevrijdt van de last van het leven. Daartegen is met alle ideologieën ter wereld geen kruid gewassen.'

De nagerechten zijn verrukkelijk, maar terwijl de hofmeester koffie serveert, wordt de kapitein aan de radio geroepen. Terwijl hij opstaat mompelt hij: 'Misschien gaan de oefeningen beginnen.'

'Hij is somber, de ouwe', zegt Vania zacht tegen Anton terwijl ze eveneens opstaan.

'Hij overdrijft altijd een beetje, hij is me er eentje, onze gezagvoerder, als hij wil kan hij binnenkort met pensioen, hij heeft geen ambities voor een staffunctie, daarom spreekt hij zo vrijuit. Hij heeft de tijd nog gekend dat er een politiek commissaris aan boord was en niemand iets durfde te zeggen op straffe van op een dag bij het verlaten van het schip opgepakt en in een zwarte limousine weggevoerd te worden. Sindsdien haalt hij de schade in. Ik ken hem goed, we zijn allebei op de Oskar begonnen. Ik weet dat hij bitter gestemd is, omdat hij in het begin niet kon vermoeden dat de tegenhanger van vrijheid verval was. Hij had het gevoel dat we beschouwd werden als relikwieën van het Rode Leger, relikwieën die niet onderhouden werden, er werd hooguit een stofdoek overheen gehaald om ze op bezoekdagen te laten glimmen. Maar hij verlangt ook niet terug naar de oude tijd.'

Vania en Anton lopen door de walegang in de richting van het achterschip. Anton houdt in een nis halt en gaat dicht bij de jongeman staan: 'De kapitein zei een keer tegen me: "Besef je wel dat ze van ons vragen soms drie maanden van het jaar door te brengen zonder mogelijkheid een vrouw aan te raken, en dat een aantal keren in één jaar. Aan welke man en waar vraag je zoiets, behalve aan een gevangene die gestraft is voor wandaden? Aan niemand, en vooral niet aan die oude losbollen in het Kremlin die eindigen met een goed geconserveerde prostaat, terwijl wij nog geen deugdelijke tandarts hebben om ons tandbederf te behandelen dat het gevolg is van slechte voeding."'

Vania lacht. Maar het is een merkwaardige lach, zoals je die alleen tegenkomt bij mensen die net de grens tussen jeugd en volwassenheid overschreden hebben, wanneer de wereld zich geleidelijk blootgeeft zoals hij is, zijn innerlijke werkelijkheid toont. Vania is blijer dan ooit met zijn keus. Zojuist is hij onderdeel van deze mannengemeenschap geworden en hij zou er nooit meer weg willen.

In de hulpcentrale voor de voortstuwing is Anton lang bezig met het invullen van formulieren, die hij vervolgens aan Vania laat zien om hem ervan te laten leren. In een onderzeeboot wordt het heden, voor het in verleden kan omslaan, op de een of andere manier te boek gesteld om een spoor achter te laten. In de compartimenten in het achterschip, waar de installatie voor de nucleaire voortstuwing staat opgesteld, bevinden zich minder mensen. Zo'n twintig man, terwijl het er vóór de reactor wel zo'n honderd zijn. Op dit moment van de avond, vlak na het avondeten, wordt de sfeer bepaald door stilte en ontspanning, zoals in een elektriciteitscentrale op een rustdag. Reactoren en wisselstroomdynamo's laten het zachte, doffe geronk van draaiende motoren horen. Niets wijst erop dat dit schip, dat vaart met een snelheid van bijna vijftig kilometer per uur, in zijn dikke zeezoogdierenbuik vierentwintig Granit-raketten meevoert die geladen zijn met een ton TNT à mach 2,5. In het voorschip liggen achtentwintig torpedo's vlak bij de zes buizen van waaruit ze worden afgevuurd. Deze torpedo's zijn van slechts twee typen. De Sjkval is in staat een vliegdekschip als een krijtje in tweeën te breken en dankzij holtevorming door cavitatie vóór de kop schiet hij het water uit met een snelheid van bijna vijfhonderd kilometer per uur. De 65-76 is veel trager en enorm groot. Ondanks zijn enthousiasme bleef Vania op zijn hoede. Als hij ooit gedacht had dat zijn leven in een onderzeeboot in vredestijd echt gevaar liep, zou hij waarschijnlijk nooit voor dit legeronderdeel, zou hij trouwens nooit voor het leger gekozen hebben. Hoe kon je denken dat er met dit schip, dat pas vijf jaar geleden aan de vloot was toegevoegd, iets mis zou gaan? Zijn dubbele stalen romp maakt het onverwoestbaar. Er is geen enkel voorbeeld bekend van problemen bij het leegblazen van de ballasttanks die het een onbeschadigd schip onmogelijk zouden hebben gemaakt weer boven te komen. Natuurlijk, er kan brand uitbreken, maar dat is niet erg waarschijnlijk. De kans om in een onderzeeboot te sterven is uiterst klein vergeleken bij die om op een besneeuwde weg doodgereden te worden door een wegpiraat die aangeschoten is omdat hij eau de cologne gedronken heeft na eerst met een minachtende trek om de mond een fles wodka uit het raampje te hebben gegooid omdat hij dat een vrouwendrankje vindt. Van alle vulkanen ter wereld is Oskar de meest veilige, de minst grillige, die waar het minst mee te spotten valt.

De dromen van Vania worden verstoord door de binnenkomst van de gezagvoerder in gezelschap van vijf stafofficieren. Hij merkt hun aanwezigheid op en beseft dat de kapitein de eerste maaltijd liever met zijn beste maten had willen gebruiken dan met pottenkijkers. Zo kon hij natuurlijk gemakkelijker zijn hart luchten. Ten overstaan van dit hoge gezagscollege dat Anton nauwkeurige uitleg vraagt over onderwerpen waarbij ieder zich laat voorstaan op zijn veronderstelde deskundigheid, nam Vania zijn toevlucht tot het verste hoekje, daar waar de drijfwerkas de kracht van de motoren naar de schroef overbrengt. Op die plek loopt de staart van de onderzeeboot spits toe. Slechts één man houdt de wacht, die enkele meters afleest en als een waakhond let op verdachte geluiden. Als hij Vania ziet, die hij niet had verwacht, moffelt hij gauw een tijdschriftje onder zijn werkkiel weg, waarvan Vania heel even een stukje van de omslag ziet, een bloot vrouwenbeen.

Het is een gewone soldaat, een pientere jongen met een goedmoedig gezicht, altijd klaar voor een lach, maar die waarschijnlijk genoeg van het leven te verduren heeft gehad om voortdurend gretig op goed nieuws in te gaan. Hij is niet erg lang, heeft een plat gezicht met hoge jukbeenderen en sikkelvormige ogen.

'Uw eerste missie, luitenant?'

'De eerste', antwoordt Vania, die beseft dat het echt moeilijk is anderen in dit wereldje te misleiden.

'Nogal rustig, is het niet?'

'O ja, rustig.'

'Best beest, die Oskar, toch? Ik zit er nou vijf jaar op en ik heb niks te klagen. Goed, er zijn altijd wel kleine problemen links en rechts, water dat binnensijpelt, afdichtingen die lekken, maar niets ernstigs. Onverwoestbaar, dat beest. Er zijn lui die zich zorgen maken over straling, maar ik zeg: dat is goed onder controle. Eigenlijk het enige waar ik bang voor ben zou een groot probleem met de duikroeren zijn bijvoorbeeld, dan zouden we echt in de penarie zitten, of een dikke onderzeese kabel die in de schroef verstrikt raakt, zoiets zou een heel kwalijke zaak zijn. Een botsing met een andere onderzeeboot, dat is mogelijk, maar met 18.000 ton beklaag ik toch de andere onderzeeboot. Natuurlijk, als je in de diepte een lek hebt, met voor elke honderd meter een extra druk van een bar, is het moeilijk je daaruit te redden.'

Hij houdt even op met praten, fronst zijn wenkbrauwen en vervolgt: 'Weet u waarom ik er trots op ben op een onderzeeboot te varen?'

'Laat eens horen.'

'Omdat een bemanningslid van een onderzeeboot het beste van een man en van een vrouw in zich verenigt. Het beste van een man omdat je het puikje bent, een hechte, eensgezinde groep vormt, niet in staat elkaar onderling rotstreken te leveren. Het beste van een vrouw omdat we tegen hele maanden onthouding bestand zijn zonder af te knappen, ik bedoel, luitenant, dat we geen slaaf van onze begeerten zijn, we zijn bijna verstandsmensen. Daarom zijn bemanningsleden van onderzeeboten bij vrouwen zeer gewild. Ze voelen dat wij de baas zijn op hetzelfde gebied als zij, dat is toch opmerkelijk, vindt u niet?'

'Ik ... ik ben het helemaal met u eens.'

Beide mannen zwegen toen er door de luidspreker een mededeling van de commandopost klonk: 'We gaan naar een diepte van honderd meter, let op lekkages, controleer elk compartiment.'

'Hou u vast, luitenant, want als ze duiken met een trim van tien staat het hier echt rechtop, vooral gezien de lengte van de zetpil, dat maakt een enorme hoek. Veel verder gaan we in elk geval niet, daarvoor is de zee hier niet diep genoeg. Het is moeilijk varen in ondiep water, de sonar weerkaatst overal geluiden, het lijkt net of je in een resonantiekast zit en omdat bij dit soort oefeningen misschien wel zo'n veertig schepen boven op zee zitten, is het van belang dat de gouden oren het geluid van de schroef van een spionerende buitenlandse onderzeeboot niet verwarren met het geborrel in de ingewanden van een dwerggarnaal. Wij zijn net mollen die ook nog eens doof geboren zijn. De kapitein kan nogal opvliegend zijn. Toen we eens op de Middellandse Zee zaten, kwamen onderzeeboten van de NAVO aan onze schroef ruiken. Zonder een moment te aarzelen pakte hij ze aan, Iwan de Verschrikkelijke, hij viel ze met achtereenvolgende halve draaien aan en ze kozen ten slotte het hazenpad. Buitenlanders hebben er geen belang bij te dichtbij te komen.'

Hij hield even op met praten, ging toen verder: 'Luister eens naar die stilte, luitenant. Behalve de cavitatie die door het draaien van de schroef wordt veroorzaakt, hoor je dit schip geen enkel geluid maken. Weet u al op welk schip u hierna dienst gaat doen?'

'Naar wat ze me op het militair plaatsingsbureau zeiden, wordt het waarschijnlijk weer dit schip.'

'Daar zult u geen spijt van krijgen.'

Vania glimlachte tegen hem en keerde terug naar de hulpcentrale voor de voortstuwing om zich weer bij Anton te voegen die in gesprek was met de wachtploeg.

'Behalve de tactische manoeuvres is het de bedoeling dat er tijdens de oefeningen, die overmorgen tegen twaalf uur afgelopen zullen zijn, twee torpedo's worden afgeschoten. Morgen vuren we een Sjkval af. Overmorgen beëindigen we de operaties met het afvuren van een verbeterde 65-76. Ik weet niet of de kapitein zal besluiten de waterdichte deuren in het voorschip tijdens het schieten open te laten of niet, maar wat ons betreft gaan de luchtsluizen in ieder geval helemaal dicht, of het de jongens in het voorschip nou pijn aan de oren doet of niet. Afgezien daarvan mag er tot we terug zijn niet gedoucht worden, we hebben een probleempje met het zoete water, niets ernstigs, maar we zijn er zo zuinig mogelijk mee, akkoord?'

Via de intercom klinkt het bevel: 'Voorste motor 5.' De wachtofficier herhaalt: 'De snelheid gaat naar 5.' We merken nauwelijks iets van de vaartversnelling.

'We gaan snel met zo weinig water onder de kiel, commandant', merkt een onderofficier op.

'De kapitein weet wat hij doet. Als we vergaan, zitten we op hooguit honderd meter. Op die diepte kun je met een rietje ademhalen. Dat is het wereldrecord vrijduiken, toch?'

'Zoiets ja', antwoordt een andere onderofficier.

'Mooi,' gaat Anton verder terwijl hij een paar zweetdruppels van zijn voorhoofd wist, 'dan denk ik dat alles duidelijk is.'

Vervolgens richt hij zijn blik op Vania: 'We gaan twee uur slapen, voor jullie wacht afgelopen is zijn we hier terug.'

Vania klimt in zijn hangmat, voorzichtig om geen slapende mannen wakker te maken. Het lijkt wel of ze de compartimenten volstoppen als een graanzolder. Het nachtlampje maakt het mogelijk je weg te vinden zonder dat je een slaper op z'n hoofd trapt. Als je niet een enkele keer wat gesnurk hoorde, zou je gedacht hebben dat er niemand was, zo stil liggen de mannen, diep in hun bed. Het lukt Vania in het zijne te kruipen zonder zijn hoofd te stoten tegen de metalen stangen van het bed boven hem. Hij heeft alleen maar zijn schoenen en sokken uitgetrokken en de ritssluiting van zijn overall wat omlaag getrokken om er lucht in te laten doordringen. Daarna trekt hij zijn kriebelende wollen deken tot zijn middel over zich heen. Het lukt hem niet de slaap te vatten. Geen wonder, de geestdrift heeft de vermoeidheid achter zich gelaten en die subtiele opwinding wil maar niet wijken. Hij denkt aan Svetlana, aan hun eerste weken samen. Hij heeft haar niet bekend dat zij de eerste vrouw in zijn leven was. Hij merkt dat zij met tegenstrijdige gevoelens jegens hem worstelt. In het begin was het uniform van bemanningslid van een onderzeeboot zeer bevorderlijk voor hun toenadering. Maar haar voorgevoel zette haar al spoedig op het spoor van de nadelen, lange perioden van scheiding, een niet te onderschatten risico om als weduwe achter te blijven en objectief gezien een armzalig loon vergeleken bij het geld dat een jongen die niet te angstvallig was in het zakendoen kon verdienen. Hij merkt dat ze de kat uit de boom kijkt, dat ze er nog niet van overtuigd is of ze hem wel meer wil geven dan dat lichaam dat ze hem heel ongedwongen schonk, alsof dat niet het belangrijkste was. En hij vraagt zich af of hij niet vooral in de ban is van die eerste omhelzingen, van de ontdekking van dat overweldigende genot en of deze vrouw in staat is nog iets anders bij hem op te roepen dan verlangens. Ze nam ongerust afscheid van hem. Niet vanwege zijn aanstaande missie, maar vanwege haar verzuim om tijdens hun laatste omhelzingen voorzorgsmaatregelen te nemen, omdat voorbehoedmiddelen zo duur zijn dat een luitenant-ter-zee ze niet kan betalen. Ze gebruikten de onbetrouwbare methode 'voor het zingen de kerk uitgaan', waarvan we weten wat de bevolkingsgroei eraan te danken heeft. Hij merkte dat zijn jonge gezellin heel gespannen was. Ze wilde niet dat ze door nalatigheid tot een relatie met Vania zou worden gedwongen. Hij leerde haar kennen in het restaurant met de Italiaanse naam onder de woning van zijn ouders. Ze is er serveerster. Het is een knap blond meisje van gemiddelde lengte dat verder kijkt dan haar neus lang is. Vania moest snel zijn om haar te verleiden. Hij is niet bedreven in het vrouwen versieren. Al toen ze de tweede keer bij hem kwam, nadat hij in uniform in het restaurant geluncht had en haar zijn telefoonnummer had gegeven, verklaarde hij haar zijn liefde. Een wat kinderachtige manier van doen, want een uniform zet geen enkele vrouw meer aan het dromen. Zaken, verre streken, dat brengt ze in vervoering, maar een officier die op een onderzeeboot vaart, zoiets belooft alleen maar eenzaamheid. Vania hoopt dat de tijd zijn werk zal doen, en al is hij nogal verkikkerd geraakt op die schoonheid die het beste van noorderlingen en Slaven in zich verenigt, hij wil wel onder ogen zien dat hij haar kwijt kan raken als het hem niet lukt haar aan zich te binden. Hij heeft haar nog niet aan zijn ouders willen voorstellen, hij heeft geen haast haar aan de vorsende blik van zijn vader en zijn zuster uit te leveren.

In die toestand die niet helemaal waken, maar nog lang niet slapen is, komt hij weer tot zichzelf. Hij overweegt dat hij minder bang is om dood te gaan dan om naast het leven te zullen grijpen.

De ingewanden van een walvis tijdens zijn trage spijsvertering maken waarschijnlijk meer lawaai dan het binnenste van de Oskar 's nachts. Je hoort alleen maar een knetteren dat lijkt op het zachte kraken van een tl-buis. In een oorlog waarin het gaat om stilte, is Oskar een meester. Bij hem vergeleken hoor je veel schepen van de NAVO in het donker varen alsof het lepralijders zijn die met een ratel waarschuwen dat ze eraan komen. Mannen staan op, anderen gaan slapen. Wederzijds respect voorkomt dat er ook maar enig lawaai wordt gemaakt, de opvarenden zijn 's nachts schimmen die hun best doen in het donker op te gaan. Ten slotte valt Vania toch in slaap.

De onderzeeboot vaart voorzichtig voort in een duisternis waarin je niets ziet, alsof hij het avontuur van de aanvang van het leven nog eens overdoet.

Beweging in de onderste hangmatten geeft aan dat het wisseling van de wacht is. Vania wordt met een moe hoofd wakker. Met tandenborstel en tandpasta in de hand baant hij zich een weg naar de wasruimte. Na zijn spullen in het tasje aan het voeteneind van zijn bed opgeborgen te hebben, gaat hij naar de longroom voor officieren op het opperdek achter de centrale. Officieren trekken voorbij om met z'n achten aan een tafel te ontbijten. Anton zit op een van de bankjes van waaraf je de hele ruimte kunt overzien. Hij bekijkt een voor een de boodschappen die 's nachts zijn binnengekomen. De kapitein verschijnt, gladgeschoren, zijn ogen nog wat gezwollen van de paar uur slaap die hij aan de nacht heeft weten te onttrekken. Achter hem aan twee stafofficieren. De koffie vloeit rijkelijk, er wordt veel brood met jam gegeten om de maag weer in z'n gewone doen te brengen. Het was een rustige nacht, er is geen enkel technisch probleem te melden. Binnen een klein half uur gaan ze waarschijnlijk terug naar periscoopdiepte. Anton vraagt de eerste officier of hij zich over Vania wil ontfermen en hem nuttige werkjes wil laten doen. Het is misschien niet het beste moment, maar hij wil het met genoegen doen. Het gesprek komt op de Sjkvaltorpedo. Het afvuren daarvan wordt de gebeurtenis van de dag. Het is een van de belangrijkste technologische stappen vooruit van Rusland. Terwijl de NAVO worstelt met de voortstuwing van zijn torpedo's, die natuurlijk sterk door het water worden afgeremd, hebben sovjetingenieurs en daarna Russische ingenieurs een systeem ontwikkeld waarbij de cavitatie een luchtbel voor het projectiel doet ontstaan. Hij is zo'n negentig procent sneller geworden, ook zijn trefzekerheid en zijn vernietigingskracht zijn toegenomen. Het afvuren van een torpedo is aan boord van een onderzeeboot nooit van gevaar ontbloot. De kleppen aan de buitenzijde van de torpedolanceerbuizen moeten geopend worden, waardoor er een direct contact ontstaat met de zee, waarvan het water probeert binnen te dringen; er hoeft maar iets fout te gaan of het vindt zijn weg naar de mannen die de wetten van de diepzee tarten. Elke lancering zet de bemanning onder druk. Door de terugslag die volgt op de krachtsexplosie in de buis, worden de oren zwaar op de proef gesteld. Zo'n projectiel is heel kostbaar. Als belangrijke handelaren aan de wal niet de bedoeling hadden deze verbeterde versie aan de Chinezen te verkopen, van wie er een paar de lancering zullen bijwonen vanaf het dek van het admiraalsschip, zou er geen sprake zijn geweest van het opofferen van zo'n technologisch hoogstandje, vooral niet in deze periode van vreselijke schaarste.

'Vandaag gaan we op de commerciële toer', fluistert de kapitein Anton in het oor, die over zijn papieren gebogen staat. Het projectiel is allang op de internationale wapenmarkt beschikbaar, maar niemand twijfelt eraan dat jakhalzen van de NAVO die rond de schepen op oefening kruisen, in de lancering ervan geïnteresseerd zullen zijn.

Omdat ze zich in zo ondiep water bevinden, herhaalt de gezagvoerder zijn oproep tot verhoogde waakzaamheid. Achter de kapitein begeeft een kleine areopagus zich in de richting van de centrale. Vania volgt de eerste officier als een schaduw, maar past op dat hij hem niet hindert. Terwijl de kapitein de waarnemers van de staf uitvoerig toelichting geeft, geeft de eerste officier leiding aan het weer opstijgen tot periscoopdiepte. Het schip zendt signalen uit om zich ervan te vergewissen dat geen enkel schip aan de oppervlakte of onder water zich in de dode hoek van de sonar aan de achterkant bevindt. Het gebeurt wel dat onderzeeboten bij het naar boven komen plotseling vlakbij vissersschepen aantreffen of tankers met hun enorme omvang, waarvan de achterkant zich maar op een paar honderd meter afstand aftekent. Pas als zich niets in de omgeving blijkt te bevinden, geeft de eerste officier bevel om op te stijgen tot periscoophoogte. Er kan weer gekeken worden. Hij maakt zich van de uitgeschoven periscoop meester voor een eerste inspectie, tien meter boven het wateroppervlak en 360° in de rondte. Geen schip te zien. Intussen heeft de radio op een zeer lage frequentie weer contact met de rest van de vloot en verzamelt hij alle informatie van 's nachts die nog verwerkt moet worden. De eerste officier maakt tevens van de gelegenheid gebruik om radiocontact te leggen met het admiraalsschip. Een beleefd gesprek, over een dag die onder gunstige voortekenen begint. Er wordt gebruik van gemaakt om de precieze positie van het schip vast te stellen en de centrale op traagheidsnavigatie te laten overgaan. Het is onrustig in de bijenkorf. Het paneel voor de controle van de vloeistofcirculatie, de druk en de temperatuur meldt geen storingen. Na ruim een half uur op periscoopdiepte geeft de gezagvoerder bevel zich gereed te maken voor een duik naar grotere diepte. Masten en periscopen worden neergehaald met het karakteristieke lawaai van ontsnappende lucht. De voorbereidingen voor het schot kunnen nu niet langer wachten. Iedereen wordt verzocht weer naar zijn plaats te gaan. Anton en Vania begeven zich naar de hulpcentrale voor de voortstuwing in het achterschip. Daar zijn nieuwe, steeds weer interessante mensen aanwezig. De koffie begint te werken, Vania is vol goede zin. Door degenen die belangrijke functies hebben, laat hij zich een voor een informeren over wat die inhouden. Alle deuren die de compartimenten in het achterschip bescherming bieden zijn gesloten, waarmee de bemanning in het voorschip van de anderen is afgezonderd. Om het voor- en achterschip in evenwicht te brengen, wordt de druk verdeeld door aan hendels te trekken. Het schip vaart langzaam, iedereen is bang dat het de zeebodem zal raken. De herhaalde verzoeken om aanpassingen geven aan dat men de voor de lancering gewenste positie nadert. Het peiltoestel voor de duikdiepte geeft zevenenveertig meter aan. Het bevel komt via de intercom, de lancering zal plaatsvinden op periscoopdiepte. We gaan weer naar boven. De snelheid wordt iets verhoogd bij een trim van 10 graden. Het schip komt weer op een diepte van twintig meter. In het voorschip zal nu de periscoop uitgeschoven worden. Men wacht. Het wachten duurt lang. Elk technisch instrument wordt in de gaten gehouden. Dan komt de mededeling: 'Bevel tot schieten gegeven, iedereen blijft waar hij is, we maken een laatste rondje, post voortstuwing gereed?' 'Gereed,' antwoordt Anton, 'bij voortstuwing alles oké.' Dan, nog geen minuut later: 'Schot toegestaan.' Tergend langzaam gaan er twintig seconden voorbij. Dan gaat er een trilling door het schip, in het achterschip dof en sterk gedempt.

De intercom kraakt: 'Torpedo afgevuurd.' Dan, een paar seconden later, enigszins opgelucht: 'Lancering geslaagd.' Anton en Vania hebben gespannen het sluiten van de ene en het openen van de andere klep gevolgd. Eén fout in dit stadium en het schip is binnen twee minuten volgelopen. Maar alles werkte perfect.

'Zelfs slecht onderhouden zijn machines net mensen, ze geven alles wat ze in hun donder hebben', vertrouwt Anton Vania toe.

Als je goed oplet, zie je dat Anton naar de jongeman kijkt als een vader. Zelf hebben hij en zijn vrouw nooit kinderen gekregen en hij gaat eronder gebukt dat hij geen nageslacht heeft. Vania had inderdaad zijn zoon kunnen zijn. Het is de zoon van zijn beste vriend. Hij voelt zich verantwoordelijk voor zijn welslagen. En wanneer hij ziet hoe trots en enthousiast de jongen is, heeft hij er geen spijt van hem aangemoedigd te hebben deze weg in te slaan.

De luchtsluizen gaan open, de lucht circuleert. De temperatuur in het achterschip daalt weer een beetje doordat er grote hoeveelheden koelere lucht uit het voorschip komen. Anton gaat terug naar de centrale, de jonge officier volgt hem als zijn schaduw. Men wenst elkaar uitbundig geluk. Dat is niet de gewoonte, maar ze willen de waarnemers van de staf graag de ogen uitsteken. De torpedo heeft zijn doel precies in het midden getroffen.

De rest van de dag gaat voorbij met het kat en muis spelen met schepen aan de oppervlakte en met jachtvliegtuigen voor de onderzeebootbestrijding. De meest serieuze spelletjes van volwassenen en de onschuldiger spelletjes van kinderen hebben veel weg van elkaar.

De beide ingenieurs van de wapenfabriek in Dagestan zijn er opeens ook, als uit het niets. Ze zien eruit als samenzweerders, denkt Vania. Hun uiterlijk van Kaukasiërs zou al genoeg geweest zijn. Door hun harde gezichtsuitdrukking zien ze er vaak schurkachtiger uit dan ze zijn. Vania neemt het zichzelf kwalijk mee te gaan in de vooroordelen van Slaven jegens landgenoten uit het oosten van het rijk. Zij hebben in Dagestan de supervisie gehad over de verbetering van de voortstuwingsmotor van de reusachtige conventionele torpedo die morgen afgevuurd gaat worden. Je merkt dat ze wat apart staan. Niemand lijkt op dit moment moeite te willen doen daaraan iets te veranderen. De stafofficieren tonen zich voldaan. De kapitein lijkt zich te ergeren aan hun alomtegenwoordigheid, waarbij ze zich half onderdanig, half als spionerende inspecteurs voordoen. Hij besluit een half uur een dutje te gaan doen en vraagt zijn eerste officier hem te wekken in geval van alarm. Nadat de gezagvoerder verdwenen is, keert iedereen terug naar zijn post, terwijl de gasten proberen met deze of gene wat nader contact te leggen. Vania, die net als iedereen een wodkaatje naar binnen heeft geslagen, voelt dat de drank naar zijn benen is gezakt. Het gebrek aan slaap doet zich gelden. Hij heeft de afgelopen nacht nog geen twee uur geslapen en hij heeft best zin in een dutje om wat slaap in te halen. Maar Anton geeft het sein om uit hun woonverblijven naar het achterschip te vertrekken. Het laatste schot staat gepland voor elf uur de volgende dag, daarna zijn de oefeningen afgelopen. Het blindemannetje spelen eindigt dan 's avonds. De nacht belooft meer spel maar minder drukte te zien te geven. Oskar wordt achtervolgd door twee schepen aan de oppervlakte en twee jachtvliegtuigen voor de onderzeebootbestrijding. De kapitein heeft het nadeel van de geringe diepte omgevormd tot een aanzienlijk voordeel waar het gaat om het verstoren van de echo's. Voor de laatste avondmaaltijd tijdens de oefeningen heeft hij zelf zijn tafelgenoten gekozen. Zijn eerste officier, Anton en Vania, die hem aan zijn zoon herinnert. Het is de laatste dienst. De gasten zijn aan een tafel gezet met aan het hoofd de vuurleider, de manier van de ouwe om van hen af te zijn. Bij de hofmeester heeft hij twee flessen Moldavische wijn besteld. Het gesprek komt op het afschieten van de torpedo de volgende dag: 'Ze hebben in Dagestan veranderingen aangebracht om de brandstof van de voortstuwingsmotor minder vluchtig te maken. Ik weet niet hoe ze in die fabriek werken. Ik heb geen documenten met betrekking tot de veiligheidskeuring onder ogen gehad. De twee uilskuikens van de staf zeggen dat ze goedgekeurd zijn. Ik kan moeilijk vragen of ze me per helikopter een koerier met de documenten willen sturen. Ik moet zeggen dat ze zelfs vroeger zulke zaken nooit in het vage lieten. Iedereen controleerde iedereen, al gingen er ook nog dingen mis. Maar tegenwoordig is het wel heel bar. Ik denk dat dat een van de redenen is waarom mijn zoon heeft afgehaakt.'

Zich wendend tot Vania: 'Dat is niet de enige reden. Wanneer je besluit af te zien van iets wat je heel erg aan het hart gaat, is daaraan precies hetzelfde proces voorafgegaan als bij een ramp met geavanceerd wapentuig, er zijn meerdere oorzaken aan te wijzen, één is niet doorslaggevend. Mijn zoon kon niet tegen vaagheid, maar ik moet ook zeggen dat zijn vrouw er niet tegen kon van hem gescheiden te zijn. Ze wilde haar man elke dag thuis hebben. Ten slotte kregen ze ruzie en gingen uit elkaar. Eenmaal uit elkaar kon hij, wetend dat zijn vrouw er niet meer was om na een reis op zijn thuiskomst te wachten, het niet meer opbrengen weer naar zee te gaan. Bij de gedachte aan inschepen deed hij het in zijn broek als een kind dat voor het eerst afscheid van zijn moeder moet nemen om naar school te gaan. Mijn eigen zoon, kunnen jullie je het voorstellen?'

Niemand durft te glimlachen. Om een meer ontspannen sfeer te scheppen, glimlacht hij zelf maar. Dan vervolgt hij: 'Ik heb het hem niet eens kwalijk genomen. Hij had niet het geluk een vrouw te hebben zoals de mijne! Zonder haar zou een dergelijke loopbaan ondenkbaar geweest zijn. Ze duldde alles, mijn afwezig zijn, mijn slippertjes. Ook al ben je het in het begin niet, ten slotte word je smoorverliefd op dat soort vrouwen. Mijn zoon had dat geluk niet. De vrouw van de zeeman maakt de zeeman. Ik ben trouwens altijd voorzichtiger met het vertrouwen stellen in een man die niet echt met de vaste wal verbonden is. Hij heeft niet hetzelfde verlangen om er heelhuids naar terug te keren en hij is misschien minder betrouwbaar, klopt dat, Anton?'

'Best mogelijk, commandant.'

Anton lijkt opeens in verlegenheid gebracht en omdat het het moment is voor ontboezemingen in besloten kring, vervolgt hij: 'Dat zeg ik omdat ik niet zeker weet of ik bij terugkeer van de oefeningen mijn vrouw weer zal aantreffen. Als dat het geval is, weet ik niet wat voor man ik bij de volgende missie zal zijn, maar ik zal beslist niet dezelfde zijn.'

'En de jongeheer Vania, is die al getrouwd?' vraagt de kapitein.

Vania bloost nu hij opeens het onderwerp van gesprek is.

'Nog niet, commandant, ik heb wel pas een vrouw ontmoet, maar ik weet nog niet of ze zin heeft haar leven te delen met een man die op een onderzeeboot vaart.'

'Zo zijn er een heleboel', zegt de eerste officier. 'Ze smelten bij het zien van een uniform, maar daarna krabbelen ze terug als ze doorkrijgen welke offers ze zullen moeten brengen. En zo wordt het steeds moeilijker. De concurrentie dient zich aan, ik vraag me af wat er over vijf jaar nog over is van het aanzien van een onderzeebootofficier. Dat zal niet veel meer voorstellen gezien het weinige dat hij te bieden heeft. Vrouwen zullen hier ook niet blijven. Die trekken ver weg met zakenmannen die hen zullen doen dromen en hen mee op reis zullen nemen.'

De kapitein slaat zijn ogen neer alsof hij wil gaan bidden en vervolgt dan: 'Vrouwen. Er gaat geen avond voorbij of ze worden op enig moment onderwerp van gesprek. Ooit zal een scherpzinnig iemand ons waarschijnlijk uitleggen waar die verbetenheid toch vandaan komt om zo lang bij hen weg te gaan terwijl ze niettemin al onze gedachten in beslag blijven nemen.'

Na afloop van de maaltijd schenkt de hofmeester op verzoek van de gezagvoerder een cognacje in. De kapitein laat de drank in zijn glas ronddraaien en kijkt naar de wat olieachtige spiraal waarin de vloeistof vanaf de rand naar beneden terugloopt. Het vertreksein wordt gegeven wanneer hij besluit naar de centrale te gaan, waar men in het halfdonker druk in de weer is. De wachtofficier ziet er tevreden uit. Hij blijkt de achtervolgers aan de oppervlakte en in de lucht moeiteloos te hebben afgeschud. Drie uur in de ochtend, dat is het tijdstip voor de volgende samenkomst. Oskar zal opstijgen naar periscoopdiepte om te kijken wat zijn positie is en of hij in de denkbeeldige strijd de overwinning heeft behaald. In afwachting daarvan varen ze met zo weinig mogelijk lawaai langzaam verder. Het schip aan de oppervlakte dat geacht werd hem in de val te laten lopen is van de sonarecho verdwenen. Vania had graag meer willen weten over de gevolgde strategie, dat interesseert hem, al is het niet van belang voor zijn toekomstige werk. Nadat ze, terug op de post voor de voortstuwing, de gebruikelijke controles hebben uitgevoerd en wat met deze en gene hebben gepraat, is het moment van samenkomst daar. Het schip stijgt tot periscoopdiepte. Anton zegt tegen Vania dat hij er verbaasd over is dat zich sinds het begin van de oefeningen geen technische problemen hebben voorgedaan. Hij prijst de ontwerpers van het schip, die zelfs hadden vooruitgelopen op het uitblijven van regelmatig onderhoud. De samenkomst met de schepen aan de oppervlakte wijst uit dat Oskar inderdaad de overwinning op zijn achtervolgers heeft behaald. Dat is de tweede achtereenvolgende overwinning, na de geslaagde lancering van de torpedo met vacuümbel. Door de alcohol en de vermoeidheid voelt Vania dat hij bijna van zijn stokje gaat. Anton, die na het steekspel een rustig einde van de nacht verwacht, raadt hem aan te gaan slapen tot de dag weer begint. Dat laat Vania die doodop is zich geen twee keer zeggen en hij duikt met al zijn kleren aan in zijn hangmat. De paar onderofficieren die in het gedempte licht van de cafetaria zitten te lezen, lijken hem niet kwalijk te nemen dat hij er dwars doorheen gelopen is, wat niet gebruikelijk is, want de gewoonte schrijft voor dat je er te allen tijde omheen dient te lopen. Hij valt in een diepe slaap en wordt veel later wakker dan was afgesproken. Hij springt zijn bed uit, daalt snel de ladder af en haast zich naar de mess, waar alleen nog koffie uit een thermoskan te krijgen is. Niemand heeft zijn afwezigheid opgemerkt. Het is bijna negen uur en wat hij gedaan heeft, kun je moeilijk anders noemen dan uitslapen. Hij voelt zich enigszins beschaamd, maar wanneer hij zich bij Anton voegt staat die met een van zijn mannen grapjes te maken en lijkt hem zijn late komst verre van kwalijk te nemen. Vania zal niets missen van de beroering die ophanden is. Hij hoort van Anton dat drie onderzeeboten van de NAVO in het operatiegebied de Oskar hebben gelokaliseerd. Ze zijn hem tot op minder dan vijf zeemijl genaderd. De ouwe kan dat slecht verdragen en heeft besloten gedurende de twee uur die we nog hebben voor het afschieten van de torpedo jacht op ze te maken. Een manier om ze duidelijk te maken dat hij ze doorheeft. De reactor draait op volle toeren. Oskar met zijn kolossale omvang speelt het spel van intimidatie, waarschijnlijk onder het stomverbaasde oog van een Los Angeles die achter hem, in zijn kielzog probeert te blijven. Alleen het schuin liggen in de bochten geeft aan hoe fanatiek het spel gespeeld wordt. Anton, die even naar de centrale boven is geweest, keert terug naar de hulpcentrale voor de voortstuwing met recent nieuws: de jacht is gestaakt, de sonar is een heksenketel, het afschieten zal binnen vijfenveertig minuten plaatsvinden op periscoopdiepte. De Oskar zelf is denkbeeldig doelwit voor het admiraalsschip. Deze informatie gaat Anton en Vania niet rechtstreeks aan. Hun taak is te zorgen dat de voortstuwing tijdens de oefening goed verloopt. Vania vindt het jammer dat hij zich ondanks een paar koppen koffie nog steeds een beetje duf voelt. Een officier uit de centrale komt naar hen toe in het achterschip voor kort overleg. De waterdichte deuren blijven open tot aan de dubbele luchtsluis bij de hulpcentrale voor de voortstuwing. Dat heeft de ouwe zo besloten om de oren te sparen van de honderd man die in het voorschip zitten. Het afschieten van de torpedo zal een sterke compressie veroorzaken en het strikt naleven van de veiligheidsvoorschriften zorgt in de voorste compartimenten voor ernstige last. Als reactie maakt Anton een gebaar dat zoveel wil zeggen als: 'Het zij zo.'

Als de officier van de wacht weer vertrokken is telt hij de mannen die hij voor de oefening nodig heeft in het achterschip, drieentwintig in totaal, en geeft hij bevel de deuren die de verbinding met het voorschip vormen te vergrendelen. De intercom begint te kraken: 'Altijd als er een volmaakte verbinding nodig is, laat die verdomde apparatuur het afweten.'

Ze stijgen tot periscoopdiepte. Het peiltoestel voor de duikdiepte in de hulpcentrale voor de voortstuwing geeft twintig meter aan. Na een laatste bocht naar rechts wordt het schip in een stabiele ligging gebracht. In het achterschip stelt men zich voor hoe er informatie wordt uitgewisseld met de schepen aan de oppervlakte. De ouwe is waarschijnlijk rechtstreeks in gesprek met de admiraal van de noordelijke vloot. De zee is aan de oppervlakte waarschijnlijk woelig, leiden we af uit de deining op twintig meter diepte. De terugkeer naar de basis zodra de torpedo is afgeschoten zou, varend aan de oppervlakte, weleens een onrustige tocht kunnen worden. De intercom kraakt: 'De torpedo wordt in de buis geplaatst.' Daar zullen ze wel ruim twintig minuten mee bezig zijn, gezien de afmetingen van het monster waarmee gemanoeuvreerd moet worden. Anton maakt nog eens een rondje langs alle meters, alle peiltoestellen. De twintig minuten zijn allang voorbij: 'Wat spoken ze daar in het voorschip toch uit, ze nemen wel de tijd.'

De intercom kraakt opnieuw: 'Torpedo in de buis.' Daarna niets meer. De onderofficier die de snelheidshendel bedient, laat hem los: 'Die twee ingenieurs zijn er waarschijnlijk achter gekomen dat ze de motor voor de torpedo in Dagestan hebben laten staan.'

Anton trekt zijn neus op: 'Die 65-76, dat is een treurig prutsding.'

'In welk opzicht?' vraagt Vania.

'De voortstuwing. De vloeistof is instabiel. Trouwens, voor degenen die dachten dat ze al bijna thuis waren, we hebben toestemming om er twee af te schieten. Als de eerste niet wil, zijn we nog niet op de basis, kinderen.'

Er gaan lange minuten voorbij. De mannen vermoeden dat het in het voorschip, vooral in het compartiment met de torpedo's, een drukte van belang is. Anton besluit gebruik te maken van de intercom: 'Hoe ver zijn jullie?'

'Het afschieten is uitgesteld, er is een probleem met de voortstuwing van het projectiel, we houden u op de hoogte', zegt de officier van de wacht.

'Wat een idee om het maken van projectielen aan Kaukasiërs over te laten. In de tijd van Stalin en Beria hebben we hun één keer het land toevertrouwd, we weten waar dat toe geleid heeft', verzucht de wachtofficier van de post voor de voortstuwing.

Opnieuw geknetter wanneer de intercom de boodschap doorgeeft: 'Lancering afgelast, we halen de torpedo weer binnen.'

'Dat is niet volgens de procedure!' zegt een onderofficier met voorzichtige terughoudendheid.

'Hoe luidt die procedure dan?' vraagt Vania.

'In geval van een defecte torpedo, wordt die toch in zee gegooid. Dat is niet zo gunstig waar het gaat om de beoordeling van de bemanning, maar in de regel wordt het wel sterk aanbevolen', voegt Anton eraan toe terwijl hij zich op zijn hoofd krabt.

Plotseling doet een ontploffing het schip schudden en wordt het door de schokgolf heen en weer geslingerd. Anton stort zich op de intercom: 'Wat gebeurt er?'

Geen antwoord. Hij roept nog eens: 'Hallo, hallo, wat gebeurt er?'

Dan komt er antwoord, een klankloze stem zegt: 'We hebben geen idee, het contact met de torpedoruimte is verbroken.'

'Wat?'

Onmiddellijk volgt een bevel.

'Voorste motor, volle kracht. Alle tanks leeg, naar boven.'

'Voorste motor zes', zegt Anton nog eens tegen zijn onderofficier.

Oskar gaat langzaam schuin omhoog. De ogen van alle mannen zijn strak gericht op het peiltoestel dat de duikdiepte aangeeft, waarvan de cijfers dalen. Opeens wordt hun aandacht afgeleid doordat in het voorschip het brandalarm afgaat.

'Ze hebben die torpedo in hun smoel uit elkaar laten knallen', schreeuwt een van de mannen.

Met uitpuilende ogen kijkt Anton strak naar zijn controlepaneel waarop als waarschuwingssignaal een voor een lampjes gaan knipperen. Terwijl hij zijn adem inhoudt, probeert hij te bepalen wat hij voorrang moet geven. Vania slaat hem verstijfd van angst gade, hij voelt dat hij helemaal begint te gloeien.

'We zijn bijna boven', zegt Anton ter geruststelling.

Dan volgt een ontploffing met de kracht van een aardbeving. Door de schokgolf maakt het schip een draai om zijn eigen as, mensen glijden weg, mensen vallen. Het schip komt weer recht te liggen, zoals voor de ontploffing, dan schiet de staart van de onderzeeboot plotseling omhoog terwijl het voorschip lijkt te zakken.

'Verdomme, we zinken!' schreeuwt een van de mannen en probeert zich aan een ontluchtingshendel vast te houden.

De onderzeeboot zakt langzaam naar de diepte. Anton ziet lijkbleek en heeft tot bloedens toe op zijn lippen gebeten bij het uitschakelen van de voortstuwing die hen naar de zeebodem joeg. Hij probeert weer bij de intercom te komen waar hij even niet bij had gekund. Terwijl hij zich zo goed en zo kwaad als het gaat vasthoudt, zegt hij in het apparaat, waarbij hij zijn best doet niet te schreeuwen: 'Wat gebeurt er, kunnen jullie me horen?'

Het kraken is opgehouden, niemand antwoordt. De waarschuwingslampjes die betrekking hebben op het voorschip en ineens waren gaan branden, zijn allemaal weer uitgegaan. En het schip blijft zakken, meeschommelend op de bewegingen van de zee. Anton ziet alleen maar verwilderde ogen, strak op hem gericht. Als gevolg van een lek in het voorschip worden ze meegevoerd naar de zeebodem. Hij wil niet in paniek raken. Zijn hersens hebben hem een signaal gegeven. Waar hij nooit echt bang voor was geweest, is nu aan het gebeuren. Alles wat hij eerder gedaan heeft, telt niet meer. Wat hij is, daar gaat hij nu achter komen. Het schip zinkt dieper. Er is nog steeds licht. Anton wordt heen en weer getrokken tussen de angst en het ongeduld de zeebodem te raken. In een diepere zee zouden ze in elkaar gedrukt worden en zo sterven. Maar op een diepte van honderd meter is nog alles mogelijk. Hij probeert zich de topografie van de omgeving weer voor de geest te halen, die waarover gesproken werd boven de kaartentafel voor ze hier positie kozen. Anton weet dat hoe dieper het schip zinkt, hoe meer water er door het gat zal binnenstromen, wat door de druk nog wordt versneld. Anton roept zijn mannen toe zich voor te bereiden op de klap. Hij voelt dat die elk moment kan komen, ook al geeft het peiltoestel voor de duikdiepte niets meer aan. De schroef raakt als eerste een zandbank, wat de val breekt. Dan slaat de romp tegen het zand. Alle mannen zijn gaan liggen in afwachting van de schok. Het is een oorverdovende dreun. Het waarschijnlijk aan de voorkant opengereten beest schraapt over de zeebodem voor het met een onheilspellend gekraak iets op zijn zij tot stilstand komt. Ze gaan iedereen langs. Geen ernstige verwondingen. Volgens Anton liggen ze op nog geen honderdtwintig meter van de oppervlakte in het zand. Zijn eerste zorg is te zien dat hij de noodlampen te pakken krijgt. Hij weet dat de boordverlichting spoedig zal uitgaan. Daarna haast hij zich de zuurstofflessen te tellen, die hij bijeen laat brengen. Ten slotte roept hij zijn zwaar aangeslagen mannen bij elkaar, die zich rondom hem scharen alsof hij de Messias was. Je merkt dat hij voor geen enkel geweld zal terugdeinzen om hen tot kalmte te manen.

'Goed, we zitten met een heus probleem, maar het had er slechter voor ons uit kunnen zien. Ik verwachtte zo'n calamiteit al twintig jaar, en het verbaast me dat ik er niet eerder mee te maken heb gekregen. Nu is het dan zover. Dus geen paniek, in de eerste plaats omdat dat onwaardig is en in de tweede plaats omdat een man in paniek meer zuurstof verbruikt. Ik zal jullie zeggen wat ik denk dat er gebeurd is. De motor van een torpedo is ontploft, daarna is door de hitte mogelijk de torpedo zelf ontploft, waardoor er een gat in de buis is geslagen alsof het een conservenblik was. De gezagvoerder had toestemming gegeven de deuren in het voorschip open te laten. Volgens mij is iedereen aan de andere kant dood. We kunnen altijd proberen na te gaan of er overlevenden zijn. Toch staat het zo vast als een huis dat die er niet zijn en mochten we het in ons hoofd halen de luchtsluis die ons van het voorschip scheidt te openen, dan stroomt het hier vol water. Op het moment lekt het niet. We hebben voor een dag of drie zuurstof en flessen in overvloed. We liggen in het zand op ongeveer honderd meter diepte, wat binnen het bereik van een duiker zonder uitrusting is. Dat is ideaal. Het vluchtluik zit boven ons en is prima bereikbaar. Ik hoop dat de telefoonboei in werking is getreden en nu op het wateroppervlak drijft. Gezien de vele schepen die boven ons varen, zullen ze ons spoedig lokaliseren, vooral omdat de kapitein toen we de laatste keer op periscoopdiepte zaten onze positie heeft doorgegeven. Zo staat het ervoor, laat iedereen zich erop instellen dat we er heelhuids vanaf komen, want we maken een heel goede kans. We wachten even tot ze ons gevonden hebben, en daarna slaan we met regelmatige tussenpozen tegen de romp om hen te helpen. Intussen zetten we de reactor in de waakstand. Dit zijn orders.'

Anton is zelf verbaasd over de helderheid van zijn uiteenzetting en over het effect ervan op zijn mannen, wier gezichten een wat meer ontspannen uitdrukking krijgen. Hij vervolgt: 'Jullie vormen koppels en lossen elkaar voortdurend af om te controleren of het achterschip niet lekt. De drie man die overblijven gaan alles onschadelijk maken wat we op onze kop zouden kunnen krijgen en zoeken de overlevingsinstructies op. We houden de luchtdruk en de luchtkwaliteit in de gaten. Vooruit, aan het werk!'

Met Vania en een onderofficier achtergebleven, probeert Anton zijn gedachten te ordenen.

'Ik denk dat we de situatie onder controle hebben, wat vind jij, Vania?'

Vania onderdrukt de hevige beving die door zijn lichaam trekt, meer veroorzaakt doordat de gebeurtenissen hem hebben overrompeld dan dat hij angst voelt. Doodsbleek beaamt hij: 'Ik denk het ook.'

Anton kijkt bedenkelijk en zegt zacht: 'Toch hebben we een probleem. Al het eten zat in het voorschip. En de temperatuur zal spoedig dalen. Op deze diepte is het al heel koud en als we het een aantal dagen zonder eten moeten doen, gaat dat moeilijk worden. Ik zie geen oplossing. Ook al worden we snel gevonden, ze zullen tijd nodig hebben om een reddingsonderzeeboot te vinden die in staat is om zich boven ons vluchtluik aan ons vast te maken. Zo op het oog zullen we het minstens vierentwintig uur moeten zien vol te houden. Laten we maar hopen dat er zo'n boot in de buurt is die inzetbaar is en dat iemand weet hoe hij ermee om moet gaan.'

'Er zijn ook buitenlanders in het gebied, denk je daar wel aan.'

'Dat kun je je gerust uit je hoofd zetten, het zou me verbazen als iemand van hogerhand om internationale hulp zou vragen tijdens oefeningen die verondersteld worden de NAVO de ogen uit te steken.'

Er staat een ploeg voor hen, die rapport komt uitbrengen van hun controle van de romp. Geen twijfel mogelijk, er komt water binnen, het sijpelt binnen door scheuren in de wand die zijn ontstaan door de klap. Het komt door de druk afhankelijk van de plek druppelsgewijs of met een straal binnen. Volgens een onderofficier zullen ze als de situatie niet verslechtert op deze verdieping de voeten droog kunnen houden tot twaalf uur de volgende dag, daarna zullen ze op wateroverlast moeten rekenen. Anton klemt zijn kaken op elkaar om zijn ergernis te verbijten. Zijn geest werkt razendsnel. 'Als er water binnenkomt, is de romp beschadigd, het schip is misschien gewoon verwrongen. Als dat zo is, kan het vluchtluik geblokkeerd zijn, maar daar denken we nog even niet aan.'

Hij roept de mannen bijeen: 'Goed, jongens, we gaan alles een beetje op een rij zetten zodat het voor iedereen helder is. Ten eerste: het water stijgt, maar zo langzaam dat we het nog wel droog houden tot er hulp komt. De ideale oplossing zou het plaatsen van een duikerklok zijn, zodat we een voor een kunnen overstappen in een reddingsduikboot. De andere oplossing is om zelf naar buiten zien te komen. Ik neem de procedure nog eens met jullie door. We trekken een overall aan, die als een drukpak fungeert en die ons tot aan de oppervlakte van zuurstof voorziet. Hebben we die eenmaal aan, dan openen we het eerste luik van de luchtsluis. We sluiten het weer en brengen de druk daarbinnen in overeenstemming met de buitendruk, ongeveer tien bar waar wij in ons geval mee te maken hebben. Hetgeen de vertrekkende man hoe dan ook op gescheurde trommelvliezen komt te staan. Daarna opent degene die naar boven is gegaan het buitenste luik van de luchtsluis, dat we vanaf hier met de hand bedienen met de hydraulische vijzel. Als er vervolgens een tweede man naar buiten wil, betekent dat dat er, wanneer het binnenste luik van de luchtsluis geopend wordt, een ton water het schip binnenkomt, waardoor de druk binnen aanzienlijk hoger zal worden. Bijgevolg zal in de loop van het naar buiten gaan de kans op neurologische problemen toenemen. Een behoorlijk aantal van ons loopt de kans in een rolstoel te eindigen. Als twee of drie van jullie het erop willen wagen, mogen ze dat, maar dan moeten we niet te lang meer wachten. Ze hebben kans heelhuids boven te komen zonder het leven van hun kameraden in gevaar te brengen. Maar ik wil de vrijwilligers er duidelijk op wijzen dat als er, als ze eenmaal boven zijn, niemand is, ze zullen sterven van de kou, laten ze dat goed in hun oren knopen. Ik geef jullie tien minuten om erover na te denken. Als er niet meer dan drie vrijwilligers zijn, wil ik het er wel op wagen. Zijn het er meer, dan wordt het lootjes trekken. Als jullie mijn mening willen horen, dan zeg ik: wacht rustig hulp af, het is daarboven heel koud en zelfs rood is een overall maar een uiterst klein stipje op een woelige zee. Een laatste punt ten slotte: dit verhaal gaat niet op als de onderzeeboot inderdaad verwrongen en het vluchtluik geblokkeerd is. Om eerlijk te zijn, betwijfel ik dat.'

Anton kijkt hen een voor een aandachtig aan. Niet een van hen kan zich voorstellen dat hij zal sterven terwijl er een oefening in volle gang is en de hele noordelijke vloot vlak boven hen vaart. Hij heeft hun weer vertrouwen gegeven. Toch gelooft hij er zelf niet in. Hij denkt niet dat hij het er heelhuids vanaf zal brengen, maar hij ziet zichzelf hier ook nog niet doodgaan. Hij vraagt zich af hoe hij zijn mannen kan bezighouden om hen af te leiden. Vania zit ontdaan in een hoekje. Niet omdat hij bang is. Door de onwerkelijkheid van de situatie, een schipbreuk terwijl hij voor het eerst mee is uitgevaren, is hij zwaar aangeslagen. Hij herinnert zich niets meer en ziet ook geen enkele toekomst voor zich. Hij voelt de kou van de diepzee al tot zich doordringen, waartegen de kunstmatige warmte het zonder strijd blijkt af te leggen. De mannen trekken zich een beetje in zichzelf terug om na te denken. Een van hen komt langs om hun beslissing te horen. Hij keert terug naar Anton: 'Drie kiezen voor het vluchtluik, commandant, de anderen wachten liever hulp af.'

'Heel goed, wie?'

Twee onderofficieren steken hun hand op en Vania ook.

Anton beduidt ze naar hun post terug te keren en gaat naar Vania toe. Diens blik als van een wild dier dat verblind wordt door de koplampen van een vrachtwagen, verontrust hem.

'Ben jij bereid de luchtsluis in te gaan, Vania?'

'Als er geen andere oplossing is.'

'Maar dan moet er boven wel iemand op je wachten. Dat is nou net het probleem.'

Met nog steeds wijd opengesperde ogen kijkt Vania strak naar de deur die hen van het voorschip scheidt, alsof die hen beschermde tegen de duivel.

'Weet je zeker dat er in het voorschip geen overlevenden zijn, Anton?'

'Ik weet het zeker. Het is volstrekt onwaarschijnlijk dat die er wel zijn. Omdat het achterschip water maakt, kan ik me niet voorstellen dat het voorschip niet al helemaal volgelopen is, afgezien van het feit dat onze kameraden vast door de luchtverplaatsing als gevolg van de ontploffing omgekomen zijn. Om daar zekerheid over te krijgen, zouden we het luik dat de verbinding met het voorschip vormt moeten openen. Daar staat waarschijnlijk wel zo'n twaalf bar druk op. We zouden in een fractie van een seconde verzwolgen zijn.'

'Maar wat kan er toch gebeurd zijn, Anton?'

'Waarschijnlijk is de motor van de torpedo ontploft toen ze die uit de buis haalden om hem op te bergen, in plaats van hem in zee te gooien. De hitte steeg waarschijnlijk tot enkele duizenden graden, waardoor de torpedo zelf ontplofte. Maar ik wil je nog iets zeggen, iets wat me het meest dwars zit. Het ontploffen van alleen de motor van de torpedo kan geen lek in de dubbele stalen romp veroorzaakt hebben. En mocht de torpedo zelf ontploft zijn, dan zou de ontploffing zo krachtig geweest zijn dat het schip waarschijnlijk in tweeën was gespleten, zodat wij met z'n allen in zee waren terechtgekomen.'

Het licht gaat uit. Dat was te verwachten. Niemand zegt iets.

Als enige reactie gaan er zaklantaarns aan. Vania doet de zijne uit om batterijen te sparen.

'Voronov?'

'Ja, baas.'

'Neem een man mee en deel alle jasjes en truien uit die jullie kunnen vinden. Het zal nu gauw koud worden. En haal ook alle noodoveralls tevoorschijn. Ze liggen hiernaast.'

Het wordt stiller naarmate woorden nuttelozer worden. Er kan niets meer gedaan worden. Er zit niets anders op dan in het donker te wachten op de kou en op het water dat stilletjes stijgt en dat nog kouder is dan de lucht. Je ziet alleen maar het ordeloze, nerveuze zwaaien van de lampen van de mannen die vertrokken zijn om de uitrusting te halen. Het schip ligt een beetje scheef, wat elke stap moeilijk maakt. Anton rekent hardop voor dat ze ruim tien uur nodig zullen hebben om hen te vinden en een reddingsonderzeeboot te sturen. Voronov is onopgemerkt weer voor Anton verschenen. Niemand is in het donker nog goed te onderscheiden. Hij spreekt zacht.

'Ik heb maar vier overalls gevonden.'

'En de andere?'

'Weg.'

'Ze zijn waarschijnlijk vergeten ze aan boord te brengen.'

'Of ze hebben ze doorverkocht aan een waterpretpark om wat zakgeld bij elkaar te scharrelen', zegt een stem.

'Ik wilde ze alleen maar hebben om ons tegen de kou te beschermen. Deel er drie uit aan de vrijwilligers.'

Anton staat naast Vania. Hij denkt hardop.

'Het ongeluk is tegen het middaguur gebeurd. Degenen die de luchtsluis in willen, moeten dat voor 19 uur doen. Het wordt op het ogenblik bijna niet donker buiten, dat is een voordeel voor ons, als het helder weer is.'

Daarna zachter: 'Ik heb geen haast om het te proberen. Als blijkt dat het luik geblokkeerd is, zullen de jongens de moed verliezen.'

'Als er hulp komt, hoe halen ze ons dan met hun miniduikboot naar boven?'

'Ze zullen zich boven het luik met een waterdichte zuignap aan de romp vasthechten en ons als het luik eenmaal open is een voor een naar boven halen. Je doet maar wat je wilt, Vania. Als het luik het doet, zullen ze ons redden. Als je probeert op eigen kracht weg te komen, loop je de kans er het leven bij in te schieten.'

'Dat weet ik, Anton, maar iets zegt me dat ik op eigen kracht uit die verdomde doodkist moet zien weg te komen.'

'Vergeet niet dat de hele marine van groot Rusland naar ons op zoek is en dat we binnen het bereik van een duiker zonder uitrusting zijn.'

'Ik begrijp wat je bedoelt, Anton, maar, hoe moet ik het zeggen ...'

Hij kijkt de vriend van zijn vader diep in de ogen: 'Toch zegt iets in je blik me dat ik het erop moet wagen.'

'Zachter, Vania.'

Vania fluistert verder in zijn oor: 'Iets in jou zegt me dat we in theorie geen enkel risico lopen, maar dat je er eigenlijk niet in gelooft dat we het er heelhuids vanaf zullen brengen. Omdat je weet dat het daarboven onbekwame, slecht getrainde lui zijn, met verouderd materieel. Vergis ik me, Anton?'

Eerst geeft Anton geen antwoord. Hij volstaat ermee Vania's blik te doorstaan, dan zegt hij: 'Je vergist je, Vania, je vergist je helemaal, maar ik zal je er niet van weerhouden de luchtsluis in te gaan.'

Daarna glimlacht hij even om zich te bevrijden van de doordringende blik van de jongeman en voegt hij eraan toe: 'Laten we ons intussen ontspannen, we zitten nog steeds droog, de kou is draaglijk en als we straks, volgens mijn berekeningen over een uur, een fles zuurstof aanbreken, zal de lucht zuiverder zijn dan in elke willekeurige badplaats.'

Als bezuinigingsmaatregel mag er per vijf man maar één zaklantaarn branden. Ze kunnen niets anders doen dan afwachten en zich voorbereiden op een langzame verslechtering van de levensomstandigheden door het toenemen van de kou en het stijgen van het water. Het moreel van de mannen blijft hetzelfde.

Dat gezien het verloop van de gebeurtenissen de situatie steeds ernstiger zal worden, daar staat niemand van te kijken, maar diep in hun binnenste blijven ze hopen, vertwijfelen zou op dit moment een veel te verre stap zijn. Hoewel het reglement het verbiedt, heeft een onderofficier een fles wodka verborgen gehouden. Het vergrijp verandert in een mazzeltje. De fles is nog maar net open of hij gaat al van mond tot mond. Vania laat de slok wodka aan zich voorbijgaan, hij bereidt zich er lichamelijk en geestelijk op voor het wrak via de luchtsluis te verlaten. Hij weet welke inspanning dat vertrek van zijn lichaam zal vergen. Het is niet de eerste keer dat de bemanning van een Russische onderzeeboot hun gezonken schip via de luchtsluis verlaat, terwijl hij zich niet één geslaagde redding in de diepte kan herinneren. Een van de andere twee vrijwilligers is net in gesprek met een onderofficier: 'Je weet dat je in het beste geval de rest van je leven doof zult zijn', waarschuwt zijn kameraad hem.

De vrijwilliger haalt eens diep adem.

'Is je aan de wal al eens het aantal stommiteiten en dooddoeners opgevallen die je op een dag hoort, hoeveel mensen maar kletsen terwijl ze heel goed weten dat ze niets te zeggen hebben. Voor mij zal het geen groot verschil maken als ik niets meer hoor. Bovendien heb ik geen zin om hier te blijven wachten, ik wil iets ondernemen. Hier wist ik dat ik onbeperkt op anderen kon rekenen. Maar daarboven vertrouw ik niemand.'

De kapotte romp van het schip kraakt niet, hij kreunt. Met zijn ogen open in het vochtige donker, verbeeldt Vania zich dat hij aan de andere kant uiteengereten levenloze lichamen ziet drijven in de schaamteloze houdingen die kenmerkend zijn voor de dood. Hij voelt dat hij in de greep van de angst raakt. Hij is niet bang om te sterven, hij is bevreesd voor het ontluisterende dat erop volgt. Hij is verontwaardigd over de onbillijkheid dat hij straks misschien sterft zonder in dat korte leven dat het zijne was de gelegenheid te hebben gekregen ook maar iets van zichzelf te laten zien. Het heeft ook niets esthetisch om als lijk, verminkt en vol water, net als welk ander levend lichaam ook, terecht te komen in de voedselketen. Dat beeld kwelt hem, heeft hem ook doen besluiten het schip te verlaten. Anton breekt een fles zuurstof aan die zich sissend langzaam verspreidt.

Geleidelijk is het stil geworden in het wrak, waarin ieder probeert een redelijke slaapplaats voor zichzelf in te richten. Vania is naast Anton op de grond gaan liggen, tegen een stel buizen aan. De uren verstrijken en net als het lijkt te lukken de slaap te vatten, wordt het opeens onverdraaglijk koud. De zee heeft het wrak afgekoeld tot de temperatuur van het water diep beneden. Slapen wordt onmogelijk. Wanneer Vania probeert zich om te draaien om na te gaan of het misschien toch nog wil lukken, merkt hij dat zijn heup nat is. Daar is het water al. Anton fluistert: 'Zoals ik had verwacht.'

Vania neemt aan dat Anton al precies weet wanneer het water tot hun kin zal staan.

Anton is op alles voorbereid, hij laat zich niet verrassen. Geruisloos worden de slapen van de overlevenden in een bankschroef geklemd. Naarmate het water stijgt, perst het de luchtbel verder samen. De druk is al twee keer de atmosferische druk. Anton geeft zich vier uur de tijd, dan wil hij de vrijwilligers via de luchtsluis laten vertrekken. Na die termijn zou hun vertrek de dood van de anderen tot gevolg kunnen hebben. En mocht hulp uitblijven, dan hadden de anderen nog hooguit twintig uur te leven.

De ongerustheid laat Anton niet meer los. Elke minuut vecht hij ertegen, stelt hij er een nuchtere, wetenschappelijke redenering tegenover. Ook laat hij zijn gedachten af en toe gewoon gaan. Dan doet zich een merkwaardig verschijnsel voor: hij ziet de dood naderen, hij probeert eraan te wennen, zich ermee te vertrouwd te maken. Hij stelt zich een geweldloze overgang voor, in de kou van de omringende lucht en van het water, waarbij hij langzaam zal verstijven, het bewustzijn zal verliezen, de krachten uit zich zal voelen wegvloeien, alsof de dood zich schuchter toont ten aanzien van datgene waarvan zij de plaats gaat innemen. Hij doet zelfs moeite om tot een soort nieuwsgierigheid naar het hiernamaals te komen en het zich vrediger voor te stellen dan weleens wordt aangenomen.

De tijd tikt onverstoorbaar door, de trage, onmachtige bewegingen zijn onzeker, ieder vraagt zich telkens af of ze nog wel zin hebben. Het water blijft stijgen. Het staat inmiddels halverwege de kuiten. Zonder iets te zeggen zoeken de mannen hogere plekken op om het wassende water te ontvluchten. Anton pakt een stuk papier en een pen, die als gevolg van de druk lekt, en begint te schrijven. De eerste brief, zeer lang, in de vorm van een rapport, doet in chronologische volgorde het relaas van de gebeurtenissen, vermeldt bepaalde veronderstellingen over de oorzaken van de ramp en bevat een nauwkeurig verslag van wat erop volgde. Hij bericht dat de beslissing is genomen om, zolang de druk het nog mogelijk maakt, drie vrijwilligers via de luchtsluis naar buiten te laten gaan. Dat is nog de officier die schrijft. De tweede is een brief aan zijn vrouw, een afscheidsbrief. Hij is geschreven in een heel onpersoonlijke stijl, want Anton vermoedt dat hij door anderen gelezen zal worden voor hij zijn uiteindelijke ontvanger zal bereiken. Vervolgens neemt hij het zichzelf kwalijk dat hij niet geschreven heeft wat zijn hart hem ingaf omdat hij zich door anderen op de vingers gekeken voelde en schrijft hij haar een echte liefdesbrief. Hij zegt daarin dat degenen die verantwoordelijk zijn voor zijn dood en die van zijn kameraden dezelfden zijn die hen, hem en haar, uit elkaar gedreven hebben door hun het leven zo moeilijk te maken.

Kort daarna begint hij het vertrek van de drie mannen te regelen nu het nog kan, vóór de bemanning door de kou helemaal verkleumd is.

De neergang van de mannen wordt in de uren daarna onderbroken door het lawaai van een klap bij de luchtsluis. Met het beetje kracht dat ze nog hebben, haasten ze zich ernaartoe. Met een zaklantaarn in de hand verlichten ze zonder iets te zeggen het luik waar vandaan ze denken dat hun redding zal komen. Ze hebben ergens daarboven een klap gehoord. Om duidelijk te maken dat de reddingspoging die wordt ondernomen niet tevergeefs is, slaan ze met elk voorwerp dat ze in het lamplicht ontdekken op hun beurt tegen de romp. Ze zijn ervan overtuigd dat ze zo goed als gered zijn. Sommigen merken bij deze laatste krachts-inspanning dat ze zo stijf als een plank zijn. Het ijskoude water staat tot hun middel. Er worden nieuwe slagen rond de luchtsluis gehoord. Daarna niets meer, geen lawaai meer, het was een test, ze zullen spoedig terugkeren. In het diepst van hun binnenste voelen ze dat ze weer een kans hebben, dat hun lijdensweg spoedig vergeten zal zijn, maar niemand heeft de kracht om uiting te geven aan zijn vreugde. Met een lichaam dat half verlamd is door het ijskoude water en een hoofd dat door de druk lijkt te barsten, lukt het Anton niet meer om na te denken. Desondanks komt hij nog net tot de conclusie dat er een nieuwe fles zuurstof nodig is voor de tijd tot de hulpverleners zich boven de luchtsluis hebben vastgemaakt, hem zullen openen en hen er een voor een uit zullen halen. Hij kan op geen enkele manier weten dat de concentratie zuurstof buitensporig hoog is, dus dat er ontploffingsgevaar bestaat. Op het aanbreken van de fles volgt een enorme explosie. Een vuurbol zet het wrak in lichterlaaie en jaagt het laatste restje leven uit de afgepeigerde lichamen.

DE WEZEL

DE PRESIDENT IS de avond ervoor vroeg naar bed gegaan. Hij is op vakantie aan de kust van de Zwarte Zee. In een verblijf waar de heersers van het rijk elkaar steeds zijn opgevolgd. Voor de revolutie kwamen de witte tsaren hier de door de zee getemperde zomerse warmte opzoeken. De rode tsaren zetten deze traditie voort. Daar kwamen de nederige dienaren van het volk af en toe de hele zomer nieuwe kracht opdoen, te midden van geuren die ze hun reukzin teruggaven, die in het ongerede was geraakt door de zo bijzondere kou in het Kremlin die het meer op de botten dan op het vlees voorzien heeft. De tweede blauwe tsaar nam er zijn intrek als zomergast voor zijn eerste vakantie sinds zijn verkiezing.

Het bleekneusje dat in de straten van Sint-Petersburg een pak rammel kreeg van oudere kinderen, had nooit durven dromen dat hij tsaar zou worden. Zo romantisch was hij niet. Hij was een realist. De eerste jaren van zijn leven besteedde hij aan het kijken naar het doen en laten van anderen, waardoor hij sindsdien een behoorlijke hekel aan hen heeft. Hij heeft veel aan judo te danken. Deze vechtsport stelde hem in staat om ondanks zijn geringe lengte respect af te dwingen. Zo werd hij het kleintje waarvoor je moest uitkijken, iemand wiens fysieke verschijning niet alles zei over zijn kracht. Tijdens al zijn dienstreizen gaat er een trainingspartner met hem mee. Een gezondheidsritueel dat hem alleen al anders maakt dan zijn voorganger, die ouder en langer was, zijn gezondheid juist kapotmaakte, onmatiger wodka dronk, meer charisma had en iets menselijker was. Maar om een rijk te besturen moet je, en dat is een voorwaarde waar je niet omheen kunt, in staat zijn twee treetjes af te dalen zonder onderuit te gaan. De vorige president was daartoe niet meer in staat. De ouwe begon zijn land, dat toch niet het minste was, te schande te maken. Er werd zelfs gedacht dat hij erin zou blijven, slachtoffer zou worden van zijn buitensporigheden. Dus kozen degenen die het land in zijn plaats dagelijks draaiende hielden met zijn goedvinden een opvolger voor hem. De nieuwe president, die de blauwe ogen heeft van een knaagdier met een kostbaar velletje, wil de traditie voortzetten van leiders die zonder scrupules handelen in naam van een volk dat ze minachten. Hij begreep dat het verleden nooit te verloochenen en er zonder schaamte de verantwoordelijkheid voor te nemen de beste manier is om te zorgen voor je toekomst.

Het is nog maar net zes uur. Een zoel windje doet de dennennaalden op het terras opwaaien terwijl de zon, een smal licht streepje, aan de horizon verschijnt. Dit vakantieoord is uniek vanwege zijn geschiedenis en zijn gerieflijkheid, die je overal tegenkomt zonder dat ze nadrukkelijk aanwezig zijn. Na in z'n eentje ontbeten te hebben, gaat de president een uur judoën in een zaal waar een inderhaast ergens vandaan gehaalde judomat ligt. Na het douchen staat er een werkbespreking gepland met twee van zijn adviseurs.

Wanneer hij in vrijetijdskleding zijn kamer verlaat, staat er een secretariaatsmedewerker voor de deur.

'De minister van Defensie, meneer de president. Hij heeft zojuist gebeld. Het schijnt dringend te zijn.'

'Waar gaat het over?'

'Hij gaf geen bijzonderheden.'

'Bel hem dan terug en verbind hem door naar mijn werkkamer.'

De werkkamer is welderig ingericht. De leunstoelen, diepe leren clubfauteuils, zijn uit de jaren dertig, de glorietijd van Stalin. De aan de muren bevestigde planken staan vol boeken die door niemand worden gelezen. Op de strook ervoor staan ingelijste foto's van vroegere hoogwaardigheidsbekleders van de communistische partij die hier eveneens ooit op vakantie waren. Niemand heeft ze willen weghalen. De president gaat achter een grote tafel zitten die glimt en waarop geen stofje te zien is. De telefoon rinkelt. De president laat de gebruikelijke beleefdheidsformules achterwege.

'Wat is er aan de hand?'

'Tijdens oefeningen van de noordelijke vloot op de Barentszzee is een van onze onderzeeboten gezonken, meneer de president.'

'Wanneer is dat gebeurd?'

'De onderzeeër zou zich gisteravond om 18 uur 30 en 23 uur met de andere schepen verzamelen, maar hij is niet komen opdagen. Mogelijk is hij omstreeks 11 uur 30 gisterochtend gezonken. We hebben hem omstreeks 4 uur 30 met de sonar van het admiraalsschip teruggevonden.'

'Wat is er gebeurd?'

'We hebben geen idee. Er zijn een aantal veronderstellingen.'

'Welke?'

'De eerste is dat hij tijdens de oefeningen door een van onze torpedo's is geraakt. De tweede is dat hij is geramd met de puntige voorsteven van een onderzeeboot van de NAVO die hem bespiedde. De derde is dat hij in aanvaring is gekomen met een Amerikaanse onderzeeboot, dat die een klep heeft geopend en preventief een raket heeft afgeschoten. De vierde is dat aan boord een van de eigen raketten is ontploft, hetzij door een mankement, hetzij door sabotage.'

'Welke veronderstelling is het meest waarschijnlijk?'

'Ik weet het niet, meneer de president, in dit stadium weet ik echt nog niets.'

De stem van de man aan de andere kant van de lijn klinkt niet zozeer aangedaan door de tragedie zelf als wel verontrust door zijn angst de president slecht nieuws te moeten meedelen.

'Hoeveel man aan boord?'

'Ongeveer honderdtwintig.'

'Zijn er mogelijk overlevenden?'

'Dat kan, het ziet er in elk geval naar uit dat de onderzeeboot op minder dan honderdtwintig meter diepte ligt.'

'Wat betekent …?'

'Dat het een bereikbare diepte is.'

'Wat gaat u doen?'

'We sturen een hulponderzeeboot naar de betreffende plek.'

'Hoe lang kan de bemanning het met de zuurstofreserves uithouden?'

'In theorie drie dagen, zo niet langer. Maar alles hangt ervan af op welke manier het schip beschadigd is, of het waterdicht is, of het water binnen stijgt.'

'Is er kans op een nucleaire ramp?'

'Zolang we het wrak niet hebben gezien, kunnen we daar niets over zeggen. Er zou snel een verkenningsonderzeeboot naartoe moeten.'

'Bel me opnieuw als dat gebeurd is. Doe verder niets voor u er met mij over gesproken hebt.'

'Uitstekend, meneer de president.'

'Op het ogenblik weet nog niemand ervan, neem ik aan.'

'Niemand.'

'Ik wil niet dat er iets uitlekt.'

'Dat zal niet gebeuren.'

De president hangt geërgerd op. Hij gaat naar de vergaderzaal waar twee van zijn naaste medewerkers op hem zitten te wachten. Als hij binnenkomt, staan ze op, hij beduidt ze weer te gaan zitten en neemt zelf ook plaats.

'We hebben een probleem.'

Geen van beiden durft iets te vragen. Hoewel ze nauw met de president samenwerken, hebben ze geen persoonlijke band met hem. Hoe zouden ze die trouwens kunnen hebben, als hij die niet eens met zichzelf heeft? Het valt hun allebei op hoe gespannen zijn gezicht staat. Uit zijn blauwe ogen spreekt grote onrust en zijn kleine kin verdwijnt onder zijn verkrampte kaken. Hij is een machthebber. Dat betekent dat hij met de meeste mensen rekeningen te vereffenen heeft. Hij neemt de tijd om na te denken, zonder iets te zeggen, met een gesloten vuist in de andere, vlakke hand. Hij denkt zowel na over de zaak zelf als over de manier waarop hij er met zijn adviseurs over moet spreken. Zij mogen geen moment denken dat hij hun advies vraagt over het belangrijkste.

'Tijdens de grote oefeningen van de noordelijke vloot is een van onze onderzeeboten gezonken. We wachten om te horen in welke toestand hij verkeert. We weten niet of er overlevenden zijn. Als die er niet zijn, is er geen enkel probleem. Als die er wel zijn, moet er nagedacht worden, en snel.'

De beide medewerkers blijven omlaag kijken, en stellen geen vragen. Terwijl hij zijn blik over de lange geboende tafel laat gaan die zich voor hem uitstrekt, vervolgt hij: 'Als er overlevenden zijn, denk ik dat we geen haast moeten maken om ze naar boven te halen.'

'Maar ... waarom niet, meneer de president?' waagt de oudste van de beide adviseurs.

'Omdat ze in plaats van slachtoffers getuigen zullen worden, en des te geloofwaardiger getuigen omdat ze tevens slachtoffer zijn. Wat ze zullen zeggen, zal gehoord worden.'

'We kunnen ze altijd verbieden te praten, het zijn militairen.'

'Daar heb ik geen vertrouwen in. Op enig moment zullen er dingen uitlekken. Voorzover ik weet, zijn de mensen in dit land tamelijk vrij om zich uit te spreken. Het is een valstrik. Ik heb geen idee hoe het is gebeurd, maar ik vermoed een politieke valstrik. Weet u waarom?'

De beide adviseurs schudden van nee. De president lijkt gerustgesteld, hij is duidelijk de president.

'Ik zie maar twee mogelijke verklaringen voor deze ramp. Een interne oorzaak, zoals een technisch defect, een menselijke fout of sabotage. Dat is niet het soort oorzaak waarmee ik graag in de wereld naar buiten treed. De tweede mogelijkheid is een externe oorzaak. Een onderzeeboot van de NAVO heeft hem geramd of heeft een raket op hem afgeschoten. Als dat het geval is, is dat heel ernstig, dan zullen we genoodzaakt zijn te reageren, want dat is een oorlogsdaad.'

Hij pakt zijn kin om na te denken en klemt die tussen zijn gebogen duim en wijsvinger.

'Zolang het veronderstellingen zijn, weet ik wel hoe ik met de waarheid moet omspringen, daarom zullen overlevenden me alleen maar tot last zijn. Aan de andere kant, als we de hele onderzeebootbemanning naar boven halen, heeft het ongeluk voor het publiek geen nieuwswaarde meer. Goed, ik vat samen. Of we hebben een kans iedereen te redden, en dat is dan des te beter, of we hebben een aanzienlijk aantal doden, en dan is het een nationale tragedie. Gezien het aanzien dat de bemanning van een onderzeeboot geniet, tellen vijftig doden op een van hun boten even zwaar als vijfduizend lijken in Tsjetsjenië. Maar als er overlevenden zijn, komt ons dat heel slecht uit, want hun waarheid zal in de ogen van de publieke opinie duizend keer zoveel waard zijn als de onze. Stel u heel even voor dat een overlevende verklaart dat de Amerikanen een raket hebben afgeschoten, hoe kun je dat tegenspreken? Wat kun je daarna nog zeggen dat geloofwaardig is? Niets, volstrekt niets.'

Hij denkt even zwijgend na en besluit dan: 'Ik geloof dat we in dit stadium alles over deze zaak gezegd hebben. Laten we op nieuwe informatie wachten.'

Daarna verzinkt hij in gedachten als ware hij alleen. Het enige wat hij vreest is de relevantie van de berichten die de militairen hem zullen brengen. Als ze onjuist zijn, maken ze zijn oordeel onzuiver. Hij weet dat het het leger niet slecht uitkomt als deze van de Federale Veiligheidsdienst afkomstige president verzwakt uit zijn eerste test tevoorschijn zou komen.

Omdat gegevens ontbreken, besluit hij de zaak voorlopig te laten voor wat hij is en keert terug naar wat er voor die dag op het programma staat. Het eerste punt betreft de oligarchen die hem op de troon hebben geholpen en die hem nu tot hun knecht zouden willen maken.

'We moeten de wet erkennen. We mogen de opdrachten die we bedrijven hebben verstrekt niet terugdraaien, zoals we ook doden niet weer mogen opgraven. Ik heb me ertoe verplicht de mensen rond mijn voorganger ongemoeid te laten en dat zal ik ook doen. Ik denk dat het wapen "belastingen" het beste is. Waarschijnlijk hebben ze enorme bedragen buiten het gezichtsveld gehouden. Met de lankmoedigheid van de vorige regering heb ik niets te maken. Oligarchen die ons in de weg staan, gaan we controleren. De andere laten we met rust, maar ze zullen meteen snappen wat ze riskeren als ze ons dwarsbomen. Over een jaar zullen onze doelwitten in ballingschap zijn gegaan en zullen ze de controle van hun bedrijven aan ons overlaten, of ze zitten allemaal zwaar in de problemen. We zullen een fiscale opsporingsdienst van hoog niveau in het leven roepen, onder toezicht van de president en, naar ik hoop, ongevoelig voor omkoping. Daar zal men, dat kan niet anders, ernstige fiscale fraude op het spoor komen, want tot nu toe heeft niemand ze serieus gevraagd hun belasting te betalen. Daarna stellen we ze voor hun belastingschulden in te ruilen tegen aandelen van hun ondernemingen, en degenen die zich verzetten slepen we voor de strafrechter. Hoeveel krijg je voor belastingfraude?'

'Tot twaalf jaar gevangenisstraf, meneer de president.'

'Twaalf jaar onvoorwaardelijk, in een goelag. Dat zal niet een van die oligarchen, die gewend zijn aan grote luxe, overleven. Zo doen we het, we gaan belastingcontrole invoeren en ze zullen begrijpen dat de tijden veranderd zijn. Ik denk nu al dat dat hen er van af zal brengen zich tot een oppositiemacht te verenigen.'

Daarna neemt de president met zijn beide medewerkers snel de belangrijkste lopende zaken door. Hij zit er ontspannen bij in zijn witte tennishemd met korte mouwen. Toch vertoont zijn gezicht geen moment enig teken van ontspanning. Dat komt vast door zijn blauwe ogen, die het voorgoed verboden lijkt van emotie blijk te geven, door zijn wilskrachtige maar korte kin, door zijn onderlip die vooruitsteekt als een balkon, hoewel de bovenlip hem vaak omklemt om de indruk van koele vastberadenheid te versterken die hij met zijn uiterlijk wil uitstralen.

Aan het eind van de vergadering groet hij zijn medewerkers tamelijk koel en maakt hij een afspraak voor een nieuwe werkbespreking aan het eind van de middag.

De lunch gebruikt hij in huiselijke kring. De zuivere lucht schept een sfeer van ledigheid en zorgeloosheid. Na de koffie keert hij terug naar zijn werkkamer waar hij een voor een de dossiers bestudeert die er op een stapel liggen.

De volgende dag wordt hij rechtstreeks gebeld door de opperbevelhebber van de zeestrijdkrachten: 'En?'

'We hebben er een AS-35 naartoe gestuurd voor inspectie en om foto's te maken. Eerder op de middag hebben we geprobeerd er een duikerklok aan vast te maken, maar zonder succes.'

'Wat heeft de inspectie opgeleverd?'

'Het schip is gezonken als gevolg van een groot lek in het voorschip dat is veroorzaakt door een ontploffing. Het is waarschijnlijk dat allen die zich daar bevonden dood zijn.'

'En het achterschip?'

'Daarin zitten overlevenden, ze slaan tegen de romp.'

'Hoeveel zijn het er?'

'Ik denk een man of twintig.'

De president vaart heftig uit: 'Dat is de slechtst denkbare situatie.'

'Waarom, meneer de president?'

'Omdat ze, als we ze redden, in staat zijn alles te ontkennen wat wij van plan zijn over deze zaak te zeggen. Wat is volgens u de meest waarschijnlijke oorzaak?'

'Moeilijk te zeggen, meneer de president. Het is mogelijk dat er een torpedo is ontploft op het moment dat die in zijn buis werd geplaatst. Maar Amerikaanse onderzeeboten waren ook niet ver.'

'En wat nog meer?'

'Je kunt je een lichte botsing voorstellen tussen de Oskar en een andere onderzeeër, en dat de gezagvoerder, wiens temperament ons welbekend is, zich heeft opgewonden en bevel heeft gegeven om de voorste klep van de lanceerbuis te openen, wat in het vak als een daad van agressie wordt beschouwd. Daarna kan het zijn dat de onrustig geworden Amerikanen een raket ter waarschuwing hebben afgevuurd.'

'Denkt u dat echt?'

'Nee, dat ligt niet in hun lijn, we hebben al vaker botsingen gehad en nog nooit zijn de reacties zo ver gegaan. Toch is het zo dat we de telefoonboei hebben gevonden van een Los Angeles, die of met de Oskar in aanvaring is gekomen of zo dichtbij was dat hij op het moment van de ontploffing schade heeft opgelopen.'

'En een ontplofte torpedo?'

'Ook dat is een mogelijkheid. De torpedo's die zouden worden afgeschoten worden voortgestuwd door een motor met brandstof die bestaat uit een instabiele vloeistof. Het is mogelijk dat deze vloeistof is ontploft, waarbij zo'n hitte is vrijgekomen dat vervolgens het compartiment zelf is verwoest.'

'En sabotage?'

'Een van de opvarenden was een Tsjetsjeen, en twee ingenieurs die speciaal mee aan boord waren gegaan om deze verbeterde torpedo's te testen kwamen uit Dagestan. Het is in dit stadium onmogelijk te zeggen of de schipbreuk werd veroorzaakt door boos opzet. Moeten we het nieuws van het ongeluk openbaar maken?'

'Dat zal wel moeten. Maar ik wil niet dat ik iets moet zeggen zolang ik niet weet of er mensen al of niet levend uit dat verdomde wrak naar buiten zullen komen. Wat gaat u nu verder doen?'

'We gaan proberen ons met een kleine Priz-onderzeeboot vast te maken aan het vluchtluik. Maar op dat punt zitten we nou net met een probleem, meneer de president.'

'Wat voor probleem is dat?'

'Die reddingsonderzeeboten dateren van de jaren zestig, ze zijn meer of minder goed onderhouden, afhankelijk van de toegekende gelden, bovendien denk ik niet dat we mensen hebben met genoeg ervaring om ermee om te gaan. Bovendien zou ik, om eerlijk te zijn, niet graag willen dat de Priz op zijn beurt in de problemen komt, dat risico bestaat.'

'En wat zou dat?'

'De Engelsen, die op de hoogte zijn van de ramp, onder andere omdat ze ook een onderzeeboot in het oefengebied hadden, bieden aan ons hun reddingsonderzeeboot LR-5 ter beschikking te stellen, die zojuist in staat van paraatheid is gebracht.'

'Geen sprake van.'

Aan beide kanten van de lijn blijft het even stil.

'Dat begrijp ik heel goed, meneer de president.'

'U begrijpt het? Heel goed, want ik begon me af te vragen wat voor lui er in mijn staf zitten. Stel u eens één ogenblik voor dat die overlevenden ons op een presenteerblaadje worden aangereikt door een schip van het Atlantisch bondgenootschap. En vertel me dan welke speelruimte ik vanaf dat moment nog heb, nou, vertel het me!'

'Geen enkele, meneer de president.'

'Precies, geen enkele. En wat betekent dat, hè? Dat betekent dat de president van de Russische Federatie gedwongen is zich te voegen naar de uitspraken van de overlevenden die zullen worden bevestigd door wat de bemanningsleden van een vijandelijke onderzeeboot zeggen. Kent u een voorbeeld van een situatie waarin de president van de Russische Federatie een nog belachelijker figuur zou slaan?'

'Niet een, meneer de president.'

'Nou, schiet dan op om uw mannen er met uw verroeste reddingsonderzeeboten uit te halen, als u daar tenminste toe in staat bent. Zoniet, dan wordt dat wrak voor hen een heel eervol graf, maar nooit, hoort u, nooit zal ik het aanzien van Rusland te grabbel gooien door om internationale hulp te bedelen. Ik ben niet verantwoordelijk voor de slechte staat van uw materieel.'

De volgende ochtend wordt de president als gewoonlijk vroeg wakker. De nieuwe dag belooft rustig te worden. De blauwe hemel wordt nauwelijks aan het oog onttrokken door de damp die van de zee opstijgt. Hij voelt zich in vorm. Even over de vijftig, is hij ervan overtuigd nog wel een halve eeuw de baas te kunnen. Macht conserveert, beter dan formaline. Hij weet dat echte machthebbers maar zelden getroffen worden door kanker, iets wat hem bang maakt.

Net als hij in zijn werkkamer verdiept is in het lezen van vertrouwelijke notities over de situatie in Tsjetsjenië, doet een telefoontje van de bevelhebber van de zeestrijdkrachten hem opschrikken.

'En?'

'Het is ons niet gelukt. De zee was te woelig, we zijn er niet in geslaagd ons aan de luchtsluis vast te maken, we hebben een aantal pogingen gedaan, maar zonder succes.'

'En de overlevenden?'

'Die laten zich niet meer horen. Ik ben bang dat ze dood zijn.'

'Weet u dat zeker?'

'De komende uren gaan ze er hoe dan ook aan.'

'Heel goed, dan is het tijd om de buitenlanders toe te staan hen te hulp te komen. Als we dat niet doen, zo heb ik bedacht, zouden ze het ons verwijten. Als zij ze dood aantreffen, betekent dat dat ze het niet beter hebben gedaan dan wij. Laat ze naar de luchtsluis gaan, maar laat ze in geen geval in de buurt van het voorschip komen, ik wil niet dat ze de gelegenheid krijgen zich een eigen mening over de oorzaak van de schipbreuk te vormen. Wat de officiële versie over de oorzaak van de tragedie betreft, zullen we het in dit stadium hebben over een foute manoeuvre en een afgeschoten Amerikaans projectiel. Laten we voorlopig vooral geen melding maken van onze eigen fouten, mocht daar sprake van zijn. En wat is er vanzelfsprekender dan een onderzeeboot te hulp komen die je zelf tot zinken hebt gebracht? Niemand zal daar geschokt op reageren. Dat lijkt me allemaal goed gespeeld. Ik hoop alleen voor u dat er niet één overlevende is. Dat is toch een voorspelling die u in staat bent te doen zonder u te vergissen, is het niet?'

De president hing op. Zijn woede was alweer gezakt. Hij liet generaal Gennadi Ivanov bellen. Ze konden hem niet meteen vinden. De man was met pensioen en ergens buiten wat klusjes aan het doen. Uiteindelijk belde hij halverwege de middag terug. De president liet hem weten hoe hij de crisis had aangepakt.

'Prima,' luidde de slotsom van de generaal, 'een betere strategie is er niet. Maar u zult de Amerikanen het ongeluk niet lang in de schoenen kunnen schuiven. Ook al zijn ze inderdaad verantwoordelijk, je kunt ze niet beschuldigen zonder te reageren. We gaan toch geen oorlog tegen ze beginnen en volstaan met een fel protest zou ons belachelijk maken. Laten we aannemelijk maken dat er een oude torpedo is ontploft en maak ervan gebruik om de plooien in het leger glad te strijken door iedereen in het bevelvoerend circuit die u wilt de laan uit te sturen. Overigens vind ik dat u zich ter plaatse zou moeten laten zien.'

'Maar wat moet ik tegen de families zeggen?'

'Dat verzint u nog wel. In ieder geval zou het niet juist zijn als u uw vakantie in de zon niet onderbrak terwijl het land door een ramp getroffen is.'

Na een paar onverstaanbare woorden gebromd te hebben, schikte hij zich naar de raad van de generaal.

DE STILTE VAN DE WOORDEN

VANIA HAD NIET de moeite genomen ons te bellen om ons te laten weten dat hij op oefening ging. Deze trainingsperiode was zo kort dat hij het niet nodig had gevonden ons te zeggen dat hij eraan deelnam. Zijn gedachten werden zo in beslag genomen door zijn verhuizing dat dit goed te begrijpen was. Ik moet eraan toevoegen dat wij nooit zulke bezorgde en erg beschermende ouders geweest zijn. Vania zou dat niet verdragen hebben. Wij, zowel zijn moeder als ik, beschouwden hem al als volwassen voor hij de betreffende leeftijd had. Het wekte dus geen verbazing dat we niet wisten dat hij een paar dagen op zee zat. Onder andere omstandigheden zou ik me er beslist gekwetst door hebben gevoeld, dat hij er geen behoefte aan had met ons de vreugde te delen over die eerste lange duik, want het was niet zomaar een gebeurtenis, maar het eindresultaat van een hartstocht waarvan hij al vanaf zijn kindertijd vervuld was.

Ik wilde net naar school gaan om mijn lessen te geven toen de vrouw van Anton belde.

'Ze hebben net op de radio bekendgemaakt dat de Oskar gezonken is, maar de bemanning zit gezond en wel in het wrak dat niet heel diep op de zeebodem ligt.'

Ik maakte me meteen ongerust over mijn vriend. De staat is in ons land tot veel in staat, maar niet om wonderen te verrichten. Ik zou zelfs zeggen dat hij een uniek vermogen heeft om een kritieke situatie met verbazingwekkende ijver op een tragedie te laten uitlopen. Ik besefte meteen dat zich zojuist een drama had voltrokken en ik zag in de verste verte niet welke hoop de autoriteiten probeerden te vestigen. Hoewel alles nog maar speculatie was, achtte ik de kans dat ik mijn vriend Anton zou weerzien bedroevend klein. Hij met zijn open gezicht en de kinderlijke glimlach van een man in wie geen greintje kwaad stak. Ik zei het niet tegen Jevgenja maar voor mij was hij al dood, en was hij dat niet, dan zou het een wederopstanding zijn. De marine was nog niet in staat de lijst met vermisten vrij te geven, zei ze, want gewoonlijk wisselden twee bemanningen elkaar in de Oskar af en ze wisten niet welke van de twee met de onderzeeboot was uitgevaren. Je moet dat soort verhalen één keer in je leven gehoord hebben om je ervan bewust te worden aan wie wij het leven van onze dierbaren toevertrouwen. Stel je toch eens voor, de marine heeft tijd nodig om na te gaan welke bemanning aan boord van een van haar atoomonderzeeërs is gegaan. Niets zegt dat het geen toevallig langsgekomen pygmeeën zijn die een reisje zijn gaan maken. Je bent nooit ook maar ergens zeker van. Van een tragikomedie zijn we zonder overgang bij een tragedie aanbeland.

Als journaliste kreeg Anna op haar redactie de lijst met opvarenden van de Oskar. Vania stond er ook op. Anna zakte in haar kantoor in elkaar. Eenmaal weer op de been pakte ze haar auto en reed spoorslags naar het verboden stadsdeel, waar een voor de gelegenheid versterkt politiekordon haar de toegang wilde weigeren. Ze haalde haar perskaart tevoorschijn, waar ze hard om moesten lachen, maar ze zwichtten ten slotte voor haar geschreeuw, wat aangaf dat die hele schare doodgravers zich niet echt op zijn gemak voelde. Ze haastte zich naar de flat van haar broer, waar ze over huisvuil en buiten gebruik gestelde brievenbussen die het trappenhuis versperden moest heenstappen. Ze haalde het kastje leeg waarin hij zijn kleren had opgehangen en na elke centimeter van de woning zorgvuldig onderzocht te hebben, stelde ze vast dat zijn uniform er niet was. Daarna opende ze het raam van het armzalige onderkomen en zette het opnieuw op een schreeuwen, maar deze keer als een waanzinnige. Vervolgens viel ze flauw. Er traden buren het woninkje binnen waarvan ze de deur open had laten staan en zij belden een ziekenauto die haar naar het ziekenhuis vlak bij ons huis bracht, het ziekenhuis waarin Jekaterina na haar val was opgenomen. Ze belden me om me te laten weten dat mijn dochter vanuit het verboden stadsdeel bij hen was binnengebracht in een licht comateuze toestand, waarschijnlijk als gevolg van een emotionele schok. Onderweg naar het ziekenhuis legde ik de link met Vania. Ik bleef over haar bed gebogen staan tot ze haar ogen opende. Toen ze bijkwam, met de angstige uitdrukking van iemand die het betreurt weer bij bewustzijn te zijn gekomen, besefte ik dat we in een wereld waren beland waarin het niet meer ging om leven maar om in leven zien te blijven. De grens die voert van leven naar overleven steek je moeiteloos over. Je kunt niet een kind verliezen en blijven hechten aan al die belachelijke kleine dingen die ervoor zorgen dat we steeds weer doorgaan.

Wankelend keerde ik terug naar huis. Ik liep als een dronkaard die op de bank waar hij gewoonlijk zijn verdriet verdrinkt een pak slaag heeft gehad en die behalve van de dood van niemand meer iets verwacht. Jekaterina was alleen in de flat. Ik vertelde haar niets. Als ik het wel had gedaan, was ze ingestort en zou ze een kwartier later de reden van haar tranen vergeten zijn. Ik liet me in een stoel vallen en keek naar het plafond. Daarna sloot ik me op in de badkamer. Ik maakte me geen illusies, zoals je onder zulke omstandigheden gauw geneigd bent juist wel te doen. Ik moest doorgaan met leven, al was het maar voor mijn dochter en in tweede instantie voor mijn vrouw voor wie ik moest zorgen. De badkamer leek me de enige plek die geschikt was om onbelemmerd te huilen. Dus huilde ik. Daarna verliet ik de badkamer en sloeg een fles wodka achterover. Ik begon te rouwen, terwijl anderen zich vastklampten aan de belachelijke hoop die de autoriteiten levend hielden als de vlam van een vuurtje van vochtig gras op een besneeuwde akker. Ik heb nooit met hen meegedaan, ik meed ze als de pest. Ze belegden vergaderingen met hoogwaardigheidsbekleders die eruitzagen als kinderen die in de wc's op een schoolplein erop waren betrapt dat ze zichzelf bevredigden. Je had hun beschaamde gezichten moeten zien en die blik vol lafheid waarmee ze tijdens officiële bijeenkomsten onverdroten de zaal inkeken. Ze hadden zelfs voor vrouwelijke artsen gezorgd die bereid waren de naald van hun injectiespuiten in het achterste van weduwen of moeders te prikken die de autoriteiten te onverbloemd verantwoordelijk stelden. Nog maar net hersteld, vertegenwoordigde Anna ons tijdens die sombere schijnvertoningen waar maar geen eind aan kwam. Een aantal keren dacht ik dat ze haar verstand aan het verliezen was.

De president zelf kwam naar Moskou voor een bijeenkomst met de families, waarop niet gefilmd mocht worden. Anna en ik gingen er niet naartoe. Ik had er geen behoefte aan die man te zien. Toch heb ik hem gezien. Toen hij een met veel publiciteit omgeven bezoek bracht aan de weduwe van de commandant van de Oskar. Hij deed net alsof hij zich boos maakte toen hij hoorde onder welke schandalige omstandigheden de families van onderzeebootbemanningen aan de wal leefden. De geheime dienst beveiligde het gebouw. Ik was op dat moment in de flat van Vania om zijn laatste persoonlijke spullen op te halen. Toen iemand van de bewakingsdienst binnenkwam om instructies te geven voor de ontruiming, hoorde ik hem niet, ik was op de wc aan het plassen. Toen ik de waterkraan opendraaide om mijn handen te wassen, kwam er geen druppel, wat zich vaak in dit soort gebouwen voordoet. Vervolgens verliet ik de flat met een bundeltje kleren onder mijn arm. In het trappenhuis stond ik opeens oog in oog met de president. Hij reikte me de hand. Ik kon hem de mijne niet reiken omdat ik hem niet gewassen had, dus stak ik hem in mijn zak en rende de trap verder af. Hij wierp me een moordenaarsblik toe. Op de overloop iets lager aangekomen, zette een kerel uit zijn gevolg me klem: 'Waarom heb je de president de hand niet gedrukt?'

'Omdat ik net geplast had en er in deze rotflats alleen op een beperkt aantal dagen stromend water is.'

'Dat is niet goed, wat je hebt gedaan', voegde hij er dreigend aan toe. Daarop deed ik hem stomverbaasd staan door te zeggen: 'Het is niet erg, zijn grootvader en mijn moeder waren goed bevriend. Als hij je iets vraagt, herinner hem er dan aan dat ik de zoon ben van die vrouw die 's middags in Koele Beek een praatje maakte met zijn grootvader toen die de kok van Stalin was.'

Uiteindelijk gaven ze een Engelse duikboot toestemming om naar de Oskar te gaan. Binnen een half uur openden ze het vluchtluik. De bemanning stelde vast dat de doden die in de achterste compartimenten van de onderzeeboot dreven van hoofd tot middel verkoold waren. Onder het middel waren ze alleen maar nat. Ze lieten onze mensen in hun graf. Waarschijnlijk was het nog te vroeg om ze naar boven te halen. In ons land is men net zo bang voor wat doden als voor wat levenden zeggen, en men hecht daar zo'n belang aan dat een dode pas begraven wordt als hij echt niets meer te zeggen heeft.

Ruim een jaar later haalde een Nederlands bergingsschip de Oskar naar boven en bracht hem vervolgens terug naar zijn thuishaven, nadat het voorschip er zorgvuldig van af was gezaagd met alles wat het voor onze autoriteiten mogelijk aan onthullende zaken bevatte. Eindelijk konden de stoffelijke overschotten eruit worden gehaald. Maar van begraven was nog geen sprake: een lijkschouwing zou hen iets kunnen laten zeggen wat de lezing van de autoriteiten bevestigde. Elke familie kreeg een stoffelijk overschot toegewezen dat misschien wel een van de hunnen was. De naamkaartjes op de werkpakken hielpen bij het identificeren van degenen in het voorschip. De mannen in het achterschip, die waren verbrand, waren natuurlijk minder gemakkelijk te identificeren, maar er moest toch een naam op de stoffelijke resten komen te staan en dat gebeurde. Ik ben niet naar de plechtigheid geweest waarbij, nadat de Oskar naar de kade was gesleept, de lichamen werden teruggegeven. Dat gapende gat in de voorsteven had ook iets aanstootgevends, niet zozeer door de omvang ervan als wel door de zorgvuldigheid die was betracht bij het schoonmaken om hem voor de voltallige wereldpers toonbaar te maken. Vroom gedoe, bij de meest onmachtige van alle apen, daar had ik geen boodschap aan, dus paste ik ervoor naar de manifestaties te gaan die ten behoeve van de diepbedroefde families door de autoriteiten waren georganiseerd.

Ik dacht even dat het een wraakneming was dat ze me het stoffelijk overschot van mijn zoon niet hadden teruggegeven. Ik kreeg het niet terug, maar zoals altijd bij die lui vertelden ze me niets. Mijn vriend Michail, de lijkschouwer, werd nog laat uit Moskou gestuurd en kwam bij mij overnachten. Hij hield me gezelschap tijdens de korte momenten die er overbleven bij het zware werk om onder ongewone omstandigheden bijna honderdtwintig lijkschouwingen te verrichten. Hij was niet de enige, ook niet het hoofd, maar tweede verantwoordelijke. Het leger had zijn eigen specialisten om doden te laten spreken en, zoals zich gemakkelijk laat indenken, ontstonden er talloze conflicten over wie er nou wel of niet ter zake kundig was. Iedereen wachtte ongeduldig op de bel die geluid zou worden om het officiële begin van de rouwperiode aan te geven. Wat die rouw betreft liep ik ver vooruit op de anderen, maar dat leek geen geldige reden om me het stoffelijk overschot van mijn zoon niet terug te geven. De verklaring kwam van Michail. Ik hoorde hem gelaten en op alles voorbereid aan. Hij had een aantal glazen nodig voor hij het, alleen omdat we zulke goede vrienden waren, aandurfde me een staatsgeheim te onthullen, iets waarmee hij zijn carrière en misschien nog veel meer op het spel zette.

'Er ontbreken drie lichamen, Pavel.'

'Wat?'

'Ja, het is een zeer ernstige zaak. Je kunt je niet voorstellen hoeveel beroering dat teweegbrengt. Ik zeg je, zo waar Stalin heeft bestaan, moge God hem vervloeken, er blijken drie lichamen te ontbreken, waaronder dat van Vania.'

'En je weet zeker dat ze overal in de onderzeeër goed hebben gekeken?'

'Beslist.'

'En ze kunnen niet uit het schip gekropen zijn?'

'Uitgesloten.'

'Ook al ontbreken er drie lichamen, kan dat van mijn zoon niet verward zijn met het lichaam van iemand anders?'

'Dat is uitgesloten, we weten dat je zoon in het achterschip zat. En alle stoffelijke overschotten zijn geïdentificeerd aan de hand van hun persoonlijke bezittingen. Ik kan het je nu wel zeggen: in het achterschip zaten drieëntwintig mensen. Ze hebben bijna alle horloges van de slachtoffers aan hun ouders teruggegeven. Sommigen wilden het niet hebben vanwege de geur van verrotting, maar niemand twijfelde eraan wie het toebehoorde. We hebben ook brieven aangetroffen, waarvan een op het lichaam van je vriend Anton. Hij schrijft dat hij voorbereidingen aan het treffen was om drie vrijwilligers via het vluchtluik naar buiten te laten,

ondanks de toename van de luchtdruk die daar door het binnenkomen van water het gevolg van zou zijn. De enige vrijwilligers
trouwens, want de anderen wachtten liever hulp af, omdat ze er
het volste vertrouwen in hadden dat die zou komen. En de Ne-
derlanders troffen een vluchtluik aan dat heel goed bereikbaar en
heel gemakkelijk te openen was.'

Het is altijd aangenaam om met fantaseren een afschuwelijke
werkelijkheid wat af te zwakken. Al bleef ik mijn bedenkingen
houden bij deze theorie, ik vervolgde met: 'Stel dat ze via het
vluchtluik weggekomen zijn, hoe is het ze dan verder vergaan?'

'Daar heb ik geen flauw idee van. Om heel eerlijk te zijn, waren ze toen ze bovenkwamen waarschijnlijk sterk verzwakt. En
als ze niet snel door iemand zijn opgepikt, zijn ze waarschijnlijk
van de kou gestorven.'

'Maar er waren veel schepen in het gebied. Zowel Russische
als buitenlandse.'

'Het is dus mogelijk, om niet te zeggen waarschijnlijk, dat ze
zijn opgepikt.'

'Maar dan zouden we in al die tijd toch wel iets over hen vernomen hebben!'

'Dat hoeft niet. Als ze door buitenlanders gered zijn, kunnen
die hen verborgen houden om hen te beschermen, maar ook om
hun te beletten informatie te onthullen over hun eigen betrokkenheid bij de schipbreuk. Of Russen hebben hen aan boord
van hun schip gehesen en hen vervolgens als hinderlijke getuigen
laten verdwijnen. Of andere Russen hebben hen teruggevonden
en het, wetend welk gevaar ze liepen, op zich genomen hen te
verstoppen om te voorkomen dat ze in handen van de Federale
Veiligheidsdienst vielen. Of ze zijn afgedreven, dood, en een van
onze schepen heeft hen aangetroffen en er verder het zwijgen toe
gedaan omdat ze er weer niet in waren geslaagd om onze mensen
te redden. Wat ik je omdat je mijn vriend bent wil laten weten,
is dat ze geen spoor van hun lichamen hebben gevonden. Maar
reken erop dat ze met een doodkist bij je zullen aankomen, want
ze zijn niet van plan iets steekhoudends over hun verdwijning te
melden.'

Het komt vaker voor dat men je het overlijden meedeelt van iemand die al maanden dood is, dan dat je hoort dat een van je naasten, van wie je al ruim een jaar aanneemt dat hij dood is, misschien nog leeft. Aanvankelijk wilde ik me niet aan die gedachte vastklampen, wat me er niet van weerhield er met Anna, mijn dochter, en met Boris over te praten. Toch sprak ik er geen moment over met het idee dat Vania ooit zou terugkeren. Ik ging ervan uit dat we hem nooit meer zouden terugzien, maar dat er een goede kans bestond dat hij leefde, ergens, op een geheime plek, die hij misschien ooit zou verlaten, wanneer na een lang bezinkingsproces de waarheid tevoorschijn zou komen omdat die voor niemand meer een bedreiging vormde.

In een jonge democratie als Amerika waren vijfenveertig jaar niet lang genoeg om licht op de moord op een van zijn presidenten te werpen. In een oude dictatuur als de onze, veel meer verbureaucratiseerd en door geheimzinnigheid omgeven, zou het al heel mooi zijn als er na zo'n honderd jaar de waarheid omtrent de dood van ruim honderd zeelieden aan het licht kwam. Misschien heeft men zijn leven gespaard in ruil voor een verandering van identiteit en een belofte zijn mond te zullen houden. Soms sta ik mezelf toe te denken dat mijn zoon zo weinig liefde voor zijn ouders koestert dat hij geen zin heeft zijn leven te riskeren om ons te laten weten dat hij nog in leven is. Hij weet dat zijn moeder haar geheugen kwijt is, zij neemt dus in ieder geval nog aan dat hij in leven is. Wat zijn zuster en mij betreft gaat hij er misschien van uit dat wij in staat zijn te leven met dit verlies. Zo komen er steeds weer nieuwe gedachten in je op, die door je hoofd woelen als golven op volle zee en dat is heel goed.

Michail nam veel risico door me deze informatie te verstrekken. Ze bezorgde me weer wat levenslust. Dus om hem te bedanken organiseerde ik een feestje met Boris, die naar ons huis kwam, en we dronken tot vijf uur in de ochtend.

'Vuur, Pavel, daar zijn ze aan doodgegaan. Ik heb het niet over de mensen in het voorschip, die zijn uit mekaar geknald. Vraag me niet naar de oorzaak, maar ik kan zeggen dat ze in duizend stukken zijn uiteengevallen. Maar de mannen in het achterschip zijn door verstikking om het leven gekomen. Bij hen zijn de longen ontploft. Uit angst dat ze te weinig lucht zouden krijgen, hebben ze te veel zuurstof uit flessen vrij laten komen en die zuurstof is ten slotte ontploft. Ze zijn een gruwelijke dood gestorven, ze zijn tot op het bot verbrand. Ik ben bang dat ze afschuwelijk geleden hebben.'

Dit verhaal over het einde van Anton bracht een schok bij ons teweeg. Hem zouden we beslist nooit meer terugzien, en als Vania nog ergens in leven was, dan was dat waarschijnlijk grotendeels aan hem te danken. Er hing die avond een heel speciale sfeer. Een sfeer als na een begrafenis zonder dat er een dode was om te begraven. Mede onder invloed van de sterkedrank probeerden we Michail op de kast te jagen. Wat bracht een zo voortreffelijk arts er toch toe voor gerechtelijke geneeskunde te kiezen? 'Omdat een medische fout bij een dode zonder gevolgen blijft, hij zal nooit terugkomen om zijn beklag te doen.'

Dat was de veronderstelling van Boris. Ik opperde er ook een: 'Een diepgewortelde angst voor de dood die hem dwingt er elke dag mee om te gaan in de hoop dat hij eraan gewend raakt.' Maar Michail wist geen andere reden te noemen dan het wetenschappelijk belang dat hij aan zijn vak toekende. Hij vertelde ons een aantal verhalen, maar het meest verbijsterende ging over een kolonel van het Russische leger in Tsjetsjenië. De mensen met een hoge rang hadden de gewoonte invallen in dorpen te organiseren om er de meest welgestelde dorpsbewoners af te persen 'zodat ze de studie van hun kinderen in Moskou konden betalen', zeiden ze gewoonlijk om zich te rechtvaardigen. Op een keer gaat een kolonel met zijn mannen een huis binnen, maar treft er alleen maar een zeventienjarig meisje aan. Dus verkracht hij haar langdurig. Met zijn broek op zijn enkels wordt hij betrapt door een andere patrouille en hij probeert onhandig zijn kleren weer in orde te brengen. Het feit zou onbetekenend gebleven zijn als het meisje zich niet verzet had en als de kolonel niet had besloten haar te doden. De ouders dienden zonder er veel van te verwachten een klacht in bij de aldaar gestationeerde Russische autoriteiten. Een man met een goed hart, want zelfs in smerige oorlogen bestaan er mannen met een goed hart, noteerde de klacht en verscheidene getuigenverklaringen ten nadele van de kolonel. Ten slotte kon het leger niet anders dan een proces tegen hem aanspannen. Het stoffelijk overschot werd aan Michail overgedragen met het verzoek of hij wilde proberen niet tot de conclusie te komen dat er sprake was van verkrachting. Volgens het leger was de familie bereid erin te berusten dat het moord was, maar niet dat het om verkrachting ging. Na het lichaam onderzocht te hebben, luidde Michails conclusie dat het meisje anaal was gepenetreerd. Hij overhandigde zijn rapport aan de militair die het onderzoek leidde, die hem hartelijk bedankte met de woorden: 'Het stelt me gerust dat u geen sporen van verkrachting hebt aangetroffen.'

'Wat, heb ik geen sporen van verkrachting aangetroffen?' schreeuwde Michail verbijsterd.

'Volgens onze terminologie geldt alleen het met geweld penetreren van de geslachtsorganen als verkrachting. Zo is het. En voorzover ik weet is het uiteinde van het darmkanaal geen geslachtsorgaan, snapt u? En u schrijft duidelijk in uw deskundigenrapport dat de vagina geen enkel letsel vertoont, is het niet?'

De kolonel werd voor moord tot vijf jaar gevangenisstraf veroordeeld. Hij ondergaat zijn straf als bibliothecaris in de openbare bibliotheek in de streek waar de man die in de tijd dat de gebeurtenissen plaatsvonden zijn generaal was, het inmiddels voor het zeggen heeft. Binnenkort komt hij waarschijnlijk vrij wegens goed gedrag.

Om zo'n verhaal kun je moeilijk lachen en we grepen de koude rillingen die het ons bezorgde aan om ons nog een glas in te schenken, waarna we een voor een in slaap vielen. Heel vroeg 's morgens vertrok Michail in een nevel van alcohol die voorlopig niet zou optrekken om weer verder te gaan met het verrichten van zijn lijkschouwingen en ik vroeg me af hoe hij op zo'n vroeg tijdstip, met een lichaam vol drank, in staat was met menselijke resten in de weer te zijn. Ik ben die ochtend niet opgestaan. Het lichten van de Oskar had in de streek veel stof doen opwaaien en het verbaasde niemand dat ik die dag niet op school verscheen. Wanneer de geschiedenis zich voor je ogen afspeelt, even dichtbij als het podium in een school waarop een amateurtoneelgroep Tsjechov speelt, en de feiten al vervalst worden voor ze de tijd hebben gekregen om tot het verleden te gaan behoren, hoe krijg je het dan voor elkaar om op een koude novemberochtend op te staan om bij tieners belangstelling te gaan wekken voor een verzinsel dat voor wetenschap wil doorgaan?

Ik stond zelfs die hele dag niet op. Jekaterina kwam een paar keer vragen of ik ziek was, ik antwoordde een paar keer van niet, maar dat had totaal geen nut want ze was het meteen vergeten. De uit een enorme hoeveelheid brokstukken weer tot een geheel gevormde stoffelijke overschotten werden na een aangrijpende, grootse plechtigheid begraven, alsof men de families een laatste keer lucht aan hun emoties wilde laten geven om zich ervan te vergewissen dat er geen druppel vocht meer in hun traanbuizen zou achterblijven voor het koude jaargetijde dat eraan kwam. Ik volgde de begrafenis op de televisie, weggekropen in mijn bed en ik bedacht dat ze gelukkig alleen maar van zeewater verzadigde flarden naar boven hadden gehaald, anders waren ze nog in staat geweest de lichamen naar sovjetgebruik te balsemen.

Soms verdien je in het leven een steuntje in de rug. Maar je wilt niet altijd je vrienden lastigvallen. Dan ben je geneigd je tot God te wenden, maar er zijn zo veel mensen tussen hem en ons in gaan staan, dat je aarzelt je tot hem te wenden. In haar rechten hersteld, heeft de orthodoxe kerk stilletjes haar plaats weer ingenomen als handlangster van de onderdrukkers. En een noodlijdende zoals ik blijkt dan op de puinhopen van zijn leven in z'n eentje tussen de brokstukken rond te dwalen. Ik maak de twijfel hanteerbaar. Hij kan een zeer trouwe metgezel worden. Hij is het enige teken van geloof. Vroom leven is in twijfel leven en het dragen van die last aanvaarden. Zij die zeggen dat ze God gevonden hebben en alle anderen die daar gebruik van maken voor hun kleine privéaangelegenheden zouden geëxcommuniceerd moeten worden. Ik weet dat Vania dood is. Toch blijft er een klein plekje voor twijfel, een geschenk van een van mijn vrienden, en daar ben ik tevreden mee. Dat is het goddelijke in deze hele zaak. Ik kan me niet indenken dat hij levend aan de oppervlakte is gekomen en dat ze hem hebben opgesloten of de genadeslag hebben gegeven om hem tot zwijgen te brengen. Nee, ik denk dat hij de tocht naar boven niet overleefd heeft, dat hij gestorven is doordat er iets met zijn hersenen is gebeurd. Dat zijn lichaam door de marine is opgepikt, is waarschijnlijk. Maar waarom geven ze het niet aan me terug? Omdat het een van de drie ongeschonden lijken is die dat wrak in staat was uit te scheiden. Anderen waren van hun hoofd tot hun middel verkoold of domweg uiteengespat. Deze toonbare dode kwam de autoriteiten niet goed uit. Ze wilden liever niet dat hij en zijn beide kameraden toch nog eens tevoorschijn komen. Maar bij gebrek aan volstrekte zekerheid, helpt het uiterst kleine stukje twijfel me, er niet ook aan onderdoor te gaan. Ik wil niet dat iemand me dat komt afnemen omwille van de waarheid.

Als een zeilschip dat eindelijk goed op de wind ligt, kreeg mijn leven het geruststellende, eentonige aanzien van burgerlijk welbevinden waartoe mijn nieuwe financiële situatie mij de mogelijkheden bood. Ik bracht mijn dagen door met Alexandra en ik keerde pas 's avonds, wanneer grootmoeder haar post verliet, naar onze flat terug. Op onze breedtegraad heeft het voorjaar moeite om de natuur tot nieuw leven te wekken. Maar zodra de sneeuw echt gesmolten was, haastte ik me naar het sparrenhouten hutje dat Boris me geschonken had. Ik nam Jekaterina er minstens een keer per week mee naartoe en zij trok er te paard op uit. In het begin maakten we samen tochten en toen ik vond dat het voldoende vertrouwd was, liet ik haar in haar eentje gaan. Ook al ging ze behoorlijk vooruit, haar falende kortetermijngeheugen was ontoereikend om haar naar haar vertrekpunt terug te brengen, maar het geheugen van het paard nam het van haar over om haar met een grote cirkel weer terug te brengen, waarbij ze even het gevoel had haar leven in eigen hand te hebben. Ze keerde met rode wangen en stralende ogen terug, trots op zichzelf, ook al sprak ze daar niet over, maar zo merkte ik toch hoe goed die eenzame uitstapjes op de rug van het paard haar deden. De andere dagen was ik er met Alexandra. Ik maakte indruk op Eugène, de oude boswachter van het nog kale bos, die zich afvroeg hoe een man als ik het klaarspeelde om er twee vrouwen op na te houden.

'Het geheim van polygamie,' zei ik hem eens, 'is dat je een vrouw op betreurenswaardige wijze ontrouw bent en dat je op bemoedigende wijze andere, dikwijls vergeten waarden trouw bent, zoals dat je nooit iemand in de steek mag laten.'

Het viel me zwaar over mijn leven in detail te treden en hem uit te leggen dat ik helemaal niet zo vrij was om te doen en laten wat ik wilde. Het was het soort antwoord waar hij om moest lachen, maar dat hem boeide, omdat het allemaal gratis was, terwijl zijn pensioentje opging aan het vluchtige en vaak teleurstellende liefdesspel met de bewaakster van het kerkhof voor kernreactoren meer noordelijk op het schiereiland, zonder nog rekening te houden met de tijd en de inspanning die de reis vroeg, 's winters met een slee op glijders of wanneer de sneeuw gesmolten was op wieltjes. Eugène had een nieuw tijdverdrijf. Hij voederde op een paar kilometer afstand van zijn huis een nest jonge wolven dat door de moeder, die inmiddels waarschijnlijk dood was, in de steek was gelaten en aan de aandacht van een door jagers naar het oosten gedreven meute was ontsnapt. Hij nam me mee om ze te bekijken. Ze gedroegen zich bij hem alsof het huishonden waren. Toen ik hem vroeg waarom hij ze niet naar zijn sparrenhouten hut haalde, zei hij dat dat tot problemen met de honden zou leiden, maar vooral dat de wolfjes hem misschien als dominant mannetjesdier gingen beschouwen. Die rol betekende dat hun relatie de kans liep ooit op voor hem tragische wijze tot een einde te komen, namelijk wanneer hij, te oud, niet meer geloofwaardig zou zijn als mannelijke alfa en hij vanaf dat moment het gevaar liep door het roedel of gewoon door het dier dat hem wilde opvolgen gedood te worden.

'We hebben al een regering die klaarstaat om onze oude dag te bekorten, ik begrijp dat je haar dat genoegen niet wilt ontnemen', zei ik glimlachend tegen hem.

Ik merkte dat hij terugverlangde naar de tijd dat ik hem alleen kwam bezoeken. De aanwezigheid van een derde, ook nog eens een vrouw, nam de vertrouwelijkheid die onze vroegere gesprekken kenmerkte weg. Toen we een keer alleen waren, vroeg ik hem of hij nog steeds de fut had om de schroothandel in onderzeeboten te bezoeken.

'De bewaakster heeft de prijzen verlaagd,' vertrouwde hij me toe, 'ze geeft me korting en af en toe mag ik zelfs een gratis nummertje maken. Maar ze heeft het op het ogenblik heel druk. Ze zegt dat er westerse specialisten zijn om ons te helpen het terrein te ontsmetten. Er wordt bij ons heel geheimzinnig over gedaan zodat ze denken dat we daar afschuwelijke dingen verbergen. Dat wordt gedaan om te zorgen dat ze veel geld op tafel leggen, zo kunnen wij een maximum aan smeerlappen rond die tafel zetten en zal ieder er zijn voordeel bij hebben. Snap je, en ik ben de enige die met lege zakken vertrekt. Als het werk begint, zullen ze denk ik arbeiders laten komen. Die arbeiders zullen behoefte aan een vrouw hebben en de prijzen weer opdrijven. Zo gaat het in de handel, Pavel Sergejevitsj!'

Alexandra voelde zich niet zo tot paarden aangetrokken of liever gezegd, ze was er bang voor. Ze vond ze te onberekenbaar om er haar leven aan toe te vertrouwen en hoe ik haar ook duidelijk maakte dat die twee van mij ongevaarlijk waren, omdat ze hier niets te vrezen hadden, ze wilde er niet van horen. Eigenlijk denk ik dat ze best zin had om samen met mij lange tochten door die uitgestrekte woestenij te maken, maar dat ze niet een paard wilde dat ook door Jekaterina werd bereden. Het was een vorm van eerbied die ze haar zo betoonde. Alexandra was niet jaloers, haar bijna oosters fatalisme verbood haar dat. Als we bij elkaar waren, wist ze precies te berekenen hoeveel tijd we nog hadden om samen te zijn en hoelang we nog te leven hadden in een land waar de gemiddelde leeftijd niet boven de vijfenvijftig uitkomt. Ze wilde geen tijd verdoen met sombere gedachten. Met het einde van de winter veranderde ons leven van slaapwandelaars geleidelijk in een leven zonder slaap. Ze ging met me mee jagen en vissen. We maakten verre tochten, en hoe meer het jaar naar de zomer liep, hoe minder we bang hoefden te zijn om door het donker overvallen te worden, dat dan over de poolcirkel vliegt als een roofvogel die aanstalten maakt om op een tak te gaan zitten maar dan toch gauw verder vliegt. Ik nam haar mee naar plekjes waar zalmen terugkeerden naar hun geboorteplaats om er te sterven. Ze hadden zojuist kuit geschoten in rivierbedden die ze na een uitputtende tocht van duizenden kilometers hadden weten terug te vinden dankzij een onder invloed van chemische processen uitzonderlijk geheugen. Vervolgens werden ze daar het slachtoffer van een falend immuunsysteem, waardoor ze stierven. Of we sliepen in het sparrenhouten hutje of we kampeerden heel eenvoudig op zeer afgelegen plekken waar we nooit iemand tegenkwamen. Het komt best wel voor dat een stelletje denkt alleen op de wereld te zijn, maar in die eindeloze ruimte waar de natuur zich van haar beste kant laat zien, haar ziek zijn verhult zoals een oude vrouw die vroeger leuk was om te zien haar aftakeling verdoezelt, daar was het echt zo. Hele berkenbossen leken ziek, met takken zo dun als de armen van Don Quichot. We hadden er steeds moeite mee om naar de stad terug te keren, waar het ons elke dag zwaarder viel om voor de nacht afscheid van elkaar te moeten nemen. In het begin van een relatie zijn woorden belangrijk, maar naarmate de maanden voorbijgaan, krijgt zwijgen meer gewicht. Als je niets zegt kun je ook niet liegen, en zwijgen kan net zo goed betekenisvol worden als woorden hun betekenis kunnen verliezen.

Het geld dat ik in het bedrijf van Boris stak, wierp al heel gauw vruchten af en nadat ik een aantal maanden een passief investeerder was geweest, besloot ik hem op kantoor een handje te gaan helpen en zo af en toe ook op zee, zodat ik tegelijk gezonde zeelucht binnenkreeg. In het begin stak ik zodra ik een voorwerp zag drijven mijn nek uit alsof het om iets kon gaan wat met Vania te maken had.

TOEN IK EEN keer van zee terugkeerde, een tocht waar ik wat moe van was geworden, zo hard woei het, trof ik een jonge vrouw voor de deur van onze flat aan. Ze was van gemiddelde lengte in deze streek waar meisjes heel lang zijn, en ze had een fijn gezicht en een ronde mond zoals op met zaagsel gevulde poppen getekend worden. Ze kwam me alleen maar een bezoekje brengen. Ik liet haar binnen en bood haar een stoel aan terwijl ik op de canapé neerviel. Ik zette koffie voor ons tweetjes, want ik merkte dat ze geen haast had en dat ze een ernstige zaak met me wilde bespreken.

'Het zit zo: mijn naam is Svetlana Tsjikova en ik werk als serveerster in het restaurant hier beneden in uw flat.'

'Dan heb ik het toch goed dat ik dacht u al eens ergens gezien te hebben', antwoordde ik. 'Al ben ik niet vaak in dat restaurant geweest, ik ben u een paar keer voor de deur tegengekomen.'

Ze was me trouwens heus wel opgevallen, want ze was beeldschoon.

Ze had dat stuurse gezicht van meisjes die weten wat ze willen en die niet van plan zijn ook maar iets toe te geven, maar ik had nog geen idee waar het over ging.

'Goed', zei ze terwijl ze haar handen wrong die duidelijk klam waren. 'Dat ik ben gekomen heeft te maken met uw zoon Vania. Ik heb hem kort voor de ramp leren kennen en we zijn met elkaar naar bed geweest. Ik werd zwanger, ik heb het kind laten weghalen. Dat was heel duur. Dus kom ik u om geld vragen. Ik ben maar serveerster en mijn moeder woont bij me in, ze is weduwe en gepensioneerd spoorwegbeambte. Ik heb dat geld moeten lenen, maar het lukt me niet het terug te betalen. Iedereen weet dat de families van de slachtoffers van de Oskar een schadevergoeding of zoiets hebben gekregen en ik vind het redelijk dat ik daar ook een beetje van profiteer.'

Ik stelde me op als iemand die haar verzoek beleefd in overweging nam.

'Waarom ben je niet vóór de abortus naar me toe gekomen?'

'Op dat moment was er nog geen sprake van dat de families geld zouden krijgen', antwoordde ze heel open.

Ik ging weer rechtop zitten op de canapé waarop ik was neergeploft en bekeek haar eens goed, terwijl zij naar de grond staarde als een slechte leerlinge die net een fout heeft gemaakt.

'Ik moet je iets zeggen, Svetlana. Je lijkt me een beste meid, maar weet je, sinds bekend werd dat de families een schadevergoeding zouden krijgen, hebben zich al talloze vrouwen gemeld als vermeende erfgenamen van vermisten, zoals moeders van onwettige kinderen, geheime minnaressen, onbekende vrouwspersonen … Als we ze moeten geloven, kun je je niet voorstellen wat voor een ingewikkeld leven die arme bemanningsleden van de onderzeeboot leidden. Dus vertel me eens hoe jij mijn zoon hebt leren kennen.'

'In het restaurant, in de twee weken voor de schipbreuk kwam hij twee keer. En we zijn al meteen de eerste avond met elkaar naar bed geweest. Ik nam geen voorzorgsmaatregelen en raakte zwanger.'

'En waar hebben jullie gevreeën?'

'In een auto die hij van een bevriende officier had geleend, ik herinner me zelfs zijn naam, Anton. Vanwege mijn moeder konden we niet naar mijn huis, hij had net zijn flat gekregen, maar ik had geen pasje om met hem op de basis te mogen komen, dus stopten we ergens buiten de stad. Toen bleek dat ik zwanger was, twijfelde ik, twijfelde ik, en het was al aan de late kant toen ik besloot het weg te laten halen. Eerst wilden ze het niet doen, vervolgens moest ik veel, heel veel betalen. Driehonderd dollar. Ik zal tien jaar nodig hebben om dat bedrag terug te betalen, maar voor u is het misschien niet meer dan een kleinigheid, snapt u?'

Ik had nooit iets voor anderen gedaan, en ik moet zeggen dat anderen ook nooit veel voor mij hadden gedaan. Maar om eerlijk te zijn, had ik niet echt zin om in discussie te gaan. Het was zinloos om haar te vragen of ze zoiets als een bewijsje kon over-

leggen, dus maakte ik het af op honderd dollar en zei haar dat
ik nooit meer iets van haar wilde horen, althans niet als het over
geld ging. Ze klemde de biljetten in haar handje en ging er vrij
waardig vandoor.

Een maand later was ik in de supermarkt aan de weg naar het
vliegveld om een nieuwe voorraad sterkedrank en hartigheden in
te slaan. Ik duwde mijn karretje rustig voort, zonder aandacht te
schenken aan het stelletje dat voor me liep en dat ik op de rug
keek. De vrouw klemde met haar onderarm een kind tegen haar
heup. Het kind draaide zich naar me om. Zelfs met zijn lekker
warme tsjapka op zijn hoofd, zou ik zijn gezicht uit duizenden
herkend hebben. Gelaatstrekken die me drieëntwintig jaar in de
tijd terugvoerden. Die baby was het evenbeeld van Vania op dezelfde leeftijd. Ik kwam dichterbij, de baby glimlachte naar me.
Het leek wel of ik het slachtoffer was van een wrede zinsbegoo-
cheling. Ik versnelde mijn pas. Toen de moeder voelde dat ik
achter haar stond, draaide ze zich om. Het was Svetlana, met
grote ogen van schrik. Met mijn blik smeekte ik om een verklaring, maar ze ging er snel vandoor, waarbij ze zich tegen de
man aandrukte die naast haar liep. Ik kon mijn ogen niet van
het kind afhouden, dat me opgewekt bleef aanstaren. Ze besefte
natuurlijk dat ik het er niet bij zou laten zitten, dus maakte ze
zich met een goed bedachte smoes los van haar metgezel en nam
ze me mee naar een stil hoekje in de winkel. Toen we eenmaal
buiten het gezichtsveld van haar partner waren, zei ze smekend:
'Alstublieft, maak geen stampij.'
    'Ik ben helemaal niet van plan stampij te maken', antwoordde
ik met verwilderde ogen.
    'Ik zal het u uitleggen, maar beloof me dat u niet moeilijk gaat
doen.'
    'Ik zal niet moeilijk gaan doen.'
    'Het is de zoon van Vania, maar ik had nog verkering met die
man toen ik verliefd werd op Vania. Ik heb hem wijsgemaakt
dat het ons kind is om ervoor te zorgen dat hij met me trouwt.
Alstublieft, maak niet alles kapot.'

'Ik wil niets kapotmaken, maar het is de zoon van mijn zoon, dus u begrijpt …'

Ze wilde er gauw vandoor gaan, maar ik greep haar bij haar mouw. Ik weet niet wat er door het hoofd ging van de man die bij haar was, maar toen hij dat zag, dacht hij waarschijnlijk dat ik haar lastigviel en stortte hij zich op me. Lichamelijke kracht staat soms los van de spiermassa die in een lichaam huist. Ik had een voordeel op hem. Een ondergrond van bitter stemmende vertwijfeling en de behoefte maanden verdriet af te reageren. Ik raakte hem maar één keer, maar zo hard dat ik zijn neus onherstelbaar aan gruzelementen sloeg. Verblind door bloed en pijn, gaf hij met zijn handen voor zijn gezicht de strijd meteen op. De bedrijfsleider waarschuwde de politie, die me met even veel vertoon oppakte als wanneer ik een Tsjetsjeense terrorist geweest was. Bijna de hele rest van de dag bracht ik op het politiebureau door, te midden van de gebruikelijke ellende van een stad in de poolcirkel na de sovjetperiode. De politie maakte proces-verbaal op, veroordeelde me met toepassing van snelrecht tot een forse boete plus een schadevergoeding en het verbod ooit nog in de buurt van dat stelletje te komen, anders zou ik voor straf in de gevangenis gegooid worden. Aan die straf ontsnapte ik nu trouwens alleen maar omdat ik de vader van een vermiste opvarende van de Oskar was en in deze stad maakte dat nog verschil.

Vervolgens ging ik naar een advocaat om te horen hoe ik zeggenschap zou kunnen krijgen over dat kind dat het kind van mijn zoon was. Hij vertelde me dat zo'n procedure mogelijk was door een verzoek te doen om erkenning van het vaderschap, maar dat alleen de vader gerechtigd was dat te doen. De vader was echter dood, en ook als ik op het idee mocht komen het zelf te doen, was het lichaam van de vader nodig voor een DNA-test en … kortom, het was heel ingewikkeld. Uiteindelijk ging ik naar het restaurant waar Svetlana werkte en schoof ik haar zonder iets te zeggen een envelop toe waarin ik haar een flink geldbedrag toezegde als ze ervoor zorgde dat het vaderschap van mijn zoon erkend werd. Ze heeft er nooit op gereageerd, wat aangaf dat ze, ondanks geldgebrek, smoorverliefd was op die vent wiens neus ik aan gort had geslagen. Mijn zoon was maar een afwijking geweest van een vage gedragslijn. Het is een vreemde gewaarwording dat je weet dat je nageslacht opgroeit in dezelfde stad waar jij woont zonder dat je er contact mee mag hebben. Ik aarzelde of ik het er met Anna over zou hebben, maar ze zou het ooit toch wel te weten komen, het toeval heeft op deze aarde zoveel handlangers.

'En wat ben je van plan te doen?' vroeg ze met ogen als schoteltjes, alsof ik heel erg moest oppassen wat ik zou antwoorden.

'Ik ben van plan te doen wat ik vind dat ik moet doen, maar op het ogenblik weet ik niet hoe, het recht is ons niet welgezind.'

'Het recht, je gaat me toch niet vertellen dat je nu opeens vertrouwt op het recht in dit land.'

Ze moest haar woede bedwingen, die van een heftigheid was die je bij haar niet vaak zag.

'Dan zal ik me er wel mee bemoeien.'

Ze had alleen maar de aanwijzing dat Svetlana in het restaurant beneden in mijn flat werkte. Ik hoorde pas enige tijd later wat er gebeurd was.

Ze ging de gangen van de serveerster na. En toen ze een keer in gezelschap van haar man was, was ze recht voor hem gaan staan en vertelde ze hem het hele verhaal. Daarna duurde het niet langer dan een week of Svetlana stond voor de deur met de baby in haar armen. Haar man had haar het huis uit gegooid.

Ik bracht haar voorlopig met het kind in de flat onder. Zijn grootmoeder kan maar niet begrijpen wat het kleintje daar doet, maar de drukte die dat om haar heen teweegbrengt, doet haar goed. Svetlana is totaal veranderd sinds ze bij ons woont. Ze lijkt op een klein wild dier dat geleidelijk beseft hoe prettig het is getemd te zijn. Het duurde niet lang of ze beschouwde ons als haar nieuwe familie, wat ik verklaar uit het feit dat ze er nooit echt een gehad heeft. Een paar minuten waren voldoende om me een mening over haar moeder te vormen, een gevoelloze vrouw. Anna, die de list bedacht waardoor het kind bij ons was gekomen, had even tijd nodig om met Svetlana op vertrouwelijke voet te komen. Vervolgens deed zich een merkwaardig verschijnsel voor. Ik merkte dat ze haar dankbaar was dat ze haar broer een nakomeling had bezorgd. Ik zal van nu af aan in het levensonderhoud van deze rare gemeenschap moeten voorzien en die verantwoordelijkheid bevalt me, want ze dwingt me flink aan te pakken. Welke buitenstaander zou in staat zijn iets van ons leven te begrijpen en van het mijne in het bijzonder, gevangen tussen twee vrouwen die aan weerszijden van een portaal wonen, ik die het kind grootbreng van mijn vermiste zoon? Het meest ingewikkelde is Jekaterina uit te leggen wie dat kind is en nog ingewikkelder wie dat meisje is dat zo moederlijk met hem omgaat. Door het steeds maar kijken naar de kleine Joeri dacht ze dat haar kwaal verergerd was, want ze zag in hem haar eigen zoon toen die net zo oud was. Dezelfde gelaatstrekken, eenzelfde rust die uit zijn blauwe ogen sprak, en dezelfde helderheid met betrekking tot het leven dat voor hem lag. Telkens wanneer ze ons ernaar vroeg, antwoordden we dat Joeri de zoon van Vania was. Een telkens volgde dan dezelfde vraag: 'Waar is Vania?'

En ik antwoordde altijd hetzelfde: 'Hij komt over een paar dagen.'

Het kind vormde een enorme geruststelling voor me. Omdat het een jongen was die voor mijn ogen man zou worden. Ik zou dus van nu af aan in mijn familie niet meer de enige zijn van het mannelijk geslacht. Ik vroeg me een beetje af waar Anna de kracht vandaan had gehaald om het kind weer bij ons te brengen. En toen ze me meedeelde dat ze een visum voor Israël had gekregen, begreep ik het.

Ik denk dat het komt door mijn kortstondige problemen met de politie naar aanleiding van die vechtpartij dat zich een paar dagen later een man bij de flat meldde. Hij deed schools beleefd. Hij werkte op het ministerie van Defensie, ik zou niet weten op welke afdeling, en ik had al gauw door dat hij me ter verantwoording kwam roepen.

'Hoe komt het dat u nog hier bent, meneer Altman, terwijl in de overeenkomst die we sloten heel duidelijk staat dat u de streek zou verlaten om u in Sint-Petersburg te vestigen, waar u een flat was toegewezen. Het schijnt dat die nog steeds leegstaat. Bovendien is mij ter ore gekomen dat u contact hebt gehad met een buitenlandse journalist.'

'Dat klopt, ik heb mijn dochter, die journaliste is, geholpen met vertalen, maar wees niet bang, ik heb die man ervan overtuigd dat de officiële versie de juiste is.'

'Hoe luidt die dan?'

'Dat weet ik niet meer, het waren er zoveel. Die van de laatste datum, kan ik u verzekeren. En wat betreft het feit dat we nog hier zijn, moet ik u bekennen dat ik met een heel groot probleem zit, mijn vrouw lijdt aan anterograde amnesie, haar geheugen neemt geen nieuwe informatie meer op en als we naar elders zouden moeten verhuizen, zou ze daar niets kunnen thuisbrengen, wat haar zou veroordelen tot een leven als een kasplantje. Maar aan de andere kant weet ik dat ons grote regeringsapparaat geen uitzonderingen toestaat, zo is het toch, nietwaar?'

'Zo is het. We willen niet één familie meer in het gebied. En als u blijft, zullen we u alles weer afnemen.'

'En me het lichaam van mijn zoon teruggeven?'

'Hoe zegt u?'

'Ik vroeg me af of u me ook het lichaam van mijn zoon weer zou afnemen, want ik moet u nog verduidelijken wat me, het spijt me, ook op een ander punt tot een uitzondering maakt, en dat is dat wij een van de weinige families zijn aan wie geen lichaam teruggegeven kon worden. Dat zou u moeten weten, maar dat is iets heel anders en dat is natuurlijk niet voldoende om u tot clementie te bewegen.'

'Ik ben bang van niet.'

'Ik begrijp het, maar misschien kunnen we tot een regeling komen ... of denkt u dat de situatie hopeloos is?'

'Dat is ze niet.'

'Om eerlijk te zijn, dat verwachtte ik wel. Ik zal zelfs helemaal open kaart spelen en u zeggen dat ik het toegekende bedrag in het vissen op koningskrabben heb gestopt. En ... bent u hier nog een paar dagen?'

'Als het nodig is, kan ik wel een dag langer blijven.'

'Dat is nodig want, snapt u, ik zou u een geslaagd voorbeeld willen laten zien van investering van het troostgeld in de vrije economie. Als u uw mond houdt, en dat is in uw eigen belang, ben ik bereid u morgen mee te nemen op een van de schepen van onze vloot, u zult staan te kijken, ook zult u dan inzien van hoeveel belang het is dat we tot een regeling komen, u en ik ...'

We keken elkaar even zwijgend aan. Daarna vertrok één mondhoek zich tot een glimlach, de andere liet zich waarschijnlijk niet bedotten en ging niet mee in zijn immoraliteit. Op mijn beurt glimlachend vervolgde ik: 'Ik denk heus dat het beter is met niemand over dit uitstapje te praten, de beste manier van zakendoen is om dat onderhands te doen, kunt u me volgen?'

Hij knikte ten teken dat hij het begrepen had. Ik bekeek hem eens en zag wel dat de man nog lang geen vijfenvijftig was. In een ander land dan het onze had hij gemakkelijk dertig jaar langer kunnen leven.

Het komt maar zelden voor dat je in het hoge noorden koningskrab kunt eten, op een paar arme mensen na die aan stroperij doen. De hele vangst wordt geëxporteerd. Met luxeproducten is het nu eenmaal zo dat ze nooit geconsumeerd worden door de mensen die ze produceren, oogsten of opvissen. Je treft het verfijnde vlees ervan slechts aan in de chicste restaurants van Moskou, Sint-Petersburg, het Westen en Azië. De rijken die ervan genieten zijn echter niet zulke fijnproevers dat ze het verschil in smaak opmerken tussen krabben die zich met geboefte hebben volgestopt of krabben die zich met het vlees van onze kinderen hebben gevoed.

Marc Dugain bij De Geus

Het geheime leven van J. Edgar Hoover

John Edgar Hoover – ook in Nederland en België een befaamde naam – was een charismatische, maar ook hoogst omstreden persoonlijkheid. Hij stond bijna een halve eeuw aan het hoofd van de FBI en had in die functie een haast oneindige macht. Maar wat voor persoon schuilde er eigenlijk achter deze imposante verschijning? En welke rol speelde Clyde Tolson, Hoovers rechterhand en vermoedelijk ook diens minnaar?

Via gesprekken, afluisterberichten en rapporten van de inlichtingendienst, afkomstig uit de memoires van Clyde Tolson, worden zonder enig voorbehoud de meest verborgen en pikante details van een van Amerika's machtigste leiders onthuld, waaronder twee Kennedy-affaires.